최상위의 절대 기준

절대등급

절

대

등

급

이 책을 집필하신 선생님들께 감사드립니다.

김규완 | 대구 황금중학교	**김진영** | 대구 고산중학교	**서지영** | 신천중학교	**신은지** | 원촌중학교
신혜진 | 서문여자중학교	**우희정** | 숭문중학교	**유승연** | 신도림중학교	**윤남희** | 중동중학교
이규현 | 원촌중학교	**이문영** | 대전 삼천중학교	**이삭** | 배명중학교	**전대식** | 장원중학교
전지영 | 대전 대덕중학교	**전한우** | 서문여자중학교	**정다희** | 서일중학교	**최진이** | 광주 풍암중학교

이 책을 검토하신 선생님들께 감사드립니다.

강유미 | 경기 광주	**김국희** | 청주	**김민지** | 대구	**김선아** | 부산
김주영 | 서울 용산	**김훈회** | 청주	**노형석** | 광주	**신범수** | 대전
신지예 | 대전	**안성주** | 영암	**양영인** | 성남	**양현호** | 순천
원민희 | 대구	**윤영숙** | 서울 서초	**이미란** | 광양	**이상일** | 서울 강서
이승열 | 광주	**이승희** | 대구	**이영동** | 성남	**이진희** | 청주
임안철 | 안양	**장영빈** | 천안	**장전원** | 대전	**전승환** | 안양
전지영 | 안양	**정상훈** | 서울 서초	**정재봉** | 광주	**지승룡** | 광주
채수현 | 광주	**최주현** | 부산	**허문석** | 천안	**홍인숙** | 안양

최상위의 절대 기준

절대등급

중학 수학 1-2

구성과 특징

이렇게 만들었습니다.

현직 우수 학군
중학교 선생님들이 만든 문제

실제 학교 시험 문항을 출제하는
현직 선생님들이 내신 대비에 최적화
된 상위권 문제만을
엄선하였습니다.

최고 실력을
완성할 수 있는 문제로 구성

유형만 반복하는 문제 풀이는 이제 그만!
문제 해결력을 키워주는 필수 문제부터
변별력을 결정하는 최고난도 문제까지
내신 만점을 위한 집중 학습이 가능
하도록 구성하였습니다.

전국 우수 학군 기출 문제와
교과서를 철저히 분석

강남, 목동 등의 전국 우수 학군 지역
중학교의 신경향 기출 문제와
모든 교과서의 사고력 문항을
분석하여 수준 높은 문항을
수록하였습니다.

개념

- 중단원별로 꼭 알아야 하는 핵심 개념과 원리를 **참고**, **주의**, **예**와 함께 수록하였습니다.

  심화 개념 핵심 개념과 연계되는 심화 개념 또는 상위 개념을 체계적으로 정리하였습니다.

  쌤의 활용 꿀팁 심화 개념에서 꼭 알아두어야 할 문제 해결 포인트를 선생님이 직접 제시하였습니다.

04 다각형

① 다각형

(1) **다각형**: 3개 이상의 선분으로 둘러싸인 평면도형
  ① 변 : 다각형을 이루는 선분
  ② 꼭짓점 : 변과 변이 만나는 점
  ③ 내각 : 다각형에서 이웃하는 두 변으로 이루어진 내부의 각
  ④ 외각 : 다각형의 각 꼭짓점에서 한 변과 그 변에 이웃하는 변의 연장선이 이루는 각
  참고 다각형의 한 꼭짓점에서 내각과 외각의 크기의 합은 180°이다.
   ➡ (한 내각의 크기) + (한 외각의 크기) = 180°
  주의 다각형의 한 내각에 대한 외각은 두 개이나 맞꼭지각으로 그 크기가 서로 같으므로 둘 중 하나만 생각한다.

(2) **정다각형**: 변의 길이가 모두 같고, 내각의 크기가 모두 같은 다각형
  참고 변의 개수에 따라 정삼각형, 정사각형, 정오각형, …, n개 …, n개의 선분으로 둘러싸인 정다각형을 정n각형이라 한다.

② 삼각형의 내각과 외각

(1) **삼각형의 내각의 크기의 합**
  삼각형의 내각의 크기의 합은 180°이다.
   ➡ ∠A + ∠B + ∠C = 180°
(2) **삼각형의 내각과 외각 사이의 관계**
  삼각형의 한 외각의 크기는 그와 이웃하지 않는 두 내각의 크기의 합과 같다.

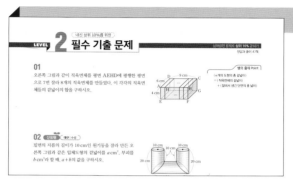

LEVEL 1 학교 선생님이 **시험에 꼭 내는 문제**

- **이것이 진짜 출제율 100% 문제** 전국 모든 중학교 시험에 출제된 문제 중에서 개념별로 대표 문제들을 엄선하여 상위 20 %의 실력을 다질 수 있게 하였습니다.
- **이것이 진짜 교과서에서 뽑아온 문제** 전국 중학교에서 사용하는 다양한 교과서 문항 중 시험에 나올 수 있는 사고력 문제를 선별하였습니다.
  실수多 학교 시험에서 학생들이 실수하기 쉬운 문제들을 쌤의 오답 코칭과 함께 수록하여 실수를 줄일 수 있게 하였습니다.

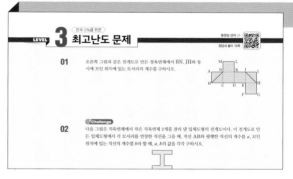

LEVEL 2 내신 상위 10%를 위한 **필수 기출 문제**

- 전국 우수 학군 중학교의 최근 기출 문제를 철저히 분석하여 실제 시험에 출제될 가능성이 높은 문제들로 구성하여 상위 10 %의 실력을 굳힐 수 있게 하였습니다.
  복합 개념 두 가지 이상의 개념을 적용해야 해결할 수 있는 문제입니다.
  신유형 새롭게 떠오르는 변별력 있는 문제입니다.
  만점 KILL 학교 시험에서 만점 방지를 위해 나올 수 있는 고난이도 문제입니다.
  교과서 추론, **교과서 창의사고력** 교과서 문항을 분석하여 실제 학교 시험 고난도 문항으로 출제 가능한 형태로 제시하였습니다.
- 문항의 출제 지역(서울 강남, 서울 목동, 서울 서초, 서울 송파, 분당 서현, 안양 평촌, 대전 둔산, 광주 봉선, 대구 수성, 부산 해운대)을 표시하였습니다.

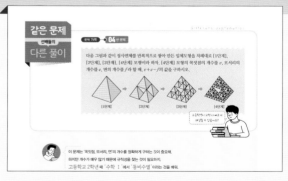

LEVEL 3 전국 1%를 위한 **최고난도 문제**

- 종합 사고력 및 가장 높은 수준의 문제 해결력을 요구하는 전국 1 % 실력을 완성할 수 있는 문제로 구성하였습니다.
  Challenge 경시 및 특목고 대비까지 가능하도록 최고 수준 문제를 한 문항 엄선하였습니다.

동영상 강의》 LEVEL 3의 모든 문제에 대한 풀이 동영상을 제공합니다. QR 코드를 인식하면 동영상을 볼 수 있습니다.

선배들의 같은 문제 다른 풀이

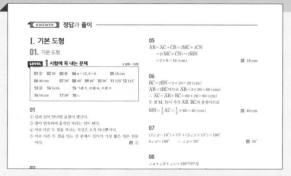

- 앞에서 풀었던 문제 중 상위 개념을 이용하여 풀 수 있는 문제를 선별하여 다른 풀이를 제시하였고, 상위 개념을 미리 익힐 수 있게 하였습니다.

정답과 풀이

- 이해하기 쉬운 깔끔한 풀이와 한 문제에 대한 여러 가지 해결 방법을 제시하였습니다.
- 쌤의 오답 피하기 특강, 쌤의 만점 특강, 쌤의 복합 개념 특강, 쌤의 특강을 제시하여 문제마다 충분한 이해가 가능하게 하였고, LEVEL 3의 문제는 solution 미리 보기를 제시하였습니다.

차례

I

기본 도형

◯ 현직 교사의 학교 시험 고난도 킬러 강의

이 단원에서는 도형의 기본 요소, 즉 점, 선, 면 사이의 관계를 파악하는 것이 중요해요.
각의 크기를 파악하기 어려운 경우에는 평행선의 성질을 이용하기 위해 보조선을 긋는
것이 도움이 될 때가 많아요. 또한, 복잡한 입체도형에서 선들의 위치 관계를 묻는 문제
역시 꼭 출제되어요. 주어진 도형을 다각도에서 볼 수 있는 공간 지각 능력이 필요합니다.
특히, 보조선을 이용하여 합동인 삼각형을 만들어 낸 다음 주어진 각의 크기를 구하는
문제는 이 단원에서의 kill 문제죠.

01 기본 도형

① 점, 선, 면

(1) 도형의 기본 요소

① 도형의 기본 요소 : 점, 선, 면

② 점이 연속적으로 움직인 자리는 선이 되고, 선이 연속적으로 움직인 자리는 면이 된다.

(2) 교점과 교선

① 교점 : 선과 선 또는 선과 면이 만나서 생기는 점

② 교선 : 면과 면이 만나서 생기는 선

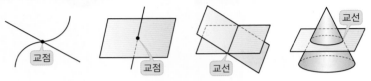

참고 ① 평면과 평면의 교선은 직선이다.
　　 ② 입체도형에서 꼭짓점은 모서리와 모서리의 교점이고, 모서리는 면과 면의 교선이다.

② 직선, 반직선, 선분

(1) 직선이 정해질 조건

한 점을 지나는 직선은 무수히 많지만 서로 다른 두 점을 지나는 직선은 오직 하나뿐이다.

(2) 직선, 반직선, 선분

① 직선 AB : 서로 다른 두 점 A, B를 지나는 직선 ➡ $\overleftrightarrow{AB}$

직선 AB

② 반직선 AB : 직선 AB 위의 점 A에서 시작하여 점 B의 방향으로 한없이 연장한 선 ➡ $\overrightarrow{AB}$

반직선 AB

③ 선분 AB : 직선 AB 위의 점 A에서 점 B까지의 부분 ➡ $\overline{AB}$

선분 AB

참고 ① $\overleftrightarrow{AB}=\overleftrightarrow{BA}$, $\overline{AB}=\overline{BA}$이지만, $\overrightarrow{AB}$와 $\overrightarrow{BA}$는 시작점과 방향이 각각 다르므로 $\overrightarrow{AB}\neq\overrightarrow{BA}$

② 어느 세 점도 한 직선 위에 있지 않은 n개의 점에 대하여 두 점을 이어 만들 수 있는 서로 다른

・(직선의 개수)$=\dfrac{n(n-1)}{2}$　　・(반직선의 개수)$=$(직선의 개수)$\times 2=n(n-1)$

・(선분의 개수)$=$(직선의 개수)$=\dfrac{n(n-1)}{2}$

③ 두 점 사이의 거리

(1) 두 점 A, B 사이의 거리

두 점 A, B를 잇는 무수히 많은 선 중에서 길이가 가장 짧은 선인 선분 AB의 길이

참고 $\overline{AB}$는 선분 AB를 나타내기도 하고, 선분 AB의 길이를 나타내기도 한다.

두 점 A, B 사이의 거리

(2) 선분 AB의 중점 : 선분 AB 위의 점 M에 대하여 $\overline{AM}=\overline{MB}$일 때, 점 M을 선분 AB의 중점이라 한다. ➡ $\overline{AM}=\overline{MB}=\dfrac{1}{2}\overline{AB}$

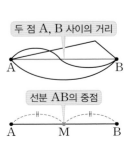

선분 AB의 중점

④ 각

(1) **각 AOB**

한 점 O에서 시작하는 두 반직선 OA, OB로 이루어진 도형 ➡ ∠AOB

참고 ∠AOB는 ∠BOA로 나타내기도 하고, 간단하게 ∠O 또는 ∠a로 나타내기도 한다.

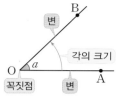

(2) **각 AOB의 크기**

∠AOB에서 꼭짓점 O를 중심으로 반직선 OA가 반직선 OB까지 회전한 양

참고 ∠AOB는 각을 나타내기도 하고, 각의 크기를 나타내기도 한다.

(3) **각의 분류**

① 평각 : 각의 두 변이 꼭짓점을 중심으로 반대쪽에 있고 한 직선을 이루는 각

　　　즉, 크기가 180°인 각

② 직각 : 평각 크기의 $\frac{1}{2}$인 각, 즉 크기가 90°인 각

③ 예각 : 크기가 0°보다 크고 90°보다 작은 각

④ 둔각 : 크기가 90°보다 크고 180°보다 작은 각

⑤ 맞꼭지각

(1) **교각** : 서로 다른 두 직선이 한 점에서 만날 때 생기는 네 개의 각

➡ ∠a, ∠b, ∠c, ∠d

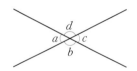

(2) **맞꼭지각** : 교각 중에서 서로 마주 보는 두 각

➡ ∠a와 ∠c, ∠b와 ∠d

(3) **맞꼭지각의 성질** : 맞꼭지각의 크기는 서로 같다.

➡ ∠a=∠c, ∠b=∠d

⑥ 수직과 수선

(1) **직교** : 두 직선 AB와 CD의 교각이 직각일 때, 두 직선은 서로 직교한다고 한다.

➡ $\overleftrightarrow{AB} \perp \overleftrightarrow{CD}$

참고 직선뿐만 아니라 반직선, 선분의 경우에도 교각이 직각일 때 '직교한다'고 한다.

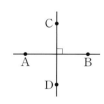

(2) **수직과 수선** : 직교하는 두 직선을 서로 수직이라 하고, 한 직선을 다른 직선의 수선이라 한다.

(3) **선분 AB의 수직이등분선** : 선분 AB의 중점 M을 지나고 선분 AB에 수직인 직선 l

➡ $l \perp \overline{AB}$, $\overline{AM}=\overline{BM}$

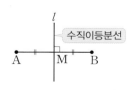

(4) **수선의 발** : 직선 l 위에 있지 않은 점 P에서 직선 l에 수선을 그었을 때, 그 교점 H를 점 P에서 직선 l에 내린 수선의 발이라 한다.

(5) **점과 직선 사이의 거리** : 직선 l 위에 있지 않은 점 P에서 직선 l에 내린 수선의 발 H까지의 거리 ➡ $\overline{PH}$

🎯 이것이 진짜 **출제율 100%** 문제

① 점, 선, 면

01 대표문제

다음 중 점, 선, 면에 대한 설명으로 옳은 것은?

① 선과 선이 만나면 교선이 생긴다.
② 한 점을 지나는 직선은 무수히 많다.
③ 점이 연속하여 움직인 자리는 면이 된다.
④ 서로 다른 두 점을 지나는 직선은 무수히 많다.
⑤ 서로 다른 두 점을 잇는 선 중에서 길이가 가장 짧은 것은 반직선이다.

02

오른쪽 그림과 같은 직육면체에서 교점의 개수를 a, 교선의 개수를 b라 할 때, $a+b$의 값을 구하시오.

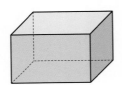

② 직선, 반직선, 선분

03 대표문제

직선 l 위에 네 점 A, B, C, D가 있다. 다음 중 옳지 <u>않은</u> 것은?

① $\overrightarrow{AB}=\overrightarrow{BA}$ ② $\overrightarrow{AC}=\overrightarrow{BD}$ ③ $\overrightarrow{BC}=\overrightarrow{BD}$
④ $\overrightarrow{CA}=\overrightarrow{BD}$ ⑤ $\overline{AB}=\overline{BA}$

04 실수多

오른쪽 그림과 같이 어느 세 점도 한 직선 위에 있지 않은 네 점 A, B, C, D 중 두 점을 지나는 서로 다른 반직선의 개수를 a, 선분의 개수를 b라 할 때, a, b의 값을 각각 구하시오.

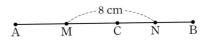

✏️ **쌤의 오답 코칭** | 시작점과 방향이 각각 같아야 같은 반직선임에 주의한다.

③ 두 점 사이의 거리

05 대표문제

다음 그림에서 점 M은 $\overline{AC}$의 중점이고, 점 N은 $\overline{CB}$의 중점이다. $\overline{MN}=8\,cm$일 때, $\overline{AB}$의 길이를 구하시오.

$$\overset{\frown}{\underset{\text{A} \quad \text{M} \quad \text{C} \quad \text{N} \quad \text{B}}{\bullet\!\!-\!\!-\!\!\bullet\!\!-\!\!\overset{8\,cm}{-\!\!-}\!\!\bullet\!\!-\!\!-\!\!\bullet\!\!-\!\!-\!\!\bullet}}$$

06

다음 그림에서 $\overline{AB}=3\overline{BC}$이고, 두 점 M, N은 각각 $\overline{AB}$, $\overline{BC}$의 중점이다. $\overline{BN}=10\,cm$일 때, $\overline{MN}$의 길이를 구하시오.

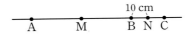

④ 각

07 (대표문제)

오른쪽 그림에서 $\angle x$의 크기를 구하시오.

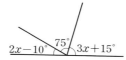

08

오른쪽 그림에서
$\angle a : \angle b : \angle c = 2 : 3 : 4$일 때,
$\angle a$의 크기를 구하시오.

09

오른쪽 그림에서 $\overline{AE} \perp \overline{BO}$이고
$\angle AOC = 2 \angle COE$,
$\angle DOE = 5 \angle COD$일 때,
$\angle BOD$의 크기를 구하시오.

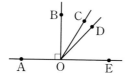

⑤ 맞꼭지각

10 (대표문제)

오른쪽 그림에서 $\angle x - \angle y$의 크기를 구하시오.

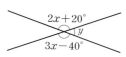

11

오른쪽 그림과 같이 세 직선이 점 O에서 만나고, $\angle a : \angle b = 4 : 5$일 때, $\angle AOE$의 크기를 구하시오.

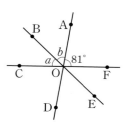

12

오른쪽 그림과 같이 두 직선 AB, CD가 점 O에서 만나고 $\overline{AB} \perp \overline{OE}$일 때, $\angle a + \angle b + \angle c$의 크기를 구하시오.

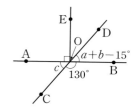

⑥ 수직과 수선

13 (대표문제)

오른쪽 그림과 같이 $\overleftrightarrow{AB} \perp \overleftrightarrow{CD}$일 때, 다음 중 옳지 <u>않은</u> 것은?

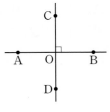

① ∠AOC=90°

② 점 A에서 $\overleftrightarrow{CD}$에 내린 수선의 발은 점 O이다.

③ 점 C와 $\overleftrightarrow{AB}$ 사이의 거리는 $\overline{AO}$의 길이와 같다.

④ 점 A와 $\overleftrightarrow{CO}$ 사이의 거리는 점 A와 $\overleftrightarrow{DO}$ 사이의 거리와 같다.

⑤ 점 D와 $\overleftrightarrow{AB}$ 위의 점을 이은 선분 중 길이가 가장 짧은 것은 $\overline{DO}$이다.

14

오른쪽 그림과 같은 사다리꼴 ABCD에서 점 D와 $\overline{BC}$ 사이의 거리를 구하시오.

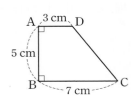

📖 이것이 진짜 **교과서에서 뽑아온** 문제

---

15 | 교학사 유사 |

오른쪽 그림과 같이 직선 l 위에 세 점 A, B, C가 있을 때, 보기에서 서로 같은 것을 나타내는 것을 모두 찾아 짝 지으시오.

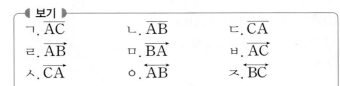

┤ 보기 ├

ㄱ. $\overline{AC}$	ㄴ. $\overline{AB}$	ㄷ. $\overrightarrow{CA}$
ㄹ. $\overrightarrow{AB}$	ㅁ. $\overrightarrow{BA}$	ㅂ. $\overleftrightarrow{AC}$
ㅅ. $\overleftrightarrow{CA}$	ㅇ. $\overleftrightarrow{AB}$	ㅈ. $\overleftrightarrow{BC}$

16 | 지학사 유사 |

다음 그림에서 점 C는 선분 AD의 중점이고, 점 D는 선분 CB의 중점이다. $\overline{AD}=16\,cm$일 때, 선분 CB의 길이를 구하시오.

17 | 동아 유사 |

오른쪽 그림과 같이 두 직선 AB, CD가 점 O에서 만난다. 점 O는 점 E에서 직선 AB에 내린 수선의 발이면서 점 F에서 직선 CD에 내린 수선의 발이다. ∠EOD=50°일 때, ∠BOF의 크기를 구하시오.

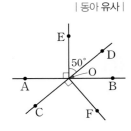

18 | 천재 유사 |

오른쪽 그림을 보고 보기에서 옳은 것을 모두 고르시오.

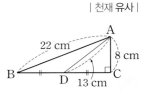

┤ 보기 ├

ㄱ. 점 A에서 $\overleftrightarrow{BC}$에 내린 수선의 발은 점 D이다.

ㄴ. 점 A와 $\overleftrightarrow{BC}$ 사이의 거리는 8 cm이다.

ㄷ. 선분 AD는 선분 BC의 수직이등분선이다.

01

오른쪽 그림을 보고 보기에서 옳은 것을 모두 고르시오.

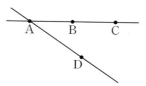

◀ 보기 ▶

ㄱ. $\overleftrightarrow{BC}$와 $\overleftrightarrow{AD}$는 만나지 않는다.

ㄴ. $\overleftrightarrow{BA}$와 $\overleftrightarrow{BC}$는 서로 같은 직선이다.

ㄷ. $\overrightarrow{AC}$와 $\overrightarrow{DA}$는 시작점이 점 A로 서로 같다.

ㄹ. $\overrightarrow{AB}$와 $\overrightarrow{AC}$는 서로 같은 반직선이다.

02

오른쪽 그림과 같이 직선 l 위에 세 점 A, B, C가 있고,
직선 l 밖에 한 점 D가 있다. 이 중 두 점을 이어 만들 수
있는 서로 다른 반직선의 개수를 구하시오.

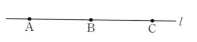

03

오른쪽 그림과 같이 원 위에 6개의 점 A, B, C, D, E, F가 있다.
이 중 두 점을 지나는 서로 다른 직선의 개수를 a, 반직선의 개수
를 b, 선분의 개수를 c라 할 때, $a+b+c$의 값을 구하시오.

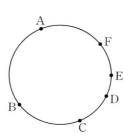

04 신유형

서로 다른 4개의 점 중 두 점을 이어 만들 수 있는 서로 다른 직선의 최대 개수를 a, 최소 개수
를 b라 할 때, $a+b$의 값을 구하시오.

05

다음 그림에서 두 점 B, D는 각각 $\overline{AC}$, $\overline{CE}$의 중점이다. $\overline{BD}=\dfrac{2}{5}\overline{AF}$, $\overline{AC}=2\overline{CE}$이고 $\overline{EF}=6\,cm$일 때, $\overline{AD}$의 길이를 구하시오.

06

다음 그림에서 세 점 D, E, F는 각각 $\overline{AB}$, $\overline{BC}$, $\overline{AC}$의 중점이고 $\overline{DF}:\overline{FE}=3:2$이다. $\overline{AC}=20\,cm$일 때, $\overline{BF}$의 길이를 구하시오.

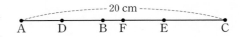

07

다음 그림에서 세 점 P, Q, R는 각각 $\overline{AB}$, $\overline{PB}$, $\overline{AQ}$의 중점일 때, $\overline{RP}:\overline{QB}$를 가장 간단한 자연수의 비로 나타내시오.

A   R   P   Q   B

08 만점 KILL (대구 | 수성)

$\overline{AB}$ 위에 $\overline{AP}=3\overline{PB}$인 점 P를 잡고, $\overline{AB}$의 연장선 위에 $\overline{AQ}=2\overline{BQ}$인 점 Q를 잡았다. $\overline{PB}$의 중점을 M, $\overline{PQ}$의 중점을 N이라 하고 $\overline{AB}=64\,cm$일 때, $\overline{MN}$의 길이를 구하시오.

6개의 점을 한 직선 위에 나타내 본다.

09

다음 조건을 모두 만족시키는 서로 다른 다섯 개의 점 A, B, C, D, E 중 왼쪽에서 두 번째에 위치한 점을 구하시오.

쌤의 출제 Point

> (개) 다섯 개의 점 A, B, C, D, E는 한 직선 위에 있고, 점 A는 점 C의 오른쪽에 있다.
> (내) 점 B는 선분 AC의 중점이다.
> (대) $\overline{AD} = \dfrac{1}{2}\overline{AB}$
> (래) 다섯 개의 점들 중 이웃한 점들 사이의 거리는 모두 같다.

10

텃밭에 가지, 고추, 상추, 감자, 토마토 모종을 이 순서대로 다음 조건에 맞게 일렬로 심으려고 한다. 고추와 감자 모종 사이의 거리를 구하시오.

> (개) 가지와 토마토 사이의 거리는 2 m이다.
> (내) 가지와 고추 사이의 거리는 고추와 상추 사이의 거리와 같다.
> (대) 상추와 토마토 사이의 거리는 고추와 상추 사이의 거리의 2배이다.
> (래) 감자와 토마토 사이의 거리는 감자와 상추 사이 거리의 $\dfrac{1}{3}$배이다.

11

오른쪽 그림에서 $\angle AOC = \dfrac{2}{3} \angle AOD$, $\angle EOB = \dfrac{2}{3} \angle DOB$일 때, $\angle COE$의 크기를 구하시오.

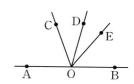

평각의 크기는 180°이다.

12 교과서 **창의사고력** | 미래엔 유사 |

오른쪽 그림에서 $\overline{BO} \perp \overline{OD}$, $\overline{AO} \perp \overline{OC}$이고 $100° \leq \angle AOD \leq 130°$일 때, $\angle BOC$의 크기가 가장 클 때와 가장 작을 때의 합을 구하시오.

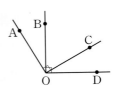

쌤의 출제 Point

13

오른쪽 그림은 직사각형 모양의 종이 ABCD를 $\overline{DE}$를 접는 선으로 하여 접은 것이다. $\angle BEC' : \angle DEC' = 6 : 7$일 때, $\angle BEC'$의 크기를 구하시오.

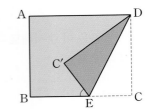

14

오른쪽 그림과 같이 세 직선 AB, CD, EF와 반직선 OG가 한 점 O에서 만날 때 생기는 맞꼭지각은 모두 몇 쌍인지 구하시오.

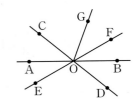

2개의 직선이 한 점에서 만날 때 맞꼭지각이 생긴다.

15

오른쪽 그림과 같이 5개의 직선이 한 점에서 만날 때 생기는 맞꼭지각은 모두 몇 쌍인지 구하시오.

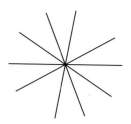

쌤의 출제 Point

16 교과서 추론 | 신사고 유사 |

오른쪽 그림과 같이 네 직선 AE, BF, CG, DH가 점 O에서 만나고
$\angle BOC=3\angle AOB$, $\angle COD=3\angle DOE$일 때, $\angle HOF$의 크기를 구하시오.

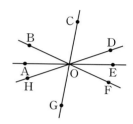

맞꼭지각의 크기는 서로 같다.

17

오른쪽 그림과 같이 5개의 직선이 한 점에서 만날 때, $\angle b$의 크기를 구하시오.

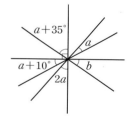

18

다음 설명 중 옳지 <u>않은</u> 것은?

① 서로 다른 두 점을 지나는 직선은 하나뿐이다.
② 맞꼭지각의 크기는 서로 같다.
③ 점 M이 직선 l 위의 점이고 $\overline{AB}=\overline{BM}$, $l \perp \overline{AB}$일 때, 직선 l은 선분 AB의 수직이등분선이다.
④ 점 H가 점 P에서 직선 l에 내린 수선의 발일 때, $l \perp \overline{PH}$이다.
⑤ 면과 면이 만나면 교선이 생긴다.

쌤의 출제 Point

19

오른쪽 그림과 같은 평행사변형 ABCD에서 점 A와 직선 BC 사이의 거리를 x cm, 점 A와 직선 CD 사이의 거리를 y cm라 할 때, $x+y$의 값을 구하시오.

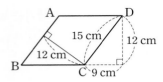

20

다음 중 오른쪽 그림에 대한 설명으로 옳지 <u>않은</u> 것을 모두 고르면? (정답 2개)

① 점 C에서 $\overline{AB}$에 내린 수선의 발은 점 H이다.
② $\overline{AH}$와 $\overline{BC}$는 직교한다.
③ 점 A와 $\overline{BC}$ 사이의 거리는 $\overline{AB}$의 길이와 같다.
④ 점 C와 $\overline{AB}$ 사이의 거리는 4 cm이다.
⑤ $\overline{AB}$와 $\overline{CA}$는 서로 수직이다.

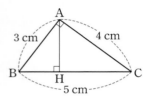

21

좌표평면 위에 두 점 P$(-3, -2)$, Q$(2, 4)$가 있다. 점 P에서 x축과 y축에 내린 수선의 발을 각각 A, B라 하고 점 Q에서 x축과 y축에 내린 수선의 발을 각각 C, D라 할 때, 사각형 ABCD의 넓이를 구하시오.

좌표평면 위에 두 점 P, Q를 나타내 본다.

01 오른쪽 그림과 같이 ∠B=90°이고 $\overline{AB}$=8 cm, $\overline{BC}$=15 cm, $\overline{CA}$=17 cm인 직각삼각형 ABC가 있다. 점 B와 변 AC 사이의 거리를 구하시오.

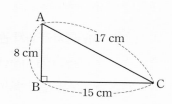

02 오른쪽 그림은 선분 10개가 만난 것으로 (1, 0)과 (0, 10), (2, 0)과 (0, 9), (3, 0)과 (0, 8), ⋯, (10, 0)과 (0, 1)과 같이 x좌표가 1씩 커질 때, y좌표는 1씩 작아지도록 차례로 연결한 것이다. 이 규칙으로 선분 15개가 만났을 때의 교점의 개수를 구하시오.

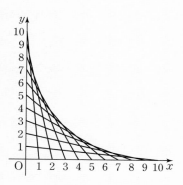

🌐 Challenge

03 7시와 8시 사이에 시계의 시침과 분침이 이루는 각 중에서 작은 쪽의 각의 크기가 90° 이하인 것은 몇 분 동안인지 구하시오.

04 다음 그림과 같이 직선을 회전시키는 데 첫 번째에는 시계 방향으로 $x°$만큼, 두 번째에는 시계 반대 방향으로 $2x°$만큼, 세 번째에는 시계 방향으로 $3x°$만큼, 네 번째에는 시계 반대 방향으로 $4x°$만큼 회전시킨다고 한다. 이렇게 직선을 9번 회전시켰더니 처음의 직선과 직교하게 되었다. 처음 회전시킨 각의 크기를 $x°$라 할 때, x의 값을 구하시오. (단, 40<x<60)

02 위치 관계

① 평면에서의 위치 관계

(1) 점과 직선 사이의 위치 관계

① 점 A는 직선 l 위에 있다.

② 점 B는 직선 l 위에 있지 않다.

(2) 두 직선의 위치 관계

① 두 직선의 평행 : 한 평면 위에 있는 두 직선 l, m이 만나지 않을 때, 두 직선 l, m은 평행하다고 하고, $l /\!/ m$으로 나타낸다.

> **참고** 두 선분의 연장선이 평행할 때, 두 선분이 평행하다고 한다.

② 평면에서 두 직선의 위치 관계

　　㉠ 한 점에서 만난다.　　　　　㉡ 일치한다.　　　　　　㉢ 평행하다.

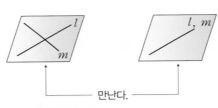

> **참고** 평면이 하나로 정해질 조건
> ① 한 직선 위에 있지 않은 세 점이 주어질 때　　② 한 직선과 그 직선 위에 있지 않은 한 점이 주어질 때
> ③ 한 점에서 만나는 두 직선이 주어질 때　　　　④ 평행한 두 직선이 주어질 때

② 공간에서의 위치 관계

(1) 두 직선의 위치 관계

① 꼬인 위치 : 공간에서 두 직선이 만나지도 않고 평행하지도 않을 때, 두 직선은 꼬인 위치에 있다고 한다.

② 공간에서 두 직선의 위치 관계

　　㉠ 한 점에서 만난다.　　㉡ 일치한다.　　　㉢ 평행하다.　　　㉣ 꼬인 위치에 있다.

(2) 직선과 평면의 위치 관계

① 직선과 평면의 평행 : 공간에서 직선 l과 평면 P가 만나지 않을 때, 직선 l과 평면 P는 평행하다고 하고, $l /\!/ P$로 나타낸다.

② 공간에서 직선과 평면의 위치 관계

　　㉠ 한 점에서 만난다.　　　　㉡ 직선이 평면에 포함된다.　　　㉢ 평행하다.

③ 직선과 평면의 수직 : 직선 l이 평면 P와 점 H에서 만나고 직선 l이 점 H를 지나는 평면 P 위의 모든 직선과 수직일 때, 직선 l과 평면 P는 수직이다 또는 직교한다고 하고, $l \perp P$로 나타낸다. 이때 직선 l을 평면 P의 수선이라 하고, 점 H를 수선의 발이라 한다.

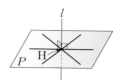

참고 점과 평면 사이의 거리

평면 P 위에 있지 않은 점 A와 점 A에서 평면 P에 내린 수선의 발 H 사이의 거리를 점 A와 평면 P 사이의 거리라 한다.

(3) 두 평면의 위치 관계

① 두 평면의 평행 : 공간에서 두 평면 P, Q가 만나지 않을 때, 두 평면 P, Q는 평행하다고 하고, $P /\!/ Q$로 나타낸다.

② 공간에서 두 평면의 위치 관계

  ㉠ 한 직선에서 만난다.　　　　㉡ 일치한다.　　　　㉢ 평행하다.

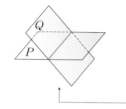　　　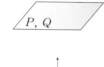　　　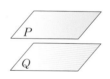

　　└─── 만난다. ───┘　　　　　　　만나지 않는다.

③ 두 평면의 수직 : 평면 P가 평면 Q에 수직인 직선 l을 포함할 때, 평면 P와 평면 Q는 수직이다 또는 직교한다고 하고, $P \perp Q$로 나타낸다.

③ 동위각과 엇각

한 평면 위의 서로 다른 두 직선이 한 직선과 만나서 생기는 각 중에서

(1) **동위각** : 서로 같은 위치에 있는 두 각

  ➡ $\angle a$와 $\angle e$, $\angle b$와 $\angle f$, $\angle c$와 $\angle g$, $\angle d$와 $\angle h$

(2) **엇각** : 서로 엇갈린 위치에 있는 두 각 ➡ $\angle c$와 $\angle e$, $\angle d$와 $\angle f$

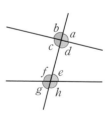

참고 서로 다른 두 직선이 한 직선과 만나면 8개의 교각이 생긴다. 이 중 동위각은 4쌍, 엇각은 2쌍이다.

④ 평행선의 성질

(1) **평행선의 성질** : 평행한 두 직선이 한 직선과 만날 때

  ① 동위각의 크기는 같다.　　　　　　　② 엇각의 크기는 같다.

  ➡ $l /\!/ m$이면 $\angle a = \angle b$　　　　　　➡ $l /\!/ m$이면 $\angle c = \angle d$

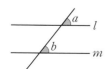　　　　　　　　　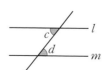

(2) **두 직선이 평행할 조건** : 서로 다른 두 직선이 한 직선과 만날 때

  ① 동위각의 크기가 같으면 두 직선은 평행하다.

  ② 엇각의 크기가 같으면 두 직선은 평행하다.

🎯 이것이 진짜 **출제율 100%** 문제

① 평면에서의 위치 관계

01 대표문제

다음 중 평면이 하나로 정해질 조건이 <u>아닌</u> 것은?

① 서로 다른 두 점
② 평행한 두 직선
③ 한 직선과 그 직선 위에 있지 않은 한 점
④ 한 점에서 만나는 두 직선
⑤ 한 직선 위에 있지 않은 세 점

02 실수多

다음 중 한 평면 위에 있는 서로 다른 세 직선 l, m, n에 대한 설명으로 옳지 <u>않은</u> 것은?

① $l /\!/ m$이면 두 직선 l, m은 만나지 않는다.
② $l /\!/ m$, $l /\!/ n$이면 $m /\!/ n$이다.
③ $l \perp m$, $m \perp n$이면 $l /\!/ n$이다.
④ $l \perp m$이면 두 직선 l, m은 한 점에서 만난다.
⑤ $l \perp m$, $l /\!/ n$이면 $m /\!/ n$이다.

✍ 쌤의 오답 코칭 | 그림으로 나타내어 생각해 본다.

② 공간에서의 위치 관계

03 대표문제

오른쪽 그림과 같이 밑면이 정육각형인 육각기둥에서 각 모서리를 연장한 직선을 그을 때, 직선 AG와 한 점에서 만나는 직선의 개수를 a, 직선 BC와 꼬인 위치에 있는 직선의 개수를 b라 하자. $a+b$의 값을 구하시오.

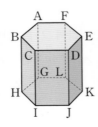

04

오른쪽 그림과 같은 직육면체에서 $\overline{DF}$와 꼬인 위치에 있는 모서리의 개수를 구하시오.

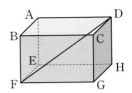

05

다음 설명 중 옳은 것은?

① 평행한 두 직선은 한 평면 위에 있다.
② 공간에서 한 직선과 직교하는 서로 다른 두 직선은 수직으로 만난다.
③ 한 평면 위에 있으면서 서로 만나지 않는 두 직선은 꼬인 위치에 있다.
④ 한 평면에 평행인 서로 다른 두 직선은 평행하다.
⑤ 한 직선과 꼬인 위치에 있는 서로 다른 두 직선은 꼬인 위치에 있다.

06

오른쪽 그림과 같이 밑면이 직각삼각형인 삼각기둥에서 꼭짓점 A와 면 BEFC 사이의 거리를 a cm, 꼭짓점 C와 면 DEF 사이의 거리를 b cm라 할 때, $a+b$의 값을 구하시오.

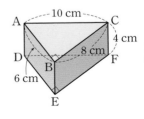

07

오른쪽 그림은 정육면체의 일부분을 잘라 낸 입체도형이다. 두 점 M, N은 각각 $\overline{AB}$, $\overline{DC}$의 중점일 때, 다음 중 옳은 것을 모두 고르면? (정답 2개)

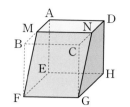

① 모서리 DH와 수직으로 만나는 모서리는 4개이다.

② 면 AMND와 만나는 모서리는 4개이다.

③ 모서리 FG와 평행한 모서리는 4개이다.

④ 점 M과 면 EFGH 사이의 거리는 $\overline{MF}$의 길이와 같다.

⑤ 면 MFGN과 수직인 면은 없다.

10

세 직선이 오른쪽 그림과 같이 만날 때, 다음을 모두 구하시오.

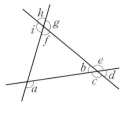

(1) $\angle a$의 동위각

(2) $\angle b$의 엇각

③ 동위각과 엇각

08 (대표문제)

오른쪽 그림과 같이 두 직선 l, m이 다른 한 직선 n과 만날 때, 다음 중 옳지 <u>않은</u> 것은?

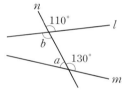

① $\angle a = 50°$

② $\angle a$의 맞꼭지각의 크기는 $50°$이다.

③ $\angle a$의 동위각의 크기는 $50°$이다.

④ $\angle a$의 엇각의 크기는 $70°$이다.

⑤ $\angle b$의 엇각의 크기는 $130°$이다.

④ 평행선의 성질

11 (대표문제)

오른쪽 그림에서 $l /\!/ m$일 때, $\angle x$의 크기를 구하시오.

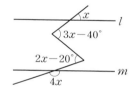

09

세 직선이 오른쪽 그림과 같이 만날 때, $\angle x$의 모든 엇각의 크기의 합을 구하시오.

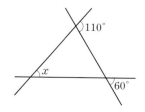

12

오른쪽 그림에서 $l /\!/ m$일 때, $\angle x$의 크기를 구하시오.

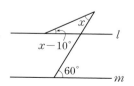

13

오른쪽 그림에서 두 직선 l, m이 평행할 때, $\angle x$의 크기를 구하시오.

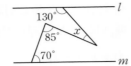

14

오른쪽 그림에서 $l /\!/ m$이고, 삼각형 ABC는 $\overline{AB}=\overline{AC}$인 이등변삼각형이다. $\angle BAC=40°$일 때, $\angle x+\angle y$의 크기를 구하시오.

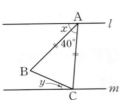

📖 이것이 진짜 교과서에서 뽑아온 문제

15 실수多

| 금성 유사 |

오른쪽 그림과 같은 전개도로 만든 정사면체에서 모서리 AF와 꼬인 위치에 있는 모서리는?

① $\overline{BC}$ ② $\overline{BD}$
③ $\overline{CD}$ ④ $\overline{DF}$
⑤ $\overline{EF}$

✎ 쌤의 오답 코칭 | 주어진 전개도로 만든 정사면체를 그려 본다.

16

| 지학사 유사 |

오른쪽 그림은 직육면체를 세 꼭짓점 A, B, E를 지나는 평면으로 자른 입체도형이다. 면 ABC와 수직인 모서리의 개수를 x, 모서리 AB와 꼬인 위치에 있는 모서리의 개수를 y라 할 때, $x+y$의 값을 구하시오.

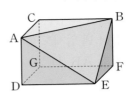

17

| 동아 유사 |

오른쪽 그림에서 세 직선 l, m, n이 평행할 때, $\angle a$, $\angle b$, $\angle c$, $\angle d$, $\angle e$ 중에서 $\angle BCE$와 크기가 같은 각을 모두 찾으시오.

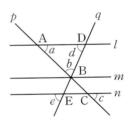

18

| 비상 유사 |

오른쪽 그림과 같이 직사각형 모양의 종이를 $\overline{EG}$를 접는 선으로 하여 접었을 때, $\angle x$의 크기를 구하시오.

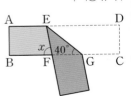

01

한 평면 위에 서로 다른 5개의 직선을 그릴 때 생기는 교점의 최대 개수를 구하시오.

쌤의 출제 Point

02

오른쪽 그림과 같이 한 평면 위의 다섯 개의 점 A, B, C, D, E와 그 평면 밖의 점 H가 있다. 이 여섯 개의 점으로 정해지는 서로 다른 평면의 개수를 구하시오. (단, 세 점 A, B, C는 한 직선 위에 있고, 다른 점들 중 그 어떤 세 점도 한 직선 위에 있지 않다.)

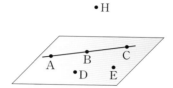

한 직선 위에 있지 않은 서로 다른 세 점은 하나의 평면을 결정한다.

03

공간에서 서로 다른 세 평면 P, Q, R와 서로 다른 세 직선 l, m, n에 대하여 보기의 설명 중 항상 옳은 것의 개수를 구하시오.

◀ 보기 ▶

ㄱ. $l \perp m$, $m \perp n$이면 $l \perp n$이다.
ㄴ. $l /\!/ m$, $m /\!/ n$이면 $l /\!/ n$이다.
ㄷ. $l /\!/ m$, $m \perp n$이면 $l \perp n$이다.
ㄹ. $l /\!/ P$, $m /\!/ P$이면 $l /\!/ m$이다.
ㅁ. $l \perp P$, $l \perp Q$이면 $P /\!/ Q$이다.
ㅂ. $P \perp Q$, $Q /\!/ R$이면 $P \perp R$이다.
ㅅ. $P /\!/ Q$, $Q /\!/ R$이면 $P /\!/ R$이다.

직육면체를 이용하여 공간에서의 위치 관계를 살펴본다.

04

오른쪽 그림과 같은 계단 모양의 입체도형에서 모서리 BC와 평행한 모서리의 개수를 a, 모서리 AD와 꼬인 위치에 있는 모서리의 개수를 b라 할 때, $a+b$의 값을 구하시오.

(단, 이웃한 모서리끼리는 모두 수직으로 만난다.)

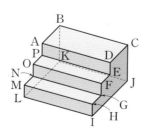

05 복합 개념 (서울 | 강남)

쌤의 출제 Point
꼬인 위치에 있는 두 직선은 한 평면 위에 있지 않다.

오른쪽 그림은 정육면체에서 네 모서리의 중점 M, N, P, Q를 지나는 평면으로 잘라 낸 입체도형이다. 다음 중 옳지 <u>않은</u> 것은?

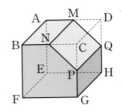

① 모서리 MQ와 수직인 면은 없다.
② 모서리 MQ와 평행한 면은 2개이다.
③ 모서리 MQ와 수직인 모서리는 2개이다.
④ 모서리 MQ와 평행한 모서리는 1개이다.
⑤ 모서리 MQ와 꼬인 위치에 있는 모서리는 7개이다.

06 만점 KILL (광주 | 봉선)

오른쪽 그림은 직육면체의 한 모퉁이에서 작은 직육면체를 잘라 낸 입체도형이다. 각 면을 연장한 평면과 각 모서리를 연장한 직선을 생각할 때, 평면 DGJE와 수직인 평면의 개수를 x, 평면 KLMN과 수직인 직선의 개수를 y, 직선 HG와 꼬인 위치에 있는 직선의 개수를 z라 할 때, $x+y+z$의 값을 구하시오.

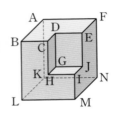

07

오른쪽의 그림과 같은 전개도로 직육면체를 만들었을 때, 면 KFGJ에 수직이고 모서리 CD와 꼬인 위치에 있는 모서리의 개수를 구하시오.

주어진 전개도로 입체도형을 만들어 직선과 평면의 위치 관계를 살펴본다.

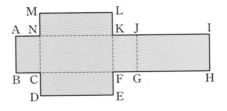

08

오른쪽 그림과 같은 전개도로 만든 삼각기둥에 대하여 모서리 GF와 평행한 모서리의 개수를 a, 선분 GE와 꼬인 위치에 있는 모서리의 개수를 b, 면 ABCJ와 평행한 모서리의 개수를 c라 할 때, $a+b-c$의 값을 구하시오.

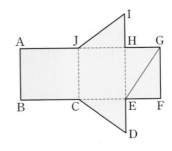

09 교과서 **창의사고력** | 비상 유사 |

오른쪽 그림에서 $l /\!/ k$, $m /\!/ n$일 때, $\angle x$의 크기를 구하시오.

쌤의 출제 Point

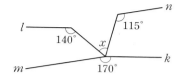

10

오른쪽 그림과 같은 다섯 개의 직선 a, b, c, d, e에 대하여 다음 중 옳은 것을 모두 고르면? (정답 2개)

① $a /\!/ d$ ② $a /\!/ e$ ③ $b /\!/ c$

④ $b /\!/ d$ ⑤ $c /\!/ d$

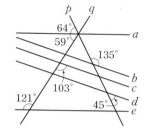

11

오른쪽 그림에서 $\angle x + \angle y$의 크기를 구하시오.

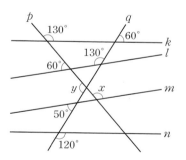

12 교과서 **추론** | 금성 유사 |

오른쪽 그림에서 $l /\!/ m$일 때, $\angle x$의 크기를 구하시오.

꺾인 점을 지나고 두 직선 l, m에 평행한 직선을 긋는다.

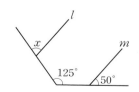

13

오른쪽 그림에서 $l /\!/ m$일 때, $\angle b + \angle c - \angle a$의 크기를 구하시오.

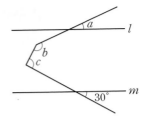

14

오른쪽 그림에서 $l /\!/ m$일 때, $\angle b - \angle a$의 크기를 구하시오.

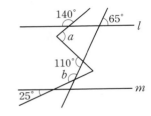

두 선이 만나는 점을 지나고 주어진 평행선에 평행한 직선도 긋는다.

15

오른쪽 그림에서 $l /\!/ m$일 때,
$\angle a + \angle b + \angle c + \angle d + \angle e$의 크기를 구하시오.

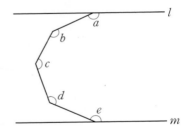

16

오른쪽 그림에서 $l /\!/ m$일 때, $\angle x$의 크기를 구하시오.

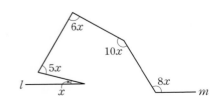

17

오른쪽 그림에서 $l /\!/ m$이고, 정사각형 ABCD의 두 꼭짓점 C, A는 각각 두 직선 l, m 위에 있다. 정사각형 AEFG는 정사각형 ABCD를 점 A를 중심으로 회전시킨 것이고, 꼭짓점 F는 직선 l 위에 있다. ∠GAD : ∠DAP=4 : 3일 때, ∠x의 크기를 구하시오.

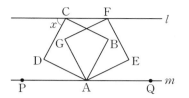

쌤의 출제 Point

18 교과서 **창의사고력** | 천재 유사 |

오른쪽 그림에서 $l /\!/ m$일 때, ∠a+∠b+∠c+∠d+∠e 의 크기를 구하시오.

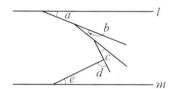

19

오른쪽 그림에서 $l /\!/ m$이고, ∠EAB=∠BAD, ∠DCB=∠BCF, ∠ADC=120°일 때, ∠x의 크기를 구하시오.

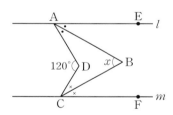

20

오른쪽 그림에서 정사각형 ABCD의 두 꼭짓점 A, C가 각각 두 직선 l, m 위에 있고, $l /\!/ m$이다. ∠FAB : ∠BCG=2 : 1일 때, ∠AED의 크기를 구하시오.

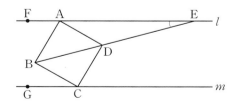

정사각형의 한 각의 크기는 90°임을 이용한다.

21 신유형

오른쪽 그림은 직사각형 왼쪽 위에서 시작하여 합동인 직각삼각형 6개를 서로 겹치지 않게 이어 붙인 것이다. $\angle x$의 크기를 구하시오.

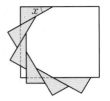

22

오른쪽 그림은 직사각형 모양의 종이를 접은 것이다. 세 점 A, B, C가 한 직선 위에 있을 때, $\angle y - \angle x$의 크기를 구하시오.

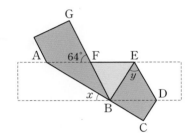

접은 각과 엇각의 크기가 각각 같음을 이용한다.

23

오른쪽 그림은 직사각형 모양의 종이를 접은 것이다. $\angle B'PC' = 50°$일 때, $\angle x + \angle y$의 크기를 구하시오.

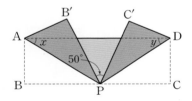

24

오른쪽 그림과 같이 직사각형 모양의 종이를 접었을 때, 다음 중 나머지 넷과 크기가 다른 각은?

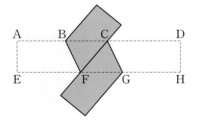

① $\angle BCF$ ② $\angle BFC$

③ $\angle CGE$ ④ $\angle DCG$

⑤ $\angle FCG$

01 오른쪽 그림과 같은 전개도로 만든 정육면체에서 $\overline{BN}$, $\overline{JH}$와 동시에 꼬인 위치에 있는 모서리의 개수를 구하시오.

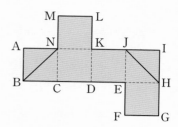

Challenge

02 다음 그림은 직육면체에서 작은 직육면체 2개를 잘라 낸 입체도형의 전개도이다. 이 전개도로 만든 입체도형에서 각 모서리를 연장한 직선을 그을 때, 직선 AB와 평행한 직선의 개수를 a, 꼬인 위치에 있는 직선의 개수를 b라 할 때, a, b의 값을 각각 구하시오.

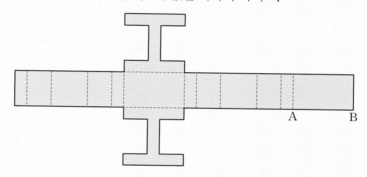

03 다음 그림에서 $l /\!/ m$일 때, $\angle x - \angle y$의 크기를 구하시오.

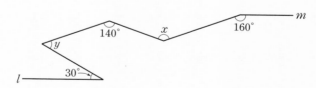

04 오른쪽 그림과 같이 $\angle B = \angle C$인 사다리꼴 모양의 종이 ABCD를 $\overline{BE}$를 접는 선으로 하여 접었을 때, $\angle x + 2\angle y$의 크기를 구하시오.

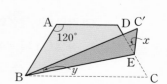

03 작도와 합동

① 작도

(1) **작도** : 눈금 없는 자와 컴퍼스만을 사용하여 도형을 그리는 것

　① 눈금 없는 자 : 두 점을 연결하는 선분을 그리거나 선분을 연장하는 데 사용

　② 컴퍼스 : 원을 그리거나 선분의 길이를 재어서 다른 직선 위로 옮기는 데 사용

(2) **길이가 같은 선분의 작도**

　선분 AB와 길이가 같은 선분은 다음과 같이 작도한다.

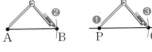

　❶ 눈금 없는 자를 사용하여 직선 l을 긋고, 그 위에 한 점 P를 잡는다.

　❷ 컴퍼스를 사용하여 $\overline{AB}$의 길이를 잰다.

　❸ 점 P를 중심으로 하고 반지름의 길이가 $\overline{AB}$인 원을 그려 직선 l과의 교점을 Q라 하면 선분 AB와 길이가 같은 선분 PQ가 작도된다. ➡ $\overline{PQ}=\overline{AB}$

(3) **크기가 같은 각의 작도**

　각 AOB와 크기가 같은 각은 다음과 같이 작도한다.

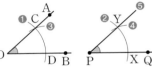

　❶ 점 O를 중심으로 하는 원을 그려 $\overrightarrow{OA}$, $\overrightarrow{OB}$와의 교점을 각각 C, D라 한다.

　❷ 점 P를 중심으로 하고 반지름의 길이가 $\overline{OC}$인 원을 그려 $\overrightarrow{PQ}$와의 교점을 X라 한다.

　❸ 컴퍼스를 사용하여 $\overline{CD}$의 길이를 잰다.

　❹ 점 X를 중심으로 하고 반지름의 길이가 $\overline{CD}$인 원을 그려 ❷에서 그린 원과의 교점을 Y라 한다.

　❺ $\overrightarrow{PY}$를 그으면 각 AOB와 크기가 같은 각 YPX가 작도된다. ➡ $\angle AOB = \angle YPX$

② 여러 가지 도형의 작도 [심화 개념]

(1) **평행선의 작도**

　직선 l과 평행한 직선은 다음과 같이 작도한다.

　❶ 점 P를 지나는 직선을 그어 직선 l과의 교점을 Q라 한다.

　❷ 점 Q를 중심으로 하는 원을 그려 $\overrightarrow{PQ}$와 직선 l과의 교점을 각각 A, B라 한다.

　❸ 점 P를 중심으로 하고 반지름의 길이가 $\overline{QA}$인 원을 그려 $\overrightarrow{PQ}$와의 교점을 C라 한다.

　❹ 컴퍼스를 사용하여 $\overline{AB}$의 길이를 잰다.

　❺ 점 C를 중심으로 하고 반지름의 길이가 $\overline{AB}$인 원을 그려 ❸에서 그린 원과의 교점을 D라 한다.

　❻ $\overrightarrow{PD}$를 그으면 직선 l과 평행한 직선 PD가 작도된다.

> **쌤의 활용 꿀팁**
> 평행선의 작도는 '서로 다른 두 직선이 한 직선과 만날 때, 동위각 또는 엇각의 크기가 각각 같으면 두 직선은 평행하다.'는 성질을 이용한 것이에요.

(2) **각의 이등분선의 작도**

　각 XOY의 이등분선은 다음과 같이 작도한다.

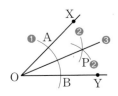

　❶ 점 O를 중심으로 하는 원을 그려 $\overrightarrow{OX}$, $\overrightarrow{OY}$와의 교점을 각각 A, B라 한다.

　❷ 두 점 A, B를 각각 중심으로 하고 반지름의 길이가 같은 원을 그려 두 원의 교점을 P라 한다.

　❸ $\overrightarrow{OP}$를 긋는다. ➡ $\angle XOP = \angle YOP = \dfrac{1}{2}\angle XOY$

③ 삼각형의 작도

(1) **삼각형 ABC** : 세 점 A, B, C를 꼭짓점으로 하는 삼각형 ➡ △ABC

① 대변 : 한 각과 마주 보는 변

② 대각 : 한 변과 마주 보는 각

참고 삼각형 ABC에서 ∠A, ∠B, ∠C의 대변의 길이를 차례대로 a, b, c로 나타낸다.

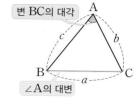

(2) **삼각형의 세 변의 길이 사이의 관계**

삼각형의 두 변의 길이의 합은 나머지 한 변의 길이보다 크다.

➡ $a+b>c$, $b+c>a$, $c+a>b$

참고 삼각형의 세 변의 길이가 주어졌을 때 삼각형이 될 수 있는 조건

➡ (가장 긴 변의 길이)＜(나머지 두 변의 길이의 합)

(3) **삼각형의 작도** : 다음의 각 경우에 삼각형을 하나로 작도할 수 있다.

① 세 변의 길이가 주어질 때

② 두 변의 길이와 그 끼인각의 크기가 주어질 때

③ 한 변의 길이와 그 양 끝 각의 크기가 주어질 때

참고 삼각형이 만들어지지 않거나 하나로 정해지지 않는 경우

① (가장 긴 변의 길이)≥(나머지 두 변의 길이의 합) ➡ 삼각형이 만들어지지 않음.

② 두 변의 길이와 그 끼인각이 아닌 다른 한 각의 크기가 주어질 때

➡ 삼각형이 만들어지지 않거나 1개 또는 2개로 그려짐.

③ 세 각의 크기가 주어질 때 ➡ 무수히 많은 삼각형이 만들어짐.

④ 두 각의 크기의 합이 180° 이상일 때 ➡ 삼각형이 만들어지지 않음.

④ 삼각형의 합동

(1) **삼각형의 합동**

두 삼각형 ABC와 DEF가 서로 합동일 때, △ABC≡△DEF로 나타낸다.

(2) **합동인 도형의 성질**

두 도형이 합동이면 대응변의 길이가 같고 대응각의 크기가 같다.

(3) **삼각형의 합동 조건**

두 삼각형 ABC, DEF는 다음의 각 경우에 합동이다.

① 세 쌍의 대응변의 길이가 같을 때 (SSS 합동)

➡ $\overline{AB}=\overline{DE}$, $\overline{BC}=\overline{EF}$, $\overline{AC}=\overline{DF}$

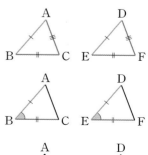

② 두 쌍의 대응변의 길이가 각각 같고, 그 끼인각의 크기가 같을 때

(SAS 합동)

➡ $\overline{AB}=\overline{DE}$, $\overline{BC}=\overline{EF}$, ∠B=∠E

③ 한 쌍의 대응변의 길이가 같고, 그 양 끝 각의 크기가 각각 같을 때

(ASA 합동)

➡ $\overline{BC}=\overline{EF}$, ∠B=∠E, ∠C=∠F

시험에 꼭 내는 문제

🎯 이것이 진짜 **출제율 100%** 문제

① 작도

01 대표문제

다음 보기 중 작도에 대한 설명으로 옳은 것을 모두 고르시오.

┤ 보기 ├

ㄱ. 원을 그릴 때 컴퍼스를 사용한다.

ㄴ. 두 선분의 길이를 비교할 때 자를 사용한다.

ㄷ. 선분의 길이를 다른 직선 위에 옮길 때 컴퍼스를 사용한다.

ㄹ. 눈금 있는 자와 컴퍼스만을 사용하여 도형을 그리는 것을 작도라 한다.

02

다음 그림은 ∠XOY와 크기가 같고 반직선 PQ를 한 변으로 하는 각을 작도한 것이다. 다음 중 옳지 <u>않은</u> 것은?

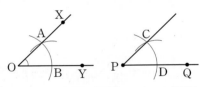

① $\overline{OA}=\overline{PC}$ ② $\overline{PC}=\overline{PD}$ ③ $\overline{AB}=\overline{CD}$

④ $\overline{OA}=\overline{AB}$ ⑤ $\angle AOB=\angle CPD$

② 여러 가지 도형의 작도 심화

03 대표문제

오른쪽 그림은 직선 l 위에 있지 않은 한 점 P를 지나고 직선 l과 평행한 직선을 작도한 것이다. 작도 순서를 나열하시오.

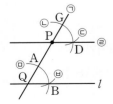

③ 삼각형의 작도

04 대표문제

다음 중 삼각형의 세 변의 길이가 될 수 있는 것은?

① 1 cm, 2 cm, 3 cm

② 2 cm, 2 cm, 4 cm

③ 4 cm, 5 cm, 10 cm

④ 7 cm, 7 cm, 15 cm

⑤ 6 cm, 8 cm, 10 cm

05

오른쪽 그림과 같이 한 변의 길이와 그 양 끝 각의 크기가 주어진 삼각형 ABC를 작도하려고 한다. 작도 순서로 옳지 <u>않은</u> 것은?

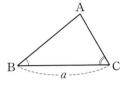

① $\overline{BC}$ ➡ $\angle B$ ➡ $\angle C$ ② $\angle B$ ➡ $\overline{BC}$ ➡ $\angle C$

③ $\overline{BC}$ ➡ $\angle C$ ➡ $\angle B$ ④ $\angle B$ ➡ $\angle C$ ➡ $\overline{BC}$

⑤ $\angle C$ ➡ $\overline{BC}$ ➡ $\angle B$

06 실수多

다음 중 삼각형 ABC가 하나로 정해지는 것은?

① $\overline{AB}=7\,cm$, $\overline{BC}=9\,cm$, $\angle A=60°$

② $\overline{AB}=5\,cm$, $\overline{BC}=6\,cm$, $\overline{CA}=12\,cm$

③ $\overline{BC}=10\,cm$, $\angle B=75°$, $\angle C=105°$

④ $\angle A=100°$, $\angle B=50°$, $\angle C=30°$

⑤ $\angle A=45°$, $\angle C=55°$, $\overline{AC}=10\,cm$

✍️ 쌤의 오답 코칭 | 두 변의 길이와 한 각의 크기가 주어졌다고 해서 삼각형이 하나로 정해지는 것은 아니다.

07

오른쪽 그림의 △ABC에서
$\overline{BC}=11\ cm$일 때, 다음 보기 중
△ABC가 하나로 정해지기 위해
필요한 조건이 될 수 있는 것을 모
두 고르시오.

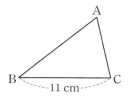

◀ 보기 ▶

ㄱ. $\overline{AB}=7\ cm$, $\overline{AC}=4\ cm$
ㄴ. $\overline{AC}=5\ cm$, $\angle C=65°$
ㄷ. $\overline{AB}=5\ cm$, $\angle A=40°$
ㄹ. $\angle B=30°$, $\angle C=70°$

④ 삼각형의 합동

08 (대표문제)

다음 중 △ABC와 △DEF가 합동인 것을 모두 고르면?

(정답 2개)

① $\overline{AB}=\overline{DE}$, $\overline{AC}=\overline{DF}$, $\overline{BC}=\overline{EF}$
② $\overline{AB}=\overline{DE}$, $\overline{BC}=\overline{EF}$, $\angle A=\angle D$
③ $\overline{BC}=\overline{EF}$, $\overline{AC}=\overline{DF}$, $\angle C=\angle F$
④ $\overline{AC}=\overline{DF}$, $\angle C=\angle E$, $\angle B=\angle F$
⑤ $\angle A=\angle D$, $\angle B=\angle E$, $\angle C=\angle F$

09

오른쪽 그림에서 $\overline{AB}=\overline{AD}$,
$\angle ABC=\angle ADE$일 때, 다음
중 옳지 <u>않은</u> 것은?

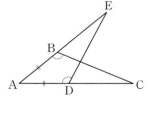

① $\overline{AC}=\overline{AE}$
② $\overline{BC}=\overline{DE}$
③ $\overline{AB}=\overline{BE}$
④ $\angle ACB=\angle AED$
⑤ △ABC≡△ADE

10

| 금성 유사 |

세 변의 길이가 각각 3 cm, 6 cm, x cm인 삼각형을 그리
려고 한다. 이때 자연수 x의 값이 될 수 있는 것은?

(단, $x>6$)

① 8　　　　② 9　　　　③ 10
④ 11　　　⑤ 12

11

| 천재 유사 |

다음 그림의 △ABC와 △DEF에서 $\overline{AB}=\overline{DE}$,
$\angle B=\angle E$이다. 보기 중 △ABC≡△DEF가 되기 위한
조건을 모두 고른 것은?

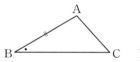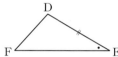

◀ 보기 ▶

ㄱ. $\overline{AC}=\overline{DF}$　　　　　ㄴ. $\overline{BC}=\overline{EF}$
ㄷ. $\angle C=\angle F$　　　　　ㄹ. $\angle A=\angle D$

① ㄴ　　　② ㄱ, ㄹ　　　③ ㄱ, ㄴ, ㄷ
④ ㄴ, ㄷ, ㄹ　　　⑤ ㄱ, ㄴ, ㄷ, ㄹ

12

| 동아 유사 |

△ABC와 △DEF가 다음 세 조건을 만족시킬 때, $\angle D$의
크기는?

㈎ △ABC≡△DEF
㈏ $\overline{AB}=\overline{AC}$
㈐ $\angle A=\dfrac{2}{5}\angle E$

① 15°　　　② 30°　　　③ 45°
④ 60°　　　⑤ 75°

01

다음 그림은 ∠a, ∠b를 이용하여 ∠a + ∠b의 크기와 같은 각을 작도한 것이다. 보기 중 옳은 것을 모두 고르시오.

쌤의 출제 Point

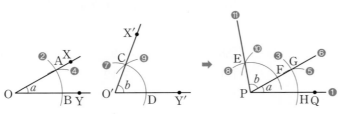

◀ 보기 ▶

ㄱ. $\overline{OA} = \overline{PG}$ ㄴ. $\overline{AB} = \overline{CD}$

ㄷ. $\overline{OB} = \overline{O'D}$ ㄹ. $\overline{CD} = \overline{EF}$

02

오른쪽 그림은 직선 l 위에 있지 않은 한 점 Q를 지나고 직선 l에 평행한 직선을 작도한 것이다. 다음 중 옳은 것은?

① $\overline{AB} = \overline{CD}$

② $\overline{BP} = \overline{DQ}$

③ 작도 순서는 ⓗ ➡ ⓜ ➡ ⓒ ➡ ⓔ ➡ ⓛ ➡ ⓖ이다.

④ 길이가 같은 선분의 작도를 이용하였다.

⑤ 동위각의 크기가 같으면 두 직선이 평행하다는 성질을 이용하였다.

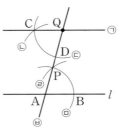

03

오른쪽 그림은 ∠ABC, ∠ACE의 이등분선의 교점 D를 작도한 것이다. ∠BDC의 크기를 구하시오.

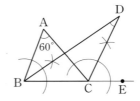

04

길이가 다음과 같은 6개의 막대가 있다. 이 중 3개를 선택하여 만들 수 있는 삼각형의 개수를 구하시오.

세 막대를 골라 가장 긴 막대의 길이와 나머지 두 막대의 길이의 합을 비교한다.

3 cm,   4 cm,   4 cm,   5 cm,   7 cm,   10 cm

05

삼각형의 세 변의 길이가 각각 $x-3$, x, $x+4$일 때, x의 값이 될 수 있는 가장 작은 자연수를 구하시오.

06

세 변의 길이가 각각 x cm, x cm, y cm이고 둘레의 길이가 28 cm인 이등변삼각형은 모두 몇 개인지 구하시오. (단, x, y는 자연수)

07

다음 중 $\overline{AB}$의 길이가 주어졌을 때, △ABC가 하나로 정해지지 <u>않는</u> 것을 모두 고르면?

(정답 2개)

삼각형이 하나로 정해는 조건을 이용하여 찾는다.

① 정삼각형 ABC
② $\overline{BC}=7$ cm, $\angle B=60^\circ$
③ $\angle A=20^\circ$, $\angle B=55^\circ$
④ $\angle B=90^\circ$인 직각삼각형
⑤ $\overline{AB}$를 밑변으로 하는 이등변삼각형

08

오른쪽 그림에서 △ABC가 정삼각형이고 $\overline{AF}=\overline{BD}=\overline{CE}$일 때, 다음 중 옳지 <u>않은</u> 것은?

① $\overline{AD}=\overline{BE}$
② $\overline{DF}=\overline{FE}$
③ $\angle DEF=60^\circ$
④ $\angle AFD+\angle EFC=150^\circ$
⑤ △ADF≡△BED≡△CFE

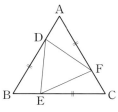

09 [교과서 **추론**] |동아 유사|

쌤의 출제 Point
정삼각형을 이용하여 각의 크기를 구한다.

오른쪽 그림에서 △ABC, △DCE가 정삼각형이고, $\overline{BD}$와 $\overline{AE}$의 교점을 P, $\overline{DC}$와 $\overline{AE}$의 교점을 Q라 할 때, 보기 중 옳은 것을 모두 고르시오.

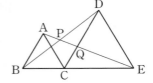

◀ 보기 ▶

ㄱ. △ACE≡△BCD   ㄴ. △ABP≡△QDP

ㄷ. ∠CAE+∠CDB=120°   ㄹ. ∠DPE=60°

10

오른쪽 그림의 정사각형 ABCD에서 두 점 E, F는 각각 변 BC, CD 위의 점이고, 점 G는 변 CD의 연장선 위의 점이다. △ABE≡△ADG 이고 △CFE의 둘레의 길이가 정사각형 ABCD의 둘레의 길이의 $\frac{1}{2}$일 때, ∠EAF의 크기를 구하시오.

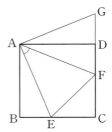

11

오른쪽 그림의 두 정사각형 ABCD와 EFGC에서 ∠ABG=70°, ∠BCG=58°일 때, ∠DEF의 크기를 구하시오.

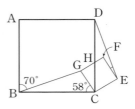

12 [신유형] |대전|둔산|

여러 가지 각을 한 문자로 표현한다.

다음은 오른쪽 그림과 같이 직사각형 ABCD의 한 꼭짓점 B를 지나는 직선 위에 $\overline{AE}=\overline{AB}$, $\overline{CF}=\overline{CB}$가 되도록 두 점 E, F를 잡았을 때, △AED≡△CDF임을 설명하는 과정이다. ㈎~㈑에 알맞은 것을 구하시오.

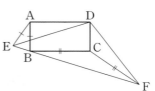

△AEB에서 ∠ABE=∠a라 하면 ∠EAB= ㈎ 이다.

따라서 ∠EAD= ㈏ , ∠CBF=180°−90°−∠a=90°−∠a이다.

이때 △CBF에서 ∠BCF= ㈐ , ∠DCF= ㈏ 이다.

그러므로 △AED와 △CDF에서 ∠EAD=∠DCF, $\overline{AE}=\overline{CD}$, $\overline{AD}=\overline{CF}$

∴ △AED≡△CDF (㈑ 합동)

13  **복합 개념** (서울 | 강남)

오른쪽 그림과 같이 직선 l에 대한 점 A의 대칭점을 A′이라 하고 직선 l과 $\overline{\mathrm{A'A}}$, $\overline{\mathrm{A'B}}$의 교점을 각각 P, C라 하자. 직선 l 위의 두 점 P, C 사이에 한 점 D를 잡을 때, 다음 중 옳은 것은?

① $\triangle\mathrm{BCD} \equiv \triangle\mathrm{A'DC}$

② $\angle\mathrm{CAD} = \angle\mathrm{DAP}$

③ $\angle\mathrm{BCD} = \angle\mathrm{CDA}$

④ $\overline{\mathrm{AD}} + \overline{\mathrm{BD}} < \overline{\mathrm{A'B}}$

⑤ $\overline{\mathrm{AC}} + \overline{\mathrm{BC}} < \overline{\mathrm{AD}} + \overline{\mathrm{BD}}$

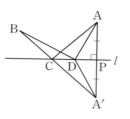

14

오른쪽 그림과 같은 정사각형 ABCD에서 점 G는 $\overline{\mathrm{BC}}$의 연장선 위의 점이고 점 F는 $\overline{\mathrm{CD}}$와 $\overline{\mathrm{AG}}$의 교점이다. 대각선 BD와 $\overline{\mathrm{AG}}$의 교점을 E라 할 때, 다음 중 옳지 <u>않은</u> 것은?

① $\angle\mathrm{FEC} = \angle\mathrm{ECF}$

② $\triangle\mathrm{ABE} \equiv \triangle\mathrm{CBE}$

③ $\angle\mathrm{FGC} = \angle\mathrm{DAE}$

④ $\angle\mathrm{EFD} = \angle\mathrm{BCE}$

⑤ $\triangle\mathrm{AED} \equiv \triangle\mathrm{CED}$

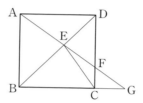

삼각형의 합동 조건을 만족시키는 삼각형을 찾는다.

15 (교과서 **추론**) | 비상 유사 |

오른쪽 그림에서 사각형 ABCD와 사각형 CEFG가 모두 정사각형이다. $\overline{\mathrm{BE}} = 7$ cm, $\overline{\mathrm{DE}} = 5$ cm일 때, $\triangle\mathrm{GBC}$의 둘레의 길이를 구하시오.

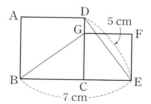

16

오른쪽 그림과 같이 정삼각형 ABC의 내부에 $\overline{\mathrm{AD}} = \overline{\mathrm{CD}}$인 점 D를 잡고 삼각형 ABC의 외부에 $\angle\mathrm{BCD} = \angle\mathrm{DCF}$, $\overline{\mathrm{AC}} = \overline{\mathrm{FC}}$인 점 F를 잡을 때, $\angle\mathrm{CFD}$의 크기를 구하시오.

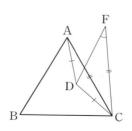

17

오른쪽 그림의 △ABC에서 $\overline{BC}$의 중점을 M, 두 꼭짓점 B와 C에서 직선 l에 내린 수선의 발을 각각 D, E라 하자. $\overline{BD}=12$ cm, $\overline{EM}=5$ cm, $\overline{AD}=22$ cm일 때, ∠ACE의 크기를 구하시오.

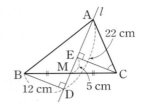

쌤의 출제 Point

삼각형의 합동 조건을 이용해 변의 길이를 구한다.

18 교과서 **창의사고력** | 천재 유사 |

오른쪽 그림과 같이 한 변의 길이가 10 cm인 두 정사각형 ABCD, OFGH가 있다. 점 O가 $\overline{AC}$, $\overline{BD}$의 교점일 때, 사각형 OECI의 넓이를 구하시오.

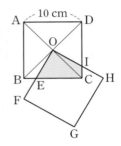

19 복합 개념 서울 | 서초

오른쪽 그림과 같은 두 정사각형 ABCD와 CEFG에 대하여 $\overline{BC}=8$ cm일 때, △CED의 넓이를 구하시오.

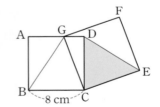

합동인 두 삼각형의 넓이는 같다.

20 만점 KILL 서울 | 목동

오른쪽 그림은 △ABC의 두 변 AB, AC를 각각 한 변으로 하는 정사각형 ADEB, ACFG를 그린 것이다. $\overline{CD}$, $\overline{BG}$의 교점을 P라 할 때, ∠PBC+∠PCB의 크기를 구하시오.

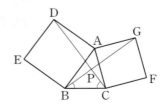

01 세 자연수 a, b, c에 대하여 $a+b+c=20$일 때, a, b, c를 세 변으로 하는 삼각형의 개수를 구하시오. (단, $a \le b \le c$)

02 오른쪽 그림은 △ABC의 세 변 AB, AC, BC를 각각 한 변으로 하는 정삼각형 ADB, ACF, EBC를 그린 것이다. $4\overline{BC}=3(\overline{AB}+\overline{AC})$일 때, 오각형 EDBCF의 둘레의 길이는 삼각형 ABC의 둘레의 길이의 몇 배인지 구하시오.

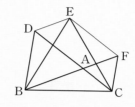

03 오른쪽 그림과 같이 정사각형 ABCD에서 변 BC의 연장선 위의 점을 E, $\overline{AE}$와 $\overline{DC}$의 교점을 F라 하자. 두 점 B, D에서 $\overline{AF}$에 내린 수선의 발을 각각 G, H라 하면 $\overline{DH}=\overline{FC}=8$ cm이다.
△FCE$=60$ cm²일 때, △ABH의 넓이를 구하시오.

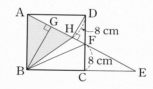

🌐**Challenge**

04 오른쪽 그림과 같이 정삼각형 ABC의 변 BC 위에 점 D를 잡고, $\overline{AD}$를 한 변으로 하는 정삼각형 ADE를 그린다. $\overline{AC}$와 $\overline{DE}$의 교점을 F라 할 때, $\overline{AF}$를 한 변으로 하는 정삼각형 AFG를 그린다. 보기 중 옳은 것을 모두 고르시오.

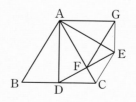

⊣ 보기 ⊢
ㄱ. ∠DCE$=120°$　　　　　　　　ㄴ. $\overline{FG} /\!/ \overline{CE}$
ㄷ. $\overline{BD}=\overline{FE}$　　　　　　　　ㄹ. ∠EFG$=$∠FEC
ㅁ. △ADF≡△AEG　　　　　　　ㅂ. △DCE≡△GEF

같은 문제

선배들의

다른 풀이

본책 37쪽 → **13** 번 문제

오른쪽 그림과 같이 직선 l에 대한 점 A의 대칭점을 A′이라 하고 직선 l과 $\overline{A'A}$, $\overline{A'B}$의 교점을 각각 P, C라 하자. 직선 l 위의 두 점 P, C 사이에 한 점 D를 잡을 때, 다음 중 옳은 것은?

① $\triangle BCD \equiv \triangle A'DC$ 　　② $\angle CAD = \angle DAP$

③ $\angle BCD = \angle CDA$ 　　④ $\overline{AD} + \overline{BD} < \overline{A'B}$

⑤ $\overline{AC} + \overline{BC} < \overline{AD} + \overline{BD}$

2학년이 되면 다른 방법으로 해결할 수 있을까요?

이 문제는 주어진 조건을 이용하여 합동인 삼각형을 찾은 다음, 길이가 같은 선분을 찾는 것이 중요해.

중학교 2학년 때 '이등변삼각형의 성질'을 배우면 선분의 수직이등분선 위의 한 점과 선분의 양 끝 점을 각각 이어서 만든 삼각형은 이등변삼각형임을 알게 돼.

이 성질을 이용하면 주어진 문제의 그림에서 이등변삼각형을 쉽게 찾을 수 있어.

그림에서 직선 l은 $\overline{AA'}$을 수직이등분하고 있어.

이때 두 점 C, D가 직선 l 위에 있으므로

$\triangle DA'A$와 $\triangle CA'A$는 이등변삼각형이야.

즉, $\overline{AC} = \overline{A'C}$, $\overline{AD} = \overline{A'D}$임을 바로 알 수 있지.

이것을 이용하여 문제를 해결해 볼까?

보기 ④번과 ⑤번은 이등변삼각형의 두 변의 길이가 같음을 이용하면 쉽게 알 수 있는 내용이야.

이등변삼각형의 성질을 알아 두면 유용하겠지?

삼각형의 합동 조건과 이등변삼각형의 성질까지 안다면 문제를 좀 더 쉽고 빠르게 풀 수 있을 거야!

Ⅱ
평면도형

현직 교사의 학교 시험 고난도 킬러 강의

이 단원에서는 평면도형에 관한 여러 가지 공식을 다루고 있어요. 그러나 이러한 공식에 주어진 값을 대입해서 해결하는 문제는 난이도 '하' 수준에 해당해요. 각각의 공식이 만들어지는 과정을 이해하여 그 원리를 다양한 변형된 문제에 적용하는 것이 중요해요. 또한, 복잡한 그림에서 문제 풀이의 핵심이 되는 다각형이나 부채꼴을 찾아내어 문제를 단순화시키는 연습은 이 단원의 kill 문제를 푸는 열쇠가 될 거예요.

04 다각형

❶ 다각형

(1) **다각형** : 3개 이상의 선분으로 둘러싸인 평면도형

① **변** : 다각형을 이루는 선분

② **꼭짓점** : 변과 변이 만나는 점

③ **내각** : 다각형에서 이웃하는 두 변으로 이루어진 내부의 각

④ **외각** : 다각형의 각 꼭짓점에서 한 변과 그 변에 이웃하는 변의 연장선이 이루는 각

> **참고** 다각형의 한 꼭짓점에서 내각과 외각의 크기의 합은 $180°$이다.
> ➡ (한 내각의 크기) + (한 외각의 크기) = $180°$

> **주의** 다각형의 한 내각에 대한 외각은 두 개이나 맞꼭지각으로 그 크기가 서로 같으므로 둘 중 하나만 생각한다.

(2) **정다각형** : 변의 길이가 모두 같고, 내각의 크기가 모두 같은 다각형

> **참고** 변의 개수에 따라 정삼각형, 정사각형, 정오각형, …이라 하고, n개의 선분으로 둘러싸인 정다각형을 정n각형이라 한다.

❷ 삼각형의 내각과 외각

(1) **삼각형의 내각의 크기의 합**

삼각형의 내각의 크기의 합은 $180°$이다.

➡ $\angle A + \angle B + \angle C = 180°$

(2) **삼각형의 내각과 외각 사이의 관계**

삼각형의 한 외각의 크기는 그와 이웃하지 않는 두 내각의 크기의 합과 같다.

➡ $\angle ACD = \angle A + \angle B$

> **참고** 오른쪽 그림과 같이 △ABC에서 변 BC의 연장선을 긋고, $\overline{BA} \parallel \overline{CE}$가 되도록 반직선 CE를 그으면 $\angle A = \angle ACE$ (엇각), $\angle B = \angle ECD$ (동위각)
> ① $\angle A + \angle B + \angle C = \angle ACE + \angle ECD + \angle C = 180°$
> ② ($\angle C$의 외각) = $\angle ACD = \angle ACE + \angle ECD = \angle A + \angle B$

❸ 삼각형의 내각과 외각의 활용 〔심화 개념〕

(1)
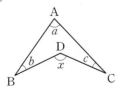

$\angle x = \angle a + \angle b + \angle c$

> **참고** 오른쪽 그림과 같이 보조선 BC를 그으면
> $\angle DBC + \angle DCB = 180° - (\angle a + \angle b + \angle c)$
> ∴ $\angle x = 180° - (\angle DBC + \angle DCB)$
> $= \angle a + \angle b + \angle c$

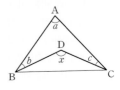

(2)
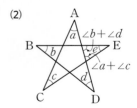

$\angle a + \angle b + \angle c + \angle d + \angle e = 180°$

쌤의 활용 꿀팁

주어진 각을 내각 또는 외각으로 갖는 삼각형을 찾아 삼각형의 내각의 크기의 합이 $180°$이거나 삼각형의 내각과 외각 사이의 관계를 이용해요.

④ 다각형의 대각선의 개수

(1) **대각선** : 다각형에서 이웃하지 않는 두 꼭짓점을 이은 선분

(2) **대각선의 개수**

① n각형의 한 꼭짓점에서 그을 수 있는 대각선의 개수는 $n-3$

주의 n각형의 한 꼭짓점에서 자기 자신과 이웃하는 2개의 꼭짓점에는 대각선을 그을 수 없다.

대각선

② n각형의 대각선의 개수는 $\dfrac{n(n-3)}{2}$

꼭짓점의 개수

한 꼭짓점에서 그을 수 있는 대각선의 개수

한 대각선을 두 번씩 계산했으므로 2로 나눈다.

⑤ 다각형의 내각과 외각의 크기

(1) **다각형의 내각의 크기의 합**

다각형	사각형	오각형	육각형	⋯	n각형
한 꼭짓점에서 그은 대각선에 의해 삼각형으로 나누어지는 모양				⋯	
나누어지는 삼각형의 개수	2	3	4	⋯	$n-2$
내각의 크기의 합	$180°×2$	$180°×3$	$180°×4$	⋯	$180°×(n-2)$

(2) **다각형의 외각의 크기의 합**

다각형의 외각의 크기의 합은 항상 $360°$이다.

참고 n각형에서 (내각의 크기의 합)+(외각의 크기의 합)$=180°×n$이므로

$180°×(n-2)+$(외각의 크기의 합)$=180°×n$

∴ (외각의 크기의 합)$=180°×n-180°×(n-2)$

$=180°×n-180°×n+180°×2$

$=360°$

⑥ 정다각형의 한 내각과 한 외각의 크기

(1) 정n각형의 한 내각의 크기는 $\dfrac{180°×(n-2)}{n}$

(2) 정n각형의 한 외각의 크기는 $\dfrac{360°}{n}$

참고 정다각형의 한 내각과 한 외각의 크기

정다각형	정삼각형	정사각형	정오각형	정육각형
모양	내각 / 외각	내각 외각	내각 / 외각	내각 / 외각
한 내각의 크기	$60°$	$90°$	$108°$	$120°$
한 외각의 크기	$120°$	$90°$	$72°$	$60°$

🎯 이것이 진짜 **출제율 100%** 문제

① 다각형

01 대표문제

오른쪽 그림의 사각형 ABCD에서
∠x의 크기는?

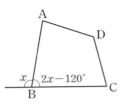

① 100° ② 110°

③ 115° ④ 120°

⑤ 125°

02

다음 중 다각형에 대한 설명으로 옳지 <u>않은</u> 것은?

① 여러 개의 선분으로 둘러싸인 평면도형이다.

② 삼각형은 변의 개수가 가장 적은 다각형이다.

③ 변의 개수와 꼭짓점의 개수는 같다.

④ 한 정다각형의 외각의 크기는 모두 같다.

⑤ 정다각형에서 한 내각의 크기와 한 외각의 크기는 같다.

② 삼각형의 내각과 외각

03 대표문제

오른쪽 그림에서 ∠x - ∠y의 크기는?

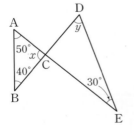

① 20° ② 25°

③ 30° ④ 35°

⑤ 40°

04

오른쪽 그림에서
$\overline{AB}=\overline{AC}=\overline{CD}=\overline{DE}$이고
∠EDF=108°일 때, ∠x의 크기를 구하시오.

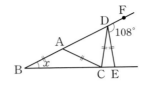

05

오른쪽 그림의 △ABC에서 ∠B의 이등분선과 ∠C의 외각의 이등분선의 교점을 E라 하자. ∠A=40°일 때, ∠x의 크기를 구하시오.

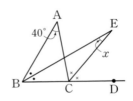

③ 삼각형의 내각과 외각의 활용 심화

06 대표문제

오른쪽 그림에서 ∠x + ∠y의 크기를 구하시오.

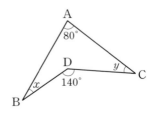

07

오른쪽 그림에서 $\angle a + \angle b + \angle c$
의 크기를 구하시오.

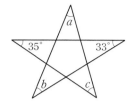

10

다음 조건을 모두 만족시키는 다각형을 구하시오.

(가) 변의 길이가 모두 같고, 내각의 크기가 모두 같다.
(나) 대각선의 개수가 44이다.

④ 다각형의 대각선의 개수

08 [대표문제]

어떤 다각형의 한 꼭짓점에서 한 개의 대각선을 그었더니
삼각형과 육각형의 두 부분으로 나누어졌다. 이 다각형의
대각선의 개수를 구하시오.

⑤ 다각형의 내각과 외각의 크기

11 [대표문제]

오른쪽 그림에서
$\angle a + \angle b + \angle c + \angle d + \angle e + \angle f$
의 크기를 구하시오.

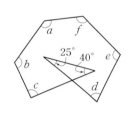

12 [실수多]

내각의 크기의 비가 $3 : 4 : 6 : 6 : 8$인 오각형에서 가장 큰
내각의 크기를 $a°$, 가장 큰 외각의 크기를 $b°$라 할 때, $a+b$
의 값을 구하시오.

✏️ 쌤의 오답 코칭 | (한 내각의 크기) + (한 외각의 크기) = 180°

09

대각선의 개수가 54인 다각형의 한 꼭짓점에서 대각선을 모
두 그었을 때 생기는 삼각형의 개수를 구하시오.

13

다음 그림에서 ∠a+∠b+∠c+∠d+∠e의 크기를 구하시오.

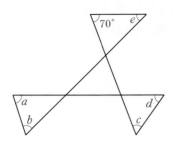

6 정다각형의 한 내각과 한 외각의 크기

14 (대표문제)

한 내각의 크기와 한 외각의 크기의 비가 4 : 1인 정다각형을 구하시오.

15

다음 보기 중 정십오각형에 대한 설명으로 옳은 것을 모두 고르시오.

◀ 보기 ▶
ㄱ. 대각선의 개수는 30이다.
ㄴ. 한 내각의 크기는 156°이다.
ㄷ. 한 외각의 크기는 20°이다.
ㄹ. 한 꼭짓점에서 대각선을 그어 만들어지는 삼각형은 13개이다.

📖 이것이 진짜 **교과서에서 뽑아온** 문제

16

| 신사고 유사 |

오른쪽 그림에서
∠a+∠b+∠c+∠d+∠e+∠f
의 크기를 구하시오.

17

| 동아 유사 |

다음 그림과 같이 한 변의 길이가 같은 정오각형과 정팔각형의 한 변이 붙어 있을 때, ∠a+∠b의 크기는?

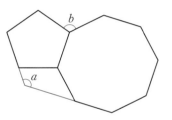

① 238° ② 240° ③ 243°
④ 245° ⑤ 248°

18

| 미래엔 유사 |

오른쪽 그림의 정오각형 ABCDE에서 $\overline{AC}$와 $\overline{BE}$의 교점을 F라 할 때, ∠x의 크기를 구하시오.

01

오른쪽 그림과 같이 가로, 세로의 간격이 일정한 36개의 점이 있다. 이 중에서 4개의 점으로 만들 수 있는 크기가 서로 다른 정사각형의 개수는?

① 7

② 8

③ 9

④ 10

⑤ 11

쌤의 출제 Point

점들을 연결하여 만들 수 있는 정사각형을 크기가 작은 것부터 차례로 생각해 본다.

02

오른쪽 그림의 △ABC에서 ∠A의 외각의 이등분선과 ∠C의 외각의 이등분선의 교점을 D라 할 때, ∠ADC=80°이다. 이때 ∠B의 크기는?

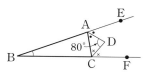

① 15°

② 20°

③ 25°

④ 30°

⑤ 35°

∠BAC+∠BCA의 크기를 구한다.

03

오른쪽 그림의 △ABC에서 ∠C=36°이고, $\overline{AD}$, $\overline{BE}$는 각각 ∠A, ∠B의 이등분선일 때, ∠x+∠y의 크기를 구하시오.

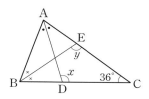

04

오른쪽 그림과 같은 △ABC에서 ∠B의 삼등분선과 ∠C의 외각의 삼등분선의 교점을 각각 D, E라 할 때, ∠x+∠y의 크기를 구하시오.

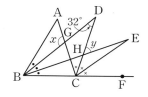

삼각형의 한 외각의 크기는 그와 이웃하지 않는 두 내각의 크기의 합과 같다.

05

오른쪽 그림과 같은 별 모양 도형의 점 E를 지나면서 $\overline{DA}$와 평행한 직선 EF를 그었을 때, ∠BEF의 크기와 같은 것은?

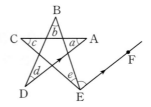

① ∠a + ∠b 　　② ∠a + ∠c

③ ∠b + ∠c 　　④ ∠b + ∠d

⑤ ∠c + ∠d

쌤의 출제 Point

서로 다른 두 직선이 한 직선과 만날 때, 두 직선이 평행하면 엇각의 크기는 서로 같다.

06 교과서 **추론** | 동아 유사 |

오른쪽 그림과 같은 정구각형에서 대각선 AD와 한 점에서 만나는 대각선의 개수를 구하시오.

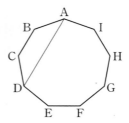

07 교과서 **창의사고력** | 천재 유사 |

13명의 학생이 원탁에 둘러앉아 있을 때, 모든 학생이 서로 한 번씩 악수하는 횟수를 구하시오.

08

정다각형의 내부의 한 점에서 각 꼭짓점을 연결하였더니 8개의 삼각형이 생겼다. 이 정다각형의 대각선의 개수를 a, 이 중 길이가 가장 짧은 대각선의 개수를 b, 길이가 가장 긴 대각선의 개수를 c라 할 때, $a+b+c$의 값은?

① 30 　　　　　　② 31 　　　　　　③ 32

④ 33 　　　　　　⑤ 34

09

다음 보기 중 다각형에 대한 설명으로 옳은 것을 모두 고른 것은?

쌤의 출제 Point

다각형과 정다각형의 뜻과 특징을 생각해 본다.

◀ 보기 ▶

ㄱ. 삼각형의 외각의 크기의 합은 180°이다.

ㄴ. 육각형의 내각의 크기의 합은 720°이다.

ㄷ. 한 내각의 크기와 한 외각의 크기가 서로 같은 정다각형은 정사각형뿐이다.

ㄹ. 한 내각의 크기가 144°인 정다각형의 대각선의 개수는 40이다.

ㅁ. 한 꼭짓점에서 그을 수 있는 대각선의 개수가 8인 다각형의 대각선의 개수는 44이다.

① ㄱ, ㄴ, ㄷ   ② ㄱ, ㄴ, ㄹ   ③ ㄴ, ㄷ, ㄹ

④ ㄴ, ㄷ, ㅁ   ⑤ ㄷ, ㄹ, ㅁ

10

오른쪽 그림과 같은 오각형 ABCDE는 ∠A를 기준으로 시계 반대 방향으로 내각의 크기가 7°씩 작아진다. 가장 큰 내각과 가장 작은 내각의 크기의 합을 구하시오.

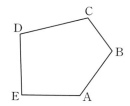

11

오른쪽 그림에서
$\angle a + \angle b + \angle c + \angle d + \angle e + \angle f + \angle g + \angle h + \angle i + \angle j + \angle k + \angle l$
의 크기를 구하시오.

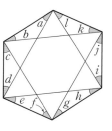

12

오른쪽 그림에서
$\angle a + \angle b + \angle c + \angle d + \angle e + \angle f + \angle g + \angle h + \angle i$
의 크기를 구하시오.

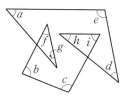

13

오른쪽 그림에서 $\angle\mathrm{AFE}=45°$일 때, $\angle a+\angle b+\angle c+\angle d+\angle e$ 의 크기를 구하시오.

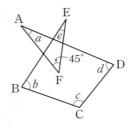

쌤의 출제 Point

14

오른쪽 그림에서 $l/\!/m$이고 정오각형 ABCDE의 두 꼭짓점 A, D가 각각 직선 l, m 위에 있을 때, $\angle x-\angle y$의 크기는?

① $36°$ ② $40°$

③ $44°$ ④ $46°$

⑤ $54°$

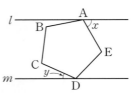

두 직선 l, m에 평행한 직선을 그어 엇 각의 크기가 서로 같음을 이용한다.

15 🔩 **복합 개념** 대구 | 수성

오른쪽 그림과 같이 폭이 일정한 종이띠를 접어 정오각형을 만들 었을 때, $\angle a+\angle b+\angle c$의 크기를 구하시오.

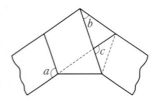

16 교과서 **추론** 📄 | 동아 유사 |

오른쪽 그림과 같이 $\overline{\mathrm{AB}}$, $\overline{\mathrm{BC}}$, $\overline{\mathrm{CD}}$, $\overline{\mathrm{DE}}$, …를 변으로 갖는 정n각형과 정오각형, 정사각형이 변끼리 붙어 있다. 이때 정n각형의 대각선의 개수 를 구하시오.

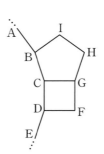

17

오른쪽 그림과 같이 정팔각형의 내부에 한 변의 길이가 같은 정육
각형과 정오각형을 그렸을 때, $\angle x$의 크기를 구하시오.

쌤의 출제 Point

정오각형과 정육각형이 겹쳐져서 만들
어진 오각형에서 각 내각의 크기를 구
한다.

18

다음 그림과 같이 정다각형의 이웃하는 두 변 위에 $\overline{BP}=\overline{CQ}$가 되도록 두 점 P, Q를 잡고,
$\overline{AP}$와 $\overline{BQ}$의 교점을 R라 하자. 이때 $\angle ARB$의 크기가 30°인 정다각형을 구하시오.

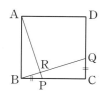 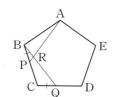 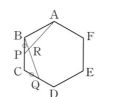

…

합동인 두 삼각형의 성질을 이용한다.

19

오른쪽 그림은 정칠각형을 나타낸 것이다. 다음 중 옳지 <u>않은</u> 것은?

① $\triangle ACD \equiv \triangle DBA$

② $\angle CBA + \angle BAD = 180°$

③ $\angle ADE = \dfrac{360°}{7}$

④ $\angle EAG = \dfrac{360°}{7}$

⑤ $\angle CAD = \dfrac{180°}{7}$

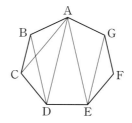

20 복합 개념 대구 | 수성

한 외각의 크기가 (정수)°인 정다각형의 개수를 구하시오. (단, 변의 길이는 생각하지 않는다.)

정n각형에서 $n \geq 3$이다.

21

오른쪽 그림과 같이 모두 합동인 직각이등변삼각형을 변이 만나도록 반복해서 그리려고 한다. 삼각형이 겹치지 않을 때까지 계속해서 그린다고 할 때, 그림의 안쪽에 만들어지는 다각형을 구하시오.

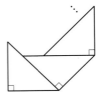

쌤의 출제 Point

삼각형을 계속 그려 나갈 때 만들어지는 도형이 정다각형임을 이용한다.

22 신유형 (서울|목동)

오른쪽 그림은 축구공의 전개도이다. 이 전개도에서 정오각형과 정육각형의 변 사이의 각의 크기를 구하시오.

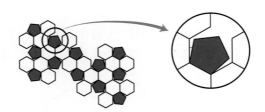

23 만점 KILL (서울|강남)

오른쪽 그림은 합동인 7개의 사다리꼴 모양의 벽돌을 이어 붙여 만든 아치형 구조물이다. 사다리꼴 ABCD에서 ∠A의 크기를 구하시오.

(단, ∠A＝∠D, ∠B＝∠C)

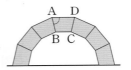

24

오른쪽 그림과 같이 합동인 정오각형 2개를 한 변이 겹치도록 배열하였다. 같은 방법으로 정오각형을 변끼리 이어 붙여서 원주를 빈틈없이 채우려고 할 때, 필요한 정오각형의 개수를 구하시오.

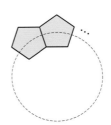

원의 내부에 정다각형이 생김을 이용한다.

01 정십오각형의 대각선으로만 이루어진 삼각형 중 이등변삼각형의 개수를 구하시오.

02 오른쪽 그림과 같이 도형을 반복적으로 배치하여 평면을 빈틈없이 채우는 것을 테셀레이션(tessellation)이라 한다. 이 테셀레이션의 한 꼭짓점을 중심으로 모인 정다각형은 정삼각형 6개이므로 이 배열을 $(3, 3, 3, 3, 3, 3)$으로 표현한다. 어떤 테셀레이션의 한 꼭짓점에 모인 정다각형의 배열이 $(4, 3, 4, \cdots)$일 때, 이 배열로 가능한 것을 모두 구하시오.

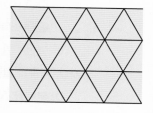

03 $n \geq 5$인 자연수 n에 대하여 정n각형의 한 점 A_1에서 시작하여 시계 반대 방향으로 위치한 점들을 순서대로 $A_2, A_3, \cdots, A_n$이라 하자. $\triangle A_1 A_2 A_5$가 이등변삼각형이 되는 n의 값을 모두 구하시오.

04

🌐 **Challenge**

오른쪽 그림과 같이 밑변의 길이가 같고 높이는 서로 다른 두 종류의 이등변삼각형 n개를 꼭짓점이 만나도록 번갈아 연결하여 다각형 $B_1 B_2 \cdots B_n$을 만들었다. $\overline{A_1 B_2} /\!/ \overline{A_2 B_3}$, $\overline{A_3 B_4} /\!/ \overline{A_4 B_5}$, $\cdots$, $\overline{A_{n-1} B_n} /\!/ \overline{A_n B_{n+1}}$이고, $\overline{A_2 B_2} /\!/ \overline{A_3 B_3}$, $\overline{A_4 B_4} /\!/ \overline{A_5 B_5}$, $\cdots$, $\overline{A_n B_n} /\!/ \overline{A_1 B_1}$이고, $\angle B_2 A_2 B_3 - \angle B_1 A_1 B_2 = 30°$이다. 이때 자연수 n의 값을 구하시오. (단, n은 짝수)

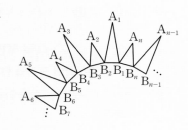

05 원과 부채꼴

① 원과 부채꼴

(1) **원** : 평면 위의 한 점 O로부터 일정한 거리에 있는 모든 점으로 이루어진 도형

   ① **호 AB** : 원 위의 두 점 A, B에 의해 나누어지는 원의 일부분으로 $\overset{\frown}{AB}$로 나
타낸다.

       참고 $\overset{\frown}{AB}$는 보통 길이가 짧은 쪽의 호를 나타내고 길이가 긴 쪽의 호를 나타낼 때에는 호
위에 한 점 C를 잡아 $\overset{\frown}{ACB}$와 같이 나타낸다.

   ② **현 AB** : 원 위의 두 점 A, B를 이은 선분

       참고 원의 중심을 지나는 현은 지름이고, 지름은 길이가 가장 긴 현이다.

   ③ **할선** : 원 위의 두 점을 지나는 직선

(2) **부채꼴과 활꼴**

   ① **부채꼴 AOB** : 원 O에서 두 반지름 OA, OB와 호 AB로 이루어진 도형

   ② **중심각** : 원 O에서 두 반지름 OA, OB가 이루는 ∠AOB를 부채꼴 AOB의 중
심각 또는 호 AB에 대한 중심각이라 한다.

   ③ **활꼴** : 현 CD와 호 CD로 이루어진 도형

       참고 반원은 중심각의 크기가 180°인 부채꼴이며, 원의 지름을 현으로 하는 활꼴이기도 하다.

② 중심각의 크기와 호의 길이, 현의 길이 사이의 관계

(1) **중심각의 크기와 호의 길이, 부채꼴의 넓이 사이의 관계**

한 원 또는 합동인 두 원에서

   ① 중심각의 크기가 같은 두 부채꼴의 호의 길이는 같다.

     ➡ ∠AOB=∠COD이면 $\overset{\frown}{AB}=\overset{\frown}{CD}$

   ② 호의 길이가 같은 두 부채꼴의 중심각의 크기는 같다.

     ➡ $\overset{\frown}{AB}=\overset{\frown}{CD}$이면 ∠AOB=∠COD

   ③ 부채꼴의 호의 길이는 중심각의 크기에 정비례한다.

     ➡ ∠COE=2∠AOB이면 $\overset{\frown}{CE}=2\overset{\frown}{AB}$

   ④ 부채꼴의 넓이는 중심각의 크기에 정비례한다.

     ➡ ∠COE=2∠AOB이면 (부채꼴 COE의 넓이)=2×(부채꼴 AOB의 넓이)

    참고 한 원에서 두 부채꼴 AOB, COD에 대하여

      ① $\overset{\frown}{AB}:\overset{\frown}{CD}=$∠AOB : ∠COD

      ② (부채꼴 AOB의 넓이) : (부채꼴 COD의 넓이)=∠AOB : ∠COD

(2) **중심각의 크기와 현의 길이 사이의 관계**

한 원 또는 합동인 두 원에서

   ① 중심각의 크기가 같은 두 현의 길이는 같다.

     ➡ ∠AOB=∠BOC이면 $\overline{AB}=\overline{BC}$

   ② 길이가 같은 두 현에 대한 중심각의 크기는 같다.

     ➡ $\overline{AB}=\overline{BC}$이면 ∠AOB=∠BOC

   ③ 현의 길이는 중심각의 크기에 정비례하지 않는다.

    참고 ∠AOC=2∠AOB일 때 $2\overline{AB}=\overline{AB}+\overline{BC}>\overline{AC}$이므로 $2\overline{AB}\neq\overline{AC}$

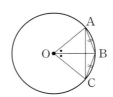

③ 원의 둘레의 길이와 넓이

(1) 원주율

원의 지름의 길이에 대한 원의 둘레의 길이의 비율을 원주율이라 하고, π로 나타낸다.

➡ $(\text{원주율}) = \dfrac{(\text{원의 둘레의 길이})}{(\text{원의 지름의 길이})} = 3.141592\cdots = \pi$

참고 원주율은 원의 지름의 길이와 관계없이 항상 일정하다.

(2) 원의 둘레의 길이와 넓이

반지름의 길이가 r인 원의 둘레의 길이를 l, 넓이를 S라 하면

① $l = 2\pi r$

② $S = \pi r^2$

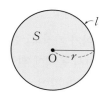

④ 부채꼴의 호의 길이와 넓이

(1) 부채꼴의 호의 길이와 넓이

반지름의 길이가 r, 중심각의 크기가 $x°$인 부채꼴의 호의 길이를 l, 넓이를 S라 하면

① $l = 2\pi r \times \dfrac{x}{360}$

② $S = \pi r^2 \times \dfrac{x}{360}$

예 반지름의 길이가 2 cm, 중심각의 크기가 45°인 부채꼴의 호의 길이를 l, 넓이를 S라 하면

① $l = 2\pi \times 2 \times \dfrac{45}{360} = \dfrac{\pi}{2}$ (cm)

② $S = \pi \times 2^2 \times \dfrac{45}{360} = \dfrac{\pi}{2}$ (cm^2)

(2) 부채꼴의 호의 길이와 넓이 사이의 관계

반지름의 길이가 r, 호의 길이가 l인 부채꼴의 넓이를 S라 하면

$S = \dfrac{1}{2} rl$

예 반지름의 길이가 6 cm, 호의 길이가 2π cm인 부채꼴의 넓이를 S라 하면

$S = \dfrac{1}{2} \times 6 \times 2\pi = 6\pi$ (cm^2)

참고 ① $S = \pi r^2 \times \dfrac{x}{360} = r \times \pi \times r \times \dfrac{x}{360} = \dfrac{1}{2} r \times \underbrace{\left(2\pi r \times \dfrac{x}{360}\right)}_{= l} = \dfrac{1}{2} rl$

② 다른 방법으로 $S = \dfrac{1}{2} rl$ 이해하기

다음 그림과 같이 부채꼴을 크기가 같은 여러 개의 작은 부채꼴로 등분하여 엇갈리게 붙여 보면 등분하는 개수가 많아질 수록 가로의 길이가 $\dfrac{1}{2} l$, 세로의 길이가 r인 직사각형에 가까운 모양이 됨을 알 수 있다. 즉, 부채꼴의 넓이 $S = \dfrac{1}{2} rl$임을 알 수 있다.

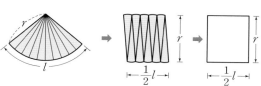

🎯 이것이 진짜 **출제율 100%** 문제

① 원과 부채꼴

01 대표문제

다음 중 원과 부채꼴에 대한 설명으로 옳지 <u>않은</u> 것을 모두 고르면? (정답 2개)

① 지름은 길이가 가장 긴 현이다.
② 부채꼴이면서 동시에 활꼴인 도형은 반원이다.
③ 한 원에서 현의 길이는 중심각의 크기에 정비례한다.
④ 두 원에서 중심각의 크기가 같으면 호의 길이도 항상 같다.
⑤ 한 원에서 부채꼴의 넓이는 중심각의 크기에 정비례한다.

② 중심각의 크기와 호의 길이, 현의 길이 사이의 관계

02 대표문제

오른쪽 그림의 원 O에서 x의 값을 구하시오.

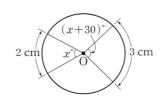

03

오른쪽 그림의 원 O에서 $\angle AOB = 45°$, $\angle COD = 135°$이고 부채꼴 COD의 넓이가 15π cm²일 때, 부채꼴 AOB의 넓이를 구하시오.

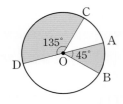

04

오른쪽 그림의 원 O에서 $\overline{AD} /\!/ \overline{OC}$이고 $\angle DAB = 50°$, $\overparen{AD} = 16$ cm일 때, x의 값을 구하시오.

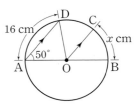

05

오른쪽 그림의 원 O에서 지름 AB와 현 BC가 이루는 각의 크기가 30°일 때, $\dfrac{\overparen{BC}}{\overparen{AC}}$의 값을 구하시오.

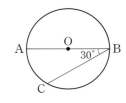

06

오른쪽 그림의 원 O에서
$\angle AOB : \angle BOC : \angle COD$
$= 1 : 2 : 3$
일 때, 다음 중 옳은 것을 모두 고르면?
(정답 2개)

① $5\overparen{AB} = \overparen{AD}$　　　　② $3\overline{AB} = \overline{CD}$
③ $2\triangle AOB = \triangle BOC$　　④ $\triangle AOC = \triangle COD$
⑤ $3 \times$ (부채꼴 BOC의 넓이) $= 2 \times$ (부채꼴 AOC의 넓이)

③ 원의 둘레의 길이와 넓이

07 (대표문제)

오른쪽 그림과 같이 반지름의 길이가 4 cm인 원에서 색칠한 부분의 둘레의 길이를 a cm, 넓이를 b cm^{2}라 할 때, $a-2b$의 값을 구하시오.

④ 부채꼴의 호의 길이와 넓이

10 (대표문제)

오른쪽 그림과 같이 한 변의 길이가 10 cm인 정오각형에서 색칠한 부분의 넓이는?

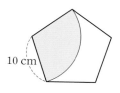

① 10π cm^2 ② 20π cm^2

③ 30π cm^2 ④ 40π cm^2

⑤ 50π cm^2

08

오른쪽 그림과 같이 지름의 길이가 21 cm인 반원에서 색칠한 부분의 둘레의 길이는?

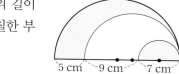

① $(6\pi+3)$ cm

② 18π cm

③ $(18\pi+12)$ cm

④ $(22\pi+12)$ cm

⑤ $(36\pi+21)$ cm

11

오른쪽 그림과 같이 한 변의 길이가 2 cm인 정사각형 ABCD에서 색칠한 부분의 둘레의 길이와 넓이를 각각 구하시오.

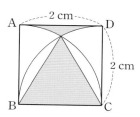

09

오른쪽 그림과 같이 한 변의 길이가 12 cm인 정사각형 안에 반지름의 길이가 같은 원 4개가 그려져 있다. 색칠한 부분의 둘레의 길이와 넓이를 구하시오.

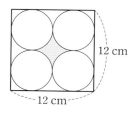

12

오른쪽 그림과 같이 반지름의 길이가 6 cm인 두 원 O, O′이 서로의 중심을 지날 때, 색칠한 부분의 둘레의 길이는?

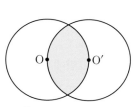

① 6π cm ② 7π cm ③ 8π cm

④ 9π cm ⑤ 10π cm

13

호의 길이가 5π cm이고 넓이가 15π cm²인 부채꼴의 중심 각의 크기를 구하시오.

16

| 비상 유사 |

오른쪽 그림과 같이 밑면인 원의 반지름의 길이가 4 cm인 원기둥 세 개를 끈으로 묶을 때, 필요한 끈의 최소 길이를 구하시오. (단, 끈의 두께와 매듭의 길이는 생각하지 않는다.)

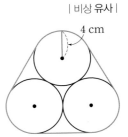

14 실수多

오른쪽 그림과 같이 반지름의 길이가 9 cm인 반원 O에서 $\angle AOB : \angle BOC = 7 : 2$ 일 때, 색칠한 부분의 넓이를 구하시오.

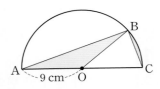

✐ **쌤의 오답 코칭** | △AOB와 넓이가 같은 삼각형을 찾는다.

17

| 동아 유사 |

다음 중 오른쪽 그림과 색칠한 부분의 넓이가 같은 것은?

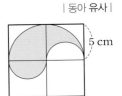

① 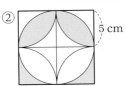   ②

③   ④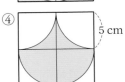

⑤

📖 이것이 진짜 **교과서에서 뽑아온 문제**

15

| 금성 유사 |

오른쪽 그림에서 $\overline{DC} = \overline{DO}$, $\overarc{AD} = 5$ cm일 때, $\overarc{BE}$의 길이를 구하시오.

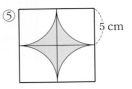

01

오른쪽 그림의 원 O에서 지름 AB와 현 CD가 한 점에서 만나고, $\overparen{AC} : \overparen{BD} = 5 : 4$이다. 원 O의 둘레의 길이가 12 cm이고, $\angle OCD = 15°$일 때, $\overparen{BC}$의 길이를 구하시오.

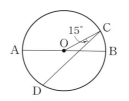

쌤의 출제 Point

한 원에서 부채꼴의 호의 길이의 비는 중심각의 크기의 비와 같다.

02

오른쪽 그림에서 색칠한 부분의 넓이는?

① $(288-72\pi)$ cm² ② $(288-36\pi)$ cm²

③ $(576-72\pi)$ cm² ④ $(576-128\pi)$ cm²

⑤ $(512-156\pi)$ cm²

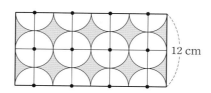

반복되는 모양의 넓이를 구한 후 반복되는 횟수를 곱하여 전체 넓이를 구한다.

03

오른쪽 그림과 같이 반지름의 길이가 12 cm인 반원 안에 반지름의 길이가 6 cm인 원과 반원이 겹쳐 있을 때, 색칠한 부분의 넓이를 구하시오.

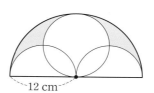

04 신유형 서울|강남

잔잔한 호수에 돌멩이를 하나 던지고 나서 3초 후에 처음 던진 자리에서 15 m 떨어진 곳에 돌멩이 하나를 또 던졌다. 돌멩이에 의하여 생긴 물결은 초속 1 m의 일정한 속도로 원을 그리며 퍼져 나간다고 할 때, 두 번째 돌멩이를 던진 후 물결이 처음 만나는 순간 두 원의 넓이의 차를 구하시오.

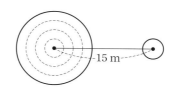

05

오른쪽 그림에서 색칠한 두 부분의 넓이가 같을 때, 색칠한 부분의
둘레의 길이를 구하시오.

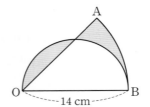

쌤의 출제 Point

도형의 일부분을 옮겨 간단한 도형이
되도록 만든다.

06

두 부채꼴 A, B의 반지름의 길이의 비가 2 : 3이고 중심각의 크기의 비가 5 : 4일 때, 두 부채
꼴 A, B의 넓이의 비는?

① 2 : 3　　　　　　② 3 : 4　　　　　　③ 4 : 5

④ 5 : 6　　　　　　⑤ 5 : 9

07

오른쪽 그림은 한 변의 길이가 6 cm인 정사각형 ABCD의 내부에
정사각형의 한 변을 반지름으로 하는 부채꼴들을 그린 것이다. 색
칠한 부분의 둘레의 길이는?

① 4π cm　　　　　　② 6π cm

③ 8π cm　　　　　　④ 9π cm

⑤ 12π cm

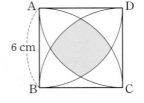

보조선을 긋고 색칠한 곡선 부분은 부
채꼴의 호임을 이용한다.

08

오른쪽 그림과 같이 반지름의 길이가 6 cm인 두 원 O, O′이
각각의 중심을 지나며 두 점에서 만날 때, 색칠한 부분의 넓이
는?

① 6π cm^2　　　　　　② 9π cm^2

③ 12π cm^2　　　　　　④ 15π cm^2

⑤ 18π cm^2

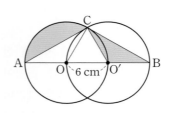

09

오른쪽 그림의 두 반원 O, O′에서 색칠한 두 부분의 넓이가 같을 때, 부채꼴 AOB의 넓이를 구하시오.

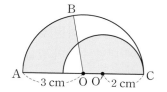

쌤의 출제 Point

10

오른쪽 그림과 같이 원의 중심이 점 O로 같고 반지름의 길이가 각각 5 cm, 12 cm인 두 원이 있다. 호 AB의 길이가 작은 원의 둘레의 길이와 같을 때, 색칠한 부분의 넓이를 구하시오.

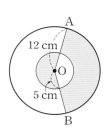

11

오른쪽 그림과 같이 한 변의 길이가 8 cm인 정사각형에서 색칠한 부분의 넓이를 구하시오.

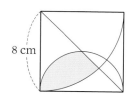

보조선을 그어 색칠한 부분을 나누어 본다.

12

오른쪽 그림과 같이 한 변의 길이가 16 cm인 정삼각형에서 각 변을 지름으로 하는 반원을 그릴 때, 색칠한 부분의 넓이는?

① $28\pi \ cm^2$

② $30\pi \ cm^2$

③ $32\pi \ cm^2$

④ $34\pi \ cm^2$

⑤ $36\pi \ cm^2$

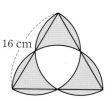

13 교과서 **추론** | 신사고 유사 |

쌤의 출제 Point
한 원에서 부채꼴의 호의 길이가 같
으면 중심각의 크기도 같음을 이용한다.

오른쪽 그림과 같이 반지름의 길이가 12 cm이고 중심각의 크기가 90°인 부채꼴 AOB가 있다. 호 AB를 삼등분하는 점을 각각 C, D라 하고 두 점 C, D에서 선분 OB에 내린 수선의 발을 각각 E, F라 하자. 이때 색칠한 부분의 넓이를 구하시오.

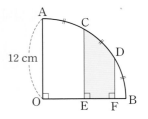

14

오른쪽 그림은 $\overline{AB}=8$ cm, $\angle BAC=60°$인 부채꼴 BAC와 $\overline{AE}=14$ cm, $\angle DAE=60°$인 부채꼴 DAE로 만들어진 도형이다. 이때 색칠한 부분의 넓이를 구하시오.

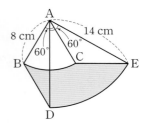

15

오른쪽 그림은 정사각형 ABCD를 꼭짓점 D를 중심으로 회전시킨 것이다. $\angle A'DC=15°$, $\overline{BD}=12$ cm일 때, 색칠한 부분의 넓이는?

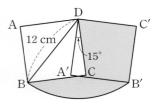

① 25π cm²   ② 30π cm²

③ 36π cm²   ④ 48π cm²

⑤ 60π cm²

16

오른쪽 그림과 같이 한 변의 길이가 4 cm인 정육각형 ABCDEF를 점 C를 중심으로 시계 반대 방향으로 60°만큼 회전시키면 점 A와 점 F는 각각 점 A'과 점 F'으로 이동한다. 대각선 AC를 반지름으로 하는 원의 넓이가 48π cm²일 때, 색칠한 부분의 넓이는?

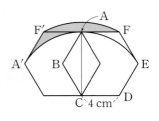

① $\dfrac{4}{3}\pi$ cm²   ② $\dfrac{5}{3}\pi$ cm²   ③ 2π cm²

④ $\dfrac{7}{3}\pi$ cm²   ⑤ $\dfrac{8}{3}\pi$ cm²

17 만점 **KILL** (부산 | 해운대)

오른쪽 그림과 같이 한 변의 길이가 12 cm인 정사각형의 내부에 서로 합동인 사분원 2개가 겹치면서 그려져 있다. 색칠한 세 부분의 넓이를 S_1 cm², S_2 cm², S_3 cm²라 할 때, $S_1 - S_2 + S_3$의 값을 구하시오.

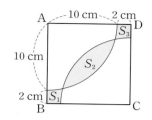

쌤의 출제 Point

구할 수 있는 도형의 넓이의 합, 차로 나타낸다.

18 신유형 (서울 | 목동)

오른쪽 그림은 반지름의 길이가 12 cm인 원을 8등분하고 8개의 반지름을 각각 지름으로 하는 반원을 그린 것이다. 이때 색칠한 부분의 넓이를 구하시오.

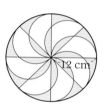

색칠한 부분의 넓이를 구할 때, 같은 부분이 있으면 한 부분의 넓이를 구한 후 같은 부분의 개수를 곱한다.

19 교과서 **추론** | 비상 유사 |

오른쪽 그림과 같이 반지름의 길이가 2 cm인 원이 한 변의 길이가 7 cm인 정오각형의 둘레를 따라 한 바퀴 돌아서 제자리로 왔을 때, 원이 지나간 자리의 넓이를 구하시오.

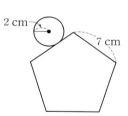

20

오른쪽 그림과 같이 $\angle B = 60°$, $\overline{AB} = 8$ cm, $\overline{BC} = 4$ cm인 직각삼각형 ABC를 직선 l 위에서 시계 방향으로 한 바퀴 굴렸을 때, 점 B가 움직인 거리를 구하시오.

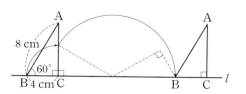

21 서울 | 서초

오른쪽 그림과 같이 $\overline{AB}=x$, $\overline{BD}=y$인 정육각형을 직선 l 위로 한 바퀴 굴렸을 때, 점 A가 움직인 거리는?

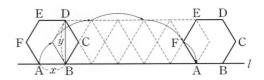

① $\dfrac{3x+4y}{3}\pi$

② $\dfrac{2x+3y}{2}\pi$

③ $\dfrac{3x+3y}{2}\pi$

④ $\dfrac{4x+2y}{3}\pi$

⑤ $\dfrac{4x+3y}{2}\pi$

쌤의 출제 Point

22 교과서 **창의사고력** | 비상 유사 |

오른쪽 그림과 같이 원 모양의 꽃밭에 지름의 길이가 14 cm인 원 모양의 통나무 18개를 서로 맞닿도록 둘러세우려고 한다. 통나무 주위를 끈으로 팽팽하게 한 바퀴 감으려고 할 때, 이 끈의 최소 길이를 구하시오.

(단, 끈의 두께와 매듭의 길이는 생각하지 않는다.)

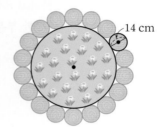

14 cm

23 **복합 개념** 서울 | 강남

오른쪽 그림은 한 변의 길이가 3 cm인 정오각형 ABCDE에서 꼭짓점 A를 중심으로 하고 $\overline{AE}$를 반지름으로 하는 부채꼴 EAF를 그리고, 그 다음에는 꼭짓점 B를 중심으로 하고 $\overline{BF}$를 반지름으로 하는 부채꼴 FBG를 그리는 활동을 반복하여 총 5개의 부채꼴을 그린 것이다. 이때 색칠한 부분의 넓이를 구하시오.

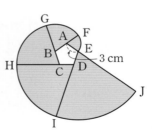

3 cm

각 부채꼴의 중심각의 크기는 정오각형의 한 외각의 크기와 같다.

24

오른쪽 그림과 같이 한 변의 길이가 10 m인 정육각형 모양의 꽃밭의 한 변의 길이를 3 : 2로 나누는 점 P 지점에 길이가 16 m인 끈으로 소를 묶어 놓았다. 소는 꽃밭 위를 지나갈 수 없을 때, 이 소가 움직일 수 있는 영역의 최대 넓이를 구하시오. (단, 끈의 매듭의 길이와 소의 크기는 생각하지 않는다.)

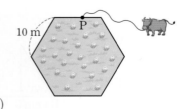

10 m

P

01 오른쪽 그림에서 ∠OAB : ∠OBC : ∠OCA=3 : 2 : 1이고, $\widehat{AB}$=6 cm 일 때, $\widehat{AC}$의 길이를 구하시오.

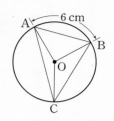

02 오른쪽 그림은 한 변의 길이가 8 cm인 정사각형 ABCD 안에 꼭 맞는 원과 부채꼴을 그린 것이다. 색칠한 부분의 넓이를 구하시오.

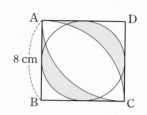

03 한 변의 길이가 4 cm인 정삼각형 ABC를 원 O의 내부에서 원의 둘레를 따라 네 바퀴 굴렸더니 원래 위치로 돌아왔다. 점 A가 움직인 거리를 구하시오.

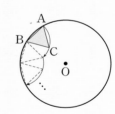

⊕ Challenge

04 오른쪽 그림과 같이 반지름의 길이가 같은 반원 O와 원 O′, O″의 중심이 일직선 위에 있다. 반원 O를 두 원 O′, O″의 둘레를 따라 회전시켜 다시 제자리로 오게 할 때, 반원 O의 중심이 움직인 거리를 구하시오.

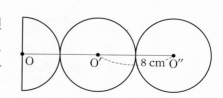

같은 문제
선배들의
다른 풀이

본책 65쪽 ● **01** 번 문제

오른쪽 그림에서 ∠OAB : ∠OBC : ∠OCA＝3 : 2 : 1이고,
$\overset{\frown}{AB}$＝6 cm일 때, $\overset{\frown}{AC}$의 길이를 구하시오.

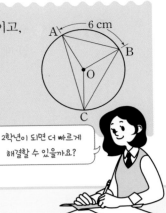

2학년이 되면 더 빠르게 해결할 수 있을까요?

이 문제는 부채꼴의 중심각의 크기를 이용하여 호의 길이를 구해야 해.

하지만 삼각형의 내각의 크기의 합과 세 부채꼴의 중심각의 크기의 합이 360°임을 이용하여

∠OAB : ∠OBC : ∠OCA＝3 : 2 : 1을 만족시키는 ∠AOB, ∠BOC, ∠COA의 크기를 각각

구할 때 시간이 오래 걸리지.

중학교 2학년 때 배우는 '삼각형의 외심'을 이용하면 부채꼴의 중심각의 크기를 좀 더 쉽게

구할 수 있어.

삼각형의 세 꼭짓점이 한 원 위에 있을 때,
이 원은 주어진 삼각형에 외접한다고 해.
이때 이 원을 외접원이라 하고, 외접원의 중심을 외심이라고 해.
삼각형의 외심에는 다음과 같은 성질이 성립해.

①

➡ ∠x＋∠y＋∠z＝90°

②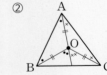

➡ ∠BOC＝2∠A

점 O는 삼각형 ABC의 외심이므로 ∠OAB＋∠OBC＋∠OCA＝90°가 성립해.

∠OAB＝∠OBA＝$90° \times \frac{3}{6}$＝45°, ∠OBC＝∠OCB＝$90° \times \frac{2}{6}$＝30°,

∠OCA＝∠OAC＝$90° \times \frac{1}{6}$＝15°이므로

∠ABC＝45°＋30°＝75°에서 ∠AOC＝2×75°＝150°

∠ACB＝30°＋15°＝45°에서 ∠AOB＝2×45°＝90°

어때? 쉽지? 외심의 성질을 이용하면 원이 외접하는 삼각형에서 각의 크기를 좀 더 빨리 구할 수 있어!

III

입체도형

◯ **현직 교사의 학교 시험 고난도 킬러 강의**

이 단원에서는 여러 가지 입체도형의 특성을 정확하게 파악하고 응용하는 능력이
중요해요. 각뿔대, 정다면체, 회전체 등의 성질을 활용한 문제나 평면도형을 주고 이를
회전시켜 만든 입체도형인 회전체를 구하여 해결하는 문제, 전개도를 통해 입체도형을
파악하는 문제를 꼭 출제해요. 특히, 복잡한 입체도형의 겉넓이나 부피를 구하는 문제는
이 단원에서의 kill 문제죠.

06 다면체와 회전체

① 다면체

(1) **다면체** : 다각형인 면으로만 둘러싸인 입체도형

① 면 : 다면체를 둘러싸고 있는 다각형

② 모서리 : 다면체의 면인 다각형의 변

③ 꼭짓점 : 다면체의 면인 다각형의 꼭짓점

> **참고** 다면체는 면의 개수에 따라 사면체, 오면체, 육면체, …라 한다.

(2) **각뿔대** : 각뿔을 밑면에 평행한 평면으로 자를 때 생기는 두 입체도형 중에서

각뿔이 아닌 쪽의 다면체

① 밑면 : 각뿔대에서 서로 평행한 두 면

② 옆면 : 각뿔대에서 밑면이 아닌 면

③ 높이 : 각뿔대에서 두 밑면에 수직인 선분의 길이

> **참고** ① 각뿔대는 밑면의 모양에 따라 삼각뿔대, 사각뿔대, 오각뿔대, …라 한다.
> ② 다면체의 면, 꼭짓점, 모서리의 개수와 옆면의 모양

	n각기둥	n각뿔	n각뿔대
면의 개수	$n+2$	$n+1$	$n+2$
꼭짓점의 개수	$2n$	$n+1$	$2n$
모서리의 개수	$3n$	$2n$	$3n$
옆면의 모양	직사각형	삼각형	사다리꼴

> ③ 다면체의 꼭짓점의 개수를 v, 모서리의 개수를 e, 면의 개수를 f라 할 때,
> $v-e+f=2$ (오일러의 공식)

② 정다면체

(1) **정다면체** : 각 면이 모두 합동인 정다각형이고, 각 꼭짓점에 모인 면의 개수가 같은 다면체

(2) **정다면체의 종류** : 정사면체, 정육면체, 정팔면체, 정십이면체, 정이십면체의 다섯 가지뿐이다.

	정사면체	정육면체	정팔면체	정십이면체	정이십면체
겨냥도					
면의 모양	정삼각형	정사각형	정삼각형	정오각형	정삼각형
한 꼭짓점에 모인 면의 개수	3	3	4	3	5
꼭짓점의 개수	4	8	6	20	12
모서리의 개수	6	12	12	30	30
면의 개수	4	6	8	12	20
전개도					

> **참고** 정다면체의 각 면의 한가운데 점을 연결하여 만들 수 있는 정다면체
> ① 정사면체 ➡ 정사면체   ② 정육면체 ➡ 정팔면체   ③ 정팔면체 ➡ 정육면체
> ④ 정십이면체 ➡ 정이십면체   ⑤ 정이십면체 ➡ 정십이면체

③ 회전체

(1) **회전체** : 평면도형을 한 직선을 축으로 하여 1회전 시킬 때 생기는 입체도형

    ① **회전축** : 회전시킬 때 축으로 사용한 직선

    ② **모선** : 회전시킬 때 옆면을 만드는 선분

(2) **원뿔대** : 원뿔을 밑면에 평행한 평면으로 자를 때 생기는 두 입체도형 중에서 원뿔이 아닌 쪽의 입체도형

    ① **밑면** : 원뿔대에서 서로 평행한 두 면

    ② **옆면** : 밑면이 아닌 면

    ③ **높이** : 두 밑면에 수직인 선분의 길이

(3) **회전체의 종류**

원기둥	원뿔	원뿔대	구
모선 / 밑면 / 옆면 / 밑면	모선 / 옆면 / 밑면	밑면 / 옆면 / 모선 / 높이 / 밑면	

④ 회전체의 성질

(1) 회전체를 회전축에 수직인 평면으로 자른 단면은 항상 원이다.

(2) 회전체를 회전축을 포함하는 평면으로 자른 단면은 모두 합동이고, 회전축을 대칭축으로 하는 선대칭도형이다.

   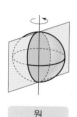

직사각형	이등변삼각형	사다리꼴	원

참고 선대칭도형 : 한 평면도형을 어떤 직선을 기준으로 반으로 접을 때 완전히 겹치는 도형을 선대칭도형이라 하고, 이때 기준이 되는 직선을 대칭축이라 한다.

⑤ 회전체의 전개도

회전체의 전개도는 다음과 같다. ← 구의 전개도는 그릴 수 없다.

원기둥	원뿔	원뿔대
밑면 / 옆면 / 밑면	옆면 / 밑면	밑면 / 옆면 / 밑면

참고 ① 원기둥의 전개도에서

    (옆면인 직사각형의 가로의 길이)

    =(밑면인 원의 둘레의 길이)

② 원뿔의 전개도에서

    (옆면인 부채꼴의 호의 길이)

    =(밑면인 원의 둘레의 길이)

🎯 이것이 진짜 **출제율 100%** 문제

① 다면체

01 대표문제

다음 보기의 입체도형 중에서 칠면체를 모두 찾으시오.

┤ 보기 ├
사각기둥,　오각기둥,　육각기둥,　사각뿔,　오각뿔,
육각뿔,　원뿔,　사각뿔대,　오각뿔대,　육각뿔대

02

다음 중 각 입체도형의 밑면과 옆면의 모양을 바르게 짝 지은 것은?

입체도형	밑면의 모양	옆면의 모양
① 삼각뿔대	사각형	이등변삼각형
② 사각뿔	정사각형	삼각형
③ 오각기둥	오각형	직사각형
④ 육각뿔대	정육각형	사다리꼴
⑤ 칠각기둥	직사각형	칠각형

03

다음 조건을 모두 만족시키는 입체도형을 구하시오.

㈎ 구면체이다.
㈏ 옆면의 모양은 사다리꼴이다.
㈐ 두 밑면은 서로 평행하지만 합동은 아니다.

04

다음 중 그 값이 두 번째로 작은 것은?

① 삼각뿔대의 면의 개수
② 사각기둥의 모서리의 개수
③ 오각뿔의 꼭짓점의 개수
④ 육각뿔대의 면의 개수
⑤ 칠각기둥의 꼭짓점의 개수

05

모서리의 개수가 27인 각기둥의 꼭짓점의 개수를 a, 면의 개수를 b라 할 때, $a-b$의 값을 구하시오.

② 정다면체

06 대표문제

다음 보기에서 정다면체에 대한 설명으로 옳은 것을 모두 고르시오.

┤ 보기 ├
ㄱ. 정다면체의 종류는 무수히 많다.
ㄴ. 모든 면이 정삼각형인 다면체는 정다면체이다.
ㄷ. 정다면체의 각 꼭짓점에 모인 면의 개수는 같다.
ㄹ. 정육면체의 꼭짓점과 모서리의 개수의 합은 20이다.
ㅁ. 한 꼭짓점에 5개의 면이 모이는 정다면체는 없다.

07

다음 그림과 같은 전개도로 만들어지는 정다면체의 꼭짓점의 개수와 모서리의 개수를 각각 구하시오.

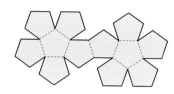

③ 회전체

08 대표문제

다음 중 오른쪽 그림과 같은 평면도형을 직선 l을 회전축으로 하여 1회전 시킬 때 생기는 회전체는?

①

②

③

④

⑤

09 실수多

다음 중 회전체와 그 회전축을 포함하는 평면으로 자를 때 생기는 단면의 모양을 짝 지은 것으로 옳지 <u>않은</u> 것은?

① 구 — 원 ② 반구 — 원
③ 원기둥 — 직사각형 ④ 원뿔 — 이등변삼각형
⑤ 원뿔대 — 사다리꼴

✎ 쌤의 오답 코칭 | 회전체를 회전축을 포함하는 평면으로 잘랐음에 주의한다.

10

다음 중 직선 l을 축으로 하여 1회전 시킬 때, 오른쪽 그림과 같은 회전체가 생기는 것은?

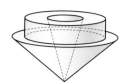

①  ②

③ 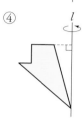 ④

⑤

④ 회전체의 성질

11 대표문제

다음 중 회전체에 대한 설명으로 옳은 것을 모두 고르면?

(정답 2개)

① 회전체는 원기둥, 원뿔, 원뿔대, 구뿐이다.
② 회전체를 회전축에 수직인 평면으로 자른 단면은 모두 합동이다.
③ 원뿔을 회전축을 포함하는 평면으로 자른 단면은 삼각형이다.
④ 회전체를 회전축에 평행한 평면으로 자른 단면은 항상 직사각형이다.
⑤ 회전체를 회전축을 포함하는 평면으로 자른 단면은 회전축에 대한 선대칭도형이다.

12

오른쪽 그림과 같은 평면도형을 직선 l을 축으로 하여 1회전 시킬 때 생기는 회전체를 회전축을 포함하는 평면으로 자른 단면의 넓이를 구하시오.

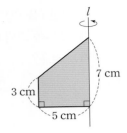

⑤ **회전체의 전개도**

13 대표문제

아래 그림은 원뿔대와 그 전개도이다. 다음 중 원뿔대의 색칠한 밑면의 둘레의 길이와 같은 것은?

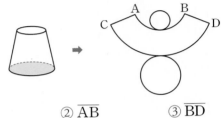

① $\overset{\frown}{AB}$ ② $\overline{AB}$ ③ $\overline{BD}$
④ $\overset{\frown}{CD}$ ⑤ $\overline{CD}$

14

오른쪽 그림과 같은 원기둥의 한 모선 AB에 대하여 점 A에서 점 B까지 원기둥의 옆면을 따라 실로 팽팽하게 두 바퀴 감을 때, 실의 길이가 최소가 되도록 하는 실의 경로를 전개도 위에 바르게 나타낸 것은?

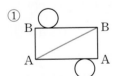 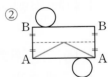

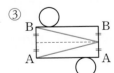 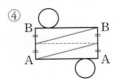

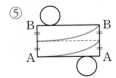

이것이 진짜 **교과서에서 뽑아온** 문제

15 | 신사고 유사 |

오른쪽 입체도형의 꼭짓점의 개수를 v, 모서리의 개수를 e, 면의 개수를 f라 할 때, $3v-2e+f$의 값을 구하시오.

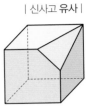

16 | 미래엔 유사 |

어떤 각뿔대의 면의 개수, 꼭짓점의 개수, 모서리의 개수를 모두 합하면 50이라 한다. 이 각뿔대의 이름을 말하시오.

17 | 동아 유사 |

오른쪽 그림과 같은 원기둥을 회전축에 수직인 평면으로 잘라서 생긴 단면의 넓이와 회전축을 포함하는 평면으로 잘라서 생긴 단면의 넓이가 같다. 이 원기둥의 높이를 구하시오.

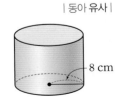

01 복합 개념 〔서울 | 강남〕

내각의 크기의 합이 1080°인 다각형을 밑면으로 하는 각기둥은 몇 면체인지 구하시오.

쌤의 출제 Point

n각형의 내각의 크기의 합은 $180° \times (n-2)$임을 이용하여 구할 수 있다.

02

팔각뿔의 면의 개수를 a, 구각기둥의 꼭짓점의 개수를 b, 십각뿔대의 모서리의 개수를 c라 할 때, $a+b+c$의 값을 구하시오.

03

오른쪽 그림은 합동인 8개의 정삼각형과 합동인 6개의 정사각형으로 이루어진 전개도이다. 이 전개도로 만들어지는 다면체에 대한 설명으로 보기에서 옳은 것을 모두 고르시오.

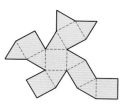

┤ 보기 ├
ㄱ. 각 꼭짓점에 모인 면의 개수는 모두 같다.
ㄴ. 꼭짓점의 개수는 15이다.
ㄷ. 모서리의 개수는 24이다.

04

다음 그림과 같이 변의 길이가 모두 같은 정사각형 3개와 정삼각형 4개를 모두 사용하여 다면체를 만들 때, 면의 개수와 꼭짓점의 개수의 합이 이 다면체와 같은 각뿔대를 구하시오.

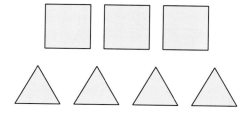

05

다음 정다면체 중 한 평면으로 잘라서 각뿔대를 만들 수 있는 것을 모두 고르면? (정답 2개)

① 정사면체   ② 정육면체   ③ 정팔면체
④ 정십이면체   ⑤ 정이십면체

06

오른쪽 그림과 같은 전개도로 만들어지는 정팔면체 모양의
주사위에서 평행한 면에 적힌 수의 합이 일정할 때, 두 면 A,
B에 적힌 수를 각각 구하시오.

(단, 각 면에 적힌 수는 1, 2, 3, ···, 8이다.)

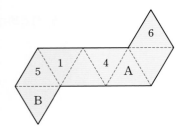

07 복합 개념 서울|송파

다음 중 오른쪽 그림과 같은 전개도로 정다면체를 만들 때,
$\overline{AB}$와 꼬인 위치에 있는 모서리를 모두 고르면?

(정답 2개)

① $\overline{CE}$ ② $\overline{EF}$
③ $\overline{EG}$ ④ $\overline{FH}$
⑤ $\overline{FI}$

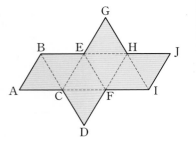

꼬인 위치의 뜻을 이용하여 구할 수 있다.

08 교과서 창의사고력 |신사고 유사|

오른쪽 그림과 같은 전개도로 정다면체를 만들 때, 아홉 개의
점 B, C, D, E, F, G, H, I, J 중에서 꼭짓점 A와 만나는 점
을 모두 고르시오.

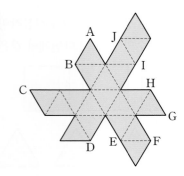

09 교과서 **추론** | 신사고 유사 |

정육면체를 한 평면으로 자를 때, 다음 보기 중 그 단면의 모양이 될 수 있는 것은 모두 몇 개인지 구하시오.

◀ 보기 ▶
ㄱ. 정삼각형　　　　　ㄴ. 정사각형　　　　　ㄷ. 오각형
ㄹ. 육각형　　　　　　ㅁ. 칠각형

10 신유형 　서울 | 강남

오른쪽 그림과 같은 전개도로 정다면체를 만들어 네 개의 점 A, B, C, D를 지나는 평면으로 정다면체를 자르려고 한다. 이때 생기는 두 입체도형의 꼭짓점의 개수의 합을 구하시오.

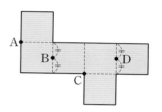

11

정십이면체의 각 면의 한가운데에 있는 점을 연결하여 만든 입체도형의 모서리의 개수를 구하시오.

정다면체의 각 면의 한가운데 점을 연결하여 만든 입체도형은 정다면체이다.

12

다음 그림과 같이 정이십면체의 각 꼭짓점에서 각 모서리의 삼등분되는 점을 지나는 평면으로 자르면 축구공 모양의 다면체를 얻는다. 축구공 모양의 다면체의 면의 개수, 모서리의 개수, 꼭짓점의 개수의 합을 구하시오.

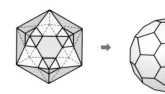

13

다면체에서 꼭짓점의 개수를 v, 모서리의 개수를 e, 면의 개수를 f라 할 때, $4v=2e=3f$인 관계가 성립하는 정다면체를 구하시오.

14

다음 중 오른쪽 평면도형의 한 변을 회전축으로 하여 1회전 시킬 때 생기는 회전체가 <u>아닌</u> 것을 모두 고르면? (정답 2개)

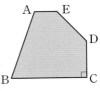

① 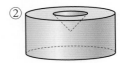 ②  ③

④ 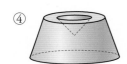 ⑤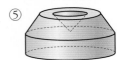

15 신유형 부산 | 해운대

오른쪽 그림과 같은 도형을 직선 l을 회전축으로 하여 1회전 시킬 때 생기는 도형에 일정한 속력으로 물을 채울 때, 다음 중 경과 시간 x에 따른 물의 높이 y 사이의 관계를 나타낸 그래프로 알맞은 것은?

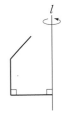

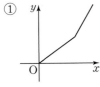

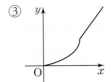

폭이 일정한 부분에서는 물의 높이가 일정하게 증가하고, 폭이 점점 좁아지는 부분에서는 물의 높이가 빠르게 증가함을 이용한다.

16 교과서 추론 | 신사고 유사 |

오른쪽 그림과 같은 직사각형을 대각선을 지나는 직선 l을 회전축으로 하여 1회전 시킬 때 생기는 회전체는?

①
②
③

④
⑤

17

다음 중 오른쪽 그림과 같은 평면도형을 직선 l을 회전축으로 하여 1회전 시킬 때 생기는 회전체를 한 평면으로 자를 때, 단면이 될 수 없는 것은?

①
②
③

④
⑤

18

오른쪽 그림과 같이 직선 l로부터 7 cm 떨어진 위치에 있는 정사각형의 대각선의 교점 O로부터 직선 l까지의 거리가 10 cm이다. 이 정사각형을 직선 l을 회전축으로 하여 1회전 시킬 때 생기는 회전체를 점 O를 지나면서 회전축에 수직인 평면으로 자른 단면의 넓이를 구하시오.

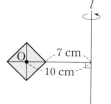

평면도형이 회전축과 떨어져 있으면 가운데가 빈 회전체가 만들어진다.

19 만점 KILL 안양 | 평촌

오른쪽 그림과 같은 평면도형을 직선 l을 회전축으로 하여 1회전 시킬 때 생기는 회전체를 회전축에 수직인 평면으로 자를 때 넓이가 가장 작은 단면의 넓이를 $a\pi$ cm^2, 회전축을 포함하는 평면으로 자른 단면의 넓이를 b cm^{2}라 하자. 이때 $a+b$의 값을 구하시오.

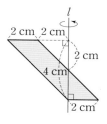

20

오른쪽 직각삼각형을 직선 *l*을 회전축으로 하여 1회전 시킬 때 생기는 원뿔의 전개도에서 부채꼴의 중심각의 크기를 구하시오.

21

오른쪽 그림은 모선의 길이가 12 cm, 밑면의 반지름의 길이가 3 cm인 원뿔에서 밑면 위의 한 점 B를 출발하여 옆면을 따라 한 바퀴 돌아 다시 점 B로 돌아오는 최단 경로를 나타낸 것이다. 색칠한 부분의 넓이를 구하시오.

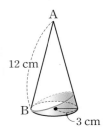

22

오른쪽 그림은 전등갓이 원뿔대 모양인 스탠드이다. 전등갓의 두 밑면의 반지름의 길이가 각각 4 cm, 7 cm이고 옆면의 모선의 길이가 6 cm일 때, 전개도의 옆면의 둘레의 길이를 구하시오.

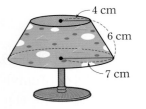

(부채꼴의 호의 길이)
＝(밑면의 둘레의 길이)

23

오른쪽 그림과 같은 전개도로 만들어지는 원뿔대의 두 밑면의 반지름의 길이의 차가 5일 때, 원뿔대의 모선의 길이를 구하시오.

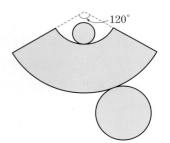

01 m각뿔의 꼭짓점의 개수와 n각뿔대의 모서리의 개수의 합이 50일 때, $m+n$의 최댓값과 최솟값을 각각 구하시오.

02 오른쪽 그림과 같은 정팔면체를 한 평면으로 잘라 두 개의 입체도형을 만들 때, 두 입체도형의 꼭짓점의 개수의 합의 최댓값을 구하시오.

03 오른쪽 그림과 같은 사다리꼴 ABCD를 $\overline{BC}$에 수직인 직선을 회전축으로 하여 1회전 시켜 원뿔대를 만들려고 한다. 원뿔대의 밑면의 넓이가 최소일 때, 회전축을 포함하는 평면으로 원뿔대를 자른 단면의 넓이를 구하시오.

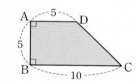

Challenge

04 다음 그림과 같이 정사면체를 반복적으로 쌓아 만든 입체도형을 차례대로 [1단계], [2단계], [3단계], [4단계] 모형이라 하자. [4단계] 모형의 꼭짓점의 개수를 v, 모서리의 개수를 e, 면의 개수를 f라 할 때, $v+e-f$의 값을 구하시오.

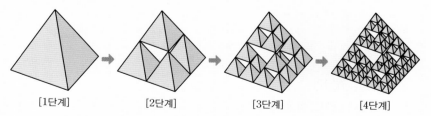

[1단계]   [2단계]   [3단계]   [4단계]

07 입체도형의 겉넓이와 부피

① 기둥의 겉넓이와 부피

(1) 기둥의 겉넓이

① 각기둥의 겉넓이

(각기둥의 겉넓이)=(밑넓이)×2+(옆넓이)

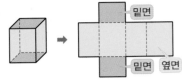

② 원기둥의 겉넓이

밑면의 반지름의 길이가 r, 높이가 h인 원기둥의 겉넓이 S는

$S=$(밑넓이)×2+(옆넓이)

$\quad=2\pi r^2+2\pi rh$

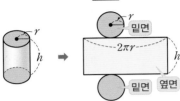

(2) 기둥의 부피

① 각기둥의 부피

밑넓이가 S, 높이가 h인 각기둥의 부피 V는

$V=$(밑넓이)×(높이)

$\quad=Sh$

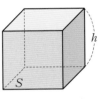

② 원기둥의 부피

밑면의 반지름의 길이가 r, 높이가 h인 원기둥의 부피 V는

$V=$(밑넓이)×(높이)

$\quad=\pi r^2 h$

참고 구멍이 뚫린 기둥의 겉넓이와 부피

(1) (밑넓이)=(큰 기둥의 밑넓이)−(작은 기둥의 밑넓이)

(2) (겉넓이)=(밑넓이)×2+(바깥쪽 옆면의 넓이)+(안쪽 옆면의 넓이)

(3) (부피)=(밑넓이)×(높이)

② 뿔의 겉넓이와 부피

(1) 뿔의 겉넓이

① 각뿔의 겉넓이

(각뿔의 겉넓이)=(밑넓이)+(옆넓이)

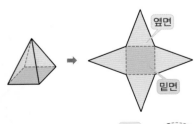

② 원뿔의 겉넓이

밑면의 반지름의 길이가 r, 모선의 길이가 l인 원뿔의

겉넓이 S는

$S=$(밑넓이)+(옆넓이)

$\quad=\pi r^2+\pi rl$

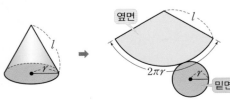

(2) **뿔의 부피**

① **각뿔의 부피**

밑넓이가 S, 높이가 h인 각뿔의 부피 V는

$$V = \frac{1}{3} \times (\text{밑넓이}) \times (\text{높이})$$
$$= \frac{1}{3} Sh$$

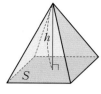

② **원뿔의 부피**

밑면의 반지름의 길이가 r, 높이가 h인 원뿔의 부피 V는

$$V = \frac{1}{3} \times (\text{밑넓이}) \times (\text{높이})$$
$$= \frac{1}{3} \pi r^2 h$$

참고 (1) 뿔대의 겉넓이

　① (뿔대의 겉넓이) = (두 밑넓이의 합) + (옆넓이)

　② 원뿔대의 전개도에서

　　(원뿔대의 옆넓이) = (큰 부채꼴의 넓이) − (작은 부채꼴의 넓이)

(2) 뿔대의 부피

　(뿔대의 부피) = (큰 뿔의 부피) − (작은 뿔의 부피)

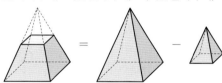

③ 구의 겉넓이와 부피

(1) **구의 겉넓이**

반지름의 길이가 r인 구의 겉넓이 S는

$$S = 4\pi r^2$$

(2) **구의 부피**

반지름의 길이가 r인 구의 부피 V는

$$V = \frac{4}{3} \pi r^3$$

④ 원뿔, 구, 원기둥의 부피 사이의 관계 　심화 개념

원기둥 안에 원뿔과 구가 꼭 맞게 들어갈 때,
원뿔, 구, 원기둥 사이의 부피의 비는

$$(\text{원뿔}) : (\text{구}) : (\text{원기둥}) = \frac{2}{3}\pi r^3 : \frac{4}{3}\pi r^3 : 2\pi r^3$$
$$= 1 : 2 : 3$$

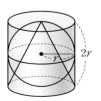

쌤의 활용 꿀팁

원뿔, 구, 원기둥의 부피 사이의 관계를 알아두면 각각의 부피를 일일이 구하지 않아도 비를 이용하여 부피를 구할 수 있어요.

◎ 이것이 진짜 **출제율 100%** 문제

① 기둥의 겉넓이와 부피

01 (대표문제)

오른쪽 그림과 같은 오각형을 밑면으로 하고, 높이가 3 cm인 기둥의 겉넓이를 구하시오.

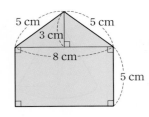

02

다음 그림에서 원기둥 A는 밑면의 반지름의 길이가 6 cm, 높이가 9 cm이고, 원기둥 B는 밑면의 반지름의 길이가 3 cm이다. 두 원기둥 A, B의 겉넓이가 같을 때, 원기둥 B의 높이를 구하시오.

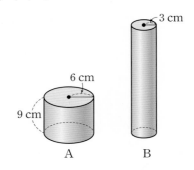

03

오른쪽 그림과 같은 전개도로 만들어지는 사각기둥의 부피를 구하시오.

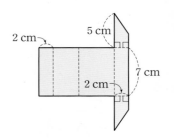

04

오른쪽 그림과 같이 밑면이 부채꼴인 기둥의 겉넓이를 구하시오.

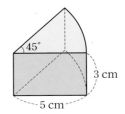

05

오른쪽 그림은 한 모서리의 길이가 8 cm인 정육면체에서 작은 직육면체를 잘라 내고 남은 입체도형이다. 이 입체도형의 겉넓이를 구하시오.

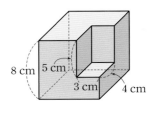

06

오른쪽 그림과 같은 도형을 직선 l을 회전축으로 하여 1회전 시킬 때 생기는 입체도형의 부피를 구하시오.

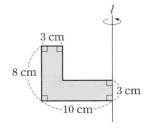

② 뿔의 겉넓이와 부피

07 (대표문제)

오른쪽 그림은 밑면이 막힌 사각뿔 모양의 포장 상자이다. 이 포장 상자의 겉넓이가 125 cm²일 때, x의 값을 구하시오.

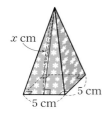

08

오른쪽 그림과 같은 전개도로 만들어지는 원뿔의 겉넓이를 구하시오.

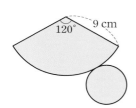

09

오른쪽 그림은 직육면체를 세 꼭짓점을 지나는 평면으로 잘라 내고 남은 입체도형이다. 이 입체도형의 부피를 구하시오.

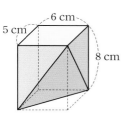

10

오른쪽 그림과 같은 원뿔대의 겉넓이를 구하시오.

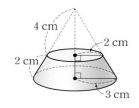

11

오른쪽 그림과 같은 삼각형을 직선 l을 회전축으로 하여 1회전 시킬 때 생기는 입체도형의 부피를 구하시오.

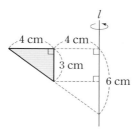

③ 구의 겉넓이와 부피

12 (대표문제)

오른쪽 그림과 같은 입체도형의 부피를 구하시오.

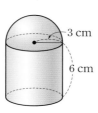

13

오른쪽 그림과 같이 겉넓이가 600 cm²인 정육면체에 구가 꼭 맞게 들어 있다. 이 구의 겉넓이를 구하시오.

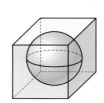

14 실수多

오른쪽 그림과 같이 반지름이 길이가 각각 2 cm, 5 cm인 2개의 반구를 붙여 만든 입체도형의 겉넓이를 구하시오.

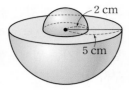

📝 **쌤의 오답 코칭** | 겉넓이를 구할 때 두 원의 넓이의 차를 더하는 것을 잊지 않도록 한다.

15

오른쪽 그림과 같은 원기둥 모양의 투명 용기 안에 원 모양의 공 3개를 넣었더니 꼭 맞게 들어갔다. 들어간 공 1개의 겉넓이가 16π cm²일 때, 이 용기 속의 빈 공간의 부피를 구하시오.

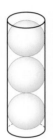

④ **원뿔, 구, 원기둥의 부피 사이의 관계** 심화

16 대표문제

오른쪽 그림과 같이 원기둥 안에 원뿔과 구가 꼭 맞게 들어간다. 원기둥의 부피가 54π cm³일 때, 원뿔과 구의 부피를 각각 구하시오.

17

| 금성 유사 |

다음 그림과 같이 아랫 부분이 밑면의 반지름의 길이가 3 cm인 원기둥 모양인 물병을 똑바로 세웠을 때 높이가 4 cm만큼 되도록 물이 차 있다. 물병을 거꾸로 세우면 물이 없는 부분의 높이가 7 cm일 때, 이 물병의 부피를 구하시오.

18

| 동아 유사 |

다음 그림과 같이 원뿔 모양의 그릇에 물을 가득 채워서 원기둥 모양의 그릇에 옮겼을 때, x의 값을 구하시오.

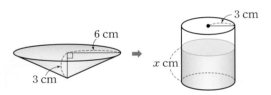

19

| 동아 유사 |

다음 그림과 같이 야구공의 겉면은 합동인 두 개의 조각으로 이루어져 있다. 야구공을 지름의 길이가 6 cm인 구로 생각할 때, 겉면을 이루는 조각 한 개의 넓이를 구하시오.

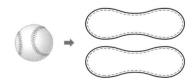

01

오른쪽 그림과 같이 직육면체를 평면 AEHD에 평행한 평면으로 7번 잘라 8개의 직육면체를 만들었다. 이 각각의 직육면체들의 겉넓이의 합을 구하시오.

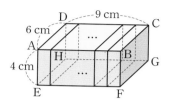

쌤의 출제 Point

(n개의 도형의 총 겉넓이)
= (직육면체의 겉넓이)
+ (잘려서 생긴 단면의 총 넓이)

02 신유형 〔대구 | 수성〕

밑면의 지름의 길이가 10 cm인 원기둥을 잘라 만든 오른쪽 그림과 같은 입체도형의 겉넓이를 $a\pi$ cm², 부피를 $b\pi$ cm³라 할 때, $a+b$의 값을 구하시오.

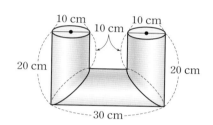

03

밑면의 반지름의 길이가 10 cm이고 높이가 20 cm인 원기둥 모양의 용기에 물을 담아 두 밑면이 바닥면과 수직이 되도록 눕혔더니 물이 오른쪽 그림과 같았다. 다시 용기의 밑면이 바닥면에 놓이도록 세운 후 물을 1000 cm³만큼 더 부었을 때, 물의 높이를 구하시오. (단, 점 O는 밑면의 중심이다.)

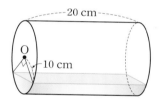

용기를 세워도 용기 안에 있는 물의 양은 변함이 없다.

04

오른쪽 그림과 같이 밑면인 원의 반지름의 길이가 4 cm이고 높이가 12 cm로 같은 두 원기둥이 겹쳐져 있다. 두 밑면인 원이 만나는 점 A, B에 대하여 ∠AOB= ∠AO′B=90°일 때, 색칠한 입체도형의 겉넓이를 구하시오. (단, 두 점 O, O′은 두 밑면의 중심이다.)

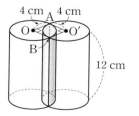

색칠한 입체도형의 밑넓이를 먼저 구한다.

05

오른쪽 그림과 같이 한 모서리의 길이가 7 cm인 정육면체를 한 변의 길이가 3 cm인 정사각형을 밑면으로 하는 사각기둥 모양으로 각 면의 한 가운데에 구멍을 뚫을 때, 이 입체도형의 부피를 구하시오.

쌤의 출제 Point

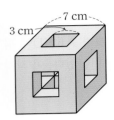

06 만점 KILL (서울 | 서초)

직육면체에 밑면이 직각이등변삼각형인 삼각기둥이 붙어 있는 모양의 우유팩에 [그림 1]과 같이 우유가 들어 있다. 이것을 우유의 표면이 면 ABCD와 평행하도록 [그림 2]와 같이 거꾸로 놓았을 때, 우유가 들어 있지 않은 부분의 높이가 5 cm가 되었다. 또, 이것을 [그림 3]과 같이 옆으로 바닥에 닿게 놓을 때, 우유가 들어 있는 부분의 높이를 x cm라 하자. 우유팩의 부피가 810 cm³일 때, x의 값을 구하시오.

(단, 우유팩의 삼각기둥에 붙어 있는 종이의 부피는 무시한다.)

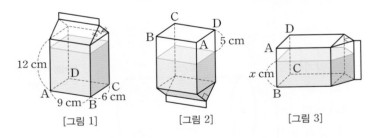

[그림 1]   [그림 2]   [그림 3]

07 복합 개념 (서울 | 강남)

오른쪽 그림과 같이 한 모서리의 길이가 12 cm인 정육면체에서 각 면의 한가운데 점을 연결하여 정다면체를 만들었을 때, 이 정다면체의 부피를 구하시오.

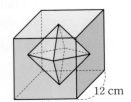

두 대각선의 길이가 각각 a, b인 마름모의 넓이 S는 $S=\dfrac{1}{2}ab$임을 이용한다.

08 교과서 **창의사고력** | 비상 유사 |

오른쪽 그림과 같이 한 변의 길이가 8 cm인 정사각형 ABCD에서 $\overline{AB}$, $\overline{BC}$의 중점을 각각 E, F라 하자. $\overline{ED}$, $\overline{EF}$, $\overline{DF}$를 접는 선으로 하여 접었을 때 만들어지는 입체도형의 부피를 구하시오.

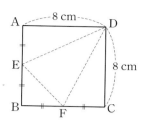

09

오른쪽 그림은 한 모서리의 길이가 4 cm인 정육면체에서 삼각뿔대를 잘라 내고 남은 입체도형이다. 두 점 P, Q가 각각 두 모서리 AB와 BC의 중점이고 세 모서리 PE, QG, BF의 연장선은 한 점 O에서 만난다. $\overline{OB}=\overline{BF}$일 때, 삼각뿔대를 잘라 내고 남은 입체도형의 부피를 구하시오.

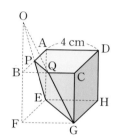

10 교과서 **추론** | 교학사 유사 |

오른쪽 그림과 같은 직육면체 모양의 2개의 그릇 A, B에 같은 양의 물이 들어 있을 때, h의 값을 구하시오.

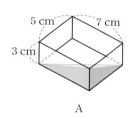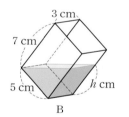

물의 모양이 그릇 A는 삼각뿔, 그릇 B는 삼각기둥임을 이용한다.

11 교과서 **추론** | 비상 유사 |

오른쪽 그림과 같이 밑면의 반지름의 길이가 3 cm인 원뿔을 꼭짓점 O를 중심으로 세 바퀴 굴렸더니 원래의 자리로 돌아왔다. 이 원뿔의 겉넓이를 구하시오.

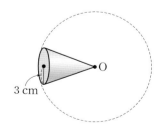

12

오른쪽 그림의 사다리꼴 ABCD를 직선 l을 회전축으로 하여 1회전 시킬 때 생기는 입체도형의 부피를 구하시오.

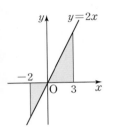

13 신유형 (분당 | 서현)

오른쪽 그림과 같이 정비례 관계 $y=2x$의 그래프와 x축 위의 두 점 $(3, 0)$, $(-2, 0)$을 각각 지나고 y축에 평행한 두 직선과 x축으로 둘러싸인 부분을 x축을 회전축으로 하여 1회전 시킬 때 생기는 입체도형의 부피를 V_1, y축을 회전축으로 하여 1회전 시킬 때 생기는 입체도형의 부피를 V_2라 할 때, $V_1 : V_2$를 가장 간단한 자연수의 비로 나타내시오.

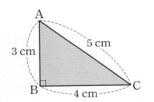

14

오른쪽 그림과 같은 직각삼각형 ABC를 $\overline{AB}$, $\overline{BC}$, $\overline{CA}$를 각각 회전축으로 하여 1회전 시킬 때 생기는 입체도형의 부피를 차례대로 $V_1 \text{ cm}^3$, $V_2 \text{ cm}^3$, $V_3 \text{ cm}^3$라 하자. 이때 $V_1 : V_2 : V_3$을 가장 간단한 자연수의 비로 나타낸 것은?

① $5 : 4 : 3$
② $17 : 13 : 7$
③ $19 : 13 : 11$
④ $20 : 15 : 12$
⑤ $21 : 18 : 16$

각 변을 회전축으로 하여 삼각형을 1회전 시킬 때 생기는 회전체의 모양을 생각한다.

15 만점 KILL (서울 | 목동)

오른쪽 그림과 같은 직사각형 ABCD에서 두 대각선의 교점을 O라 할 때, 삼각형 AOB를 변 CD를 회전축으로 하여 1회전 시킬 때 생기는 입체도형의 부피를 구하시오.

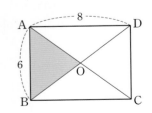

16

오른쪽 그림과 같이 반지름의 길이가 4 cm인 구의 $\frac{1}{8}$을 잘라 내고 남은 입체도형의 겉넓이를 $S\pi$ cm², 부피를 $V\pi$ cm³라 할 때, $V-S$의 값을 구하시오.

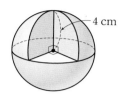

쌤의 출제 Point

17

오른쪽 그림과 같이 반지름의 길이가 5 cm인 구 안에 정팔면체가 꼭 맞게 들어 있다. 구의 부피와 정팔면체의 부피를 각각 V_1 cm³, V_2 cm³라 할 때, $\dfrac{V_1}{V_2}$의 값을 구하시오.

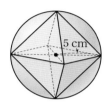

(정팔면체의 부피)
=(정사각뿔의 부피)×2

18

오른쪽 그림과 같이 직육면체 모양의 상자에 물을 가득 채운 후 모양과 크기가 같은 공 12개를 넣었더니 꼭 맞게 들어갔다. 들어간 공 1개의 겉넓이가 36π cm²일 때, 공을 모두 꺼낸 후 상자에 남은 물의 높이를 구하시오.

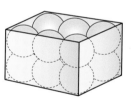

19

오른쪽 그림은 가로의 길이가 9 cm, 세로의 길이가 8 cm, 높이가 7 cm인 직육면체 모양의 상자에서 한 꼭짓점에 줄로 공을 연결한 것이다. 줄의 길이가 6 cm일 때, 이 공이 움직일 수 있는 공간의 최대 부피를 구하시오.

(단, 줄의 매듭의 길이와 공의 크기는 생각하지 않는다.)

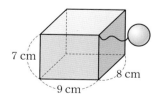

줄을 팽팽하게 하여 움직일 때 만들어지는 부피가 최대이며, 공은 직육면체의 안쪽으로는 움직일 수 없다.

20

반지름의 길이가 8 cm인 구 모양의 쇠구슬의 표면을 페인트로 칠할 때 10 mL의 페인트가 사용된다. 이 쇠구슬을 녹여서 반지름의 길이가 2 cm인 구 모양의 쇠구슬을 최대한 많이 만들고 이 쇠구슬들의 모든 표면을 페인트로 칠하려고 할 때, 몇 mL의 페인트가 필요한지 구하시오.

21

오른쪽 그림과 같은 평면도형에서 색칠한 부분을 직선 l을 회전축으로 하여 1회전 시킬 때 만들어지는 입체도형의 부피를 구하시오.

주어진 도형을 회전시킬 때 생기는 회전체는 어떤 입체도형에서 어떤 입체도형이 빠지는 것인지 그림으로 확인한다.

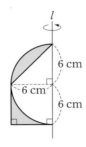

22

오른쪽 그림과 같이 원기둥 안에 원뿔과 구가 꼭 맞게 들어간다. 다음 중 옳은 것을 모두 고르면? (정답 2개)

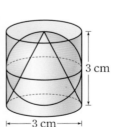

① 원뿔의 부피는 구의 부피의 $\frac{1}{3}$이다.

② 구와 원기둥의 부피의 비는 2 : 3이다.

③ 구의 겉넓이는 원기둥의 겉넓이의 $\frac{1}{3}$이다.

④ 원기둥 모양의 통 안에 물을 가득 채워서 구 모양을 넣으면 전체의 $\frac{1}{2}$만큼의 물이 흘러 나온다.

⑤ 원기둥 모양의 통 안에 물을 가득 채워서 원뿔 모양을 넣었다 빼면 남은 물의 양은 $\frac{9}{2}\pi$ cm³이다.

01 오른쪽 [그림 1]과 같이 직육면체 모양의 수조에 높이가 30 cm만큼 되도록 물이 채워져 있다. 여기에 [그림 2]와 같이 높이가 50 cm인 직육면체 모양의 막대를 수조의 밑면에 닿게 넣었더니 8000 cm³의 물이 넘쳐흘렀다. 막대의 밑면의 넓이를 구하시오.

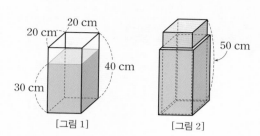

[그림 1]   [그림 2]

02 오른쪽 그림의 직사각형은 대각선의 길이가 12 cm인 정사각형 3개를 이어 붙여서 만든 도형이다. 이 도형을 가운데 정사각형의 대각선을 지나는 직선 l을 회전축으로 하여 1회전 시킬 때 생기는 입체도형의 부피를 구하시오.

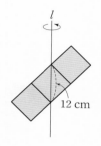

03 어느 정유 회사에서 겉넓이가 같은 다음 세 가지 모양의 원유 저장 탱크를 만들어서 원유를 가득 채워 넣는다고 한다. 가장 많은 양의 원유가 들어가는 탱크의 부피와 가장 적은 양의 원유가 들어가는 탱크의 부피의 차를 r를 사용하여 나타내시오.

㈎ 반지름의 길이가 r인 구 모양의 탱크
㈏ 밑면의 반지름의 길이가 r인 원기둥 모양의 탱크
㈐ 한 변의 길이가 $2r$인 정사각형을 밑면으로 하는 사각기둥 모양의 탱크

Challenge

04 크기가 같은 정육면체를 잘라 다음 그림과 같은 다면체를 만들었다. [그림 1]~[그림 4]의 색칠된 입체도형의 부피의 비를 가장 간단한 자연수의 비로 나타내시오.

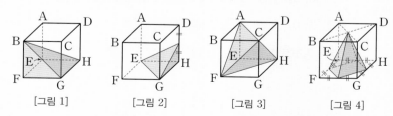

[그림 1]   [그림 2]   [그림 3]   [그림 4]

본책 79쪽 **04** 번 문제

다음 그림과 같이 정사면체를 반복적으로 쌓아 만든 입체도형을 차례대로 [1단계], [2단계], [3단계], [4단계] 모형이라 하자. [4단계] 모형의 꼭짓점의 개수를 v, 모서리의 개수를 e, 면의 개수를 f라 할 때, $v+e-f$의 값을 구하시오.

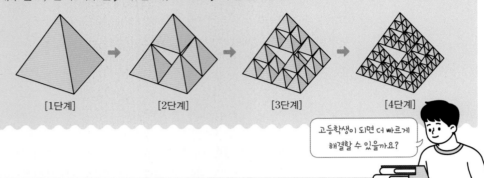

[1단계]　　　[2단계]　　　[3단계]　　　[4단계]

고등학생이 되면 더 빠르게 해결할 수 있을까요?

이 문제는 '꼭짓점, 모서리, 면'의 개수를 정확하게 구하는 것이 중요해.

하지만 개수가 매우 많기 때문에 규칙성을 찾는 것이 필요하지.

고등학교 2학년 때 '수학 Ⅰ'에서 '등비수열'이라는 것을 배워.

'등비수열'이란 앞의 수에 일정한 수를 곱하는 규칙으로 나열되는 수로,

각 단계별 꼭짓점, 모서리, 면의 개수를 등비수열을 이용하면 공식처럼 해결할 수 있어.

면의 개수를 세어보면 1단계는 4, 2단계는 $4 \times 4 = 4^2$, 3단계는 $4 \times 4 \times 4 = 4^3$, …

이렇게 4가 곱해지는 등비수열임을 알 수 있어.

따라서 4단계는 $4 \times 4 \times 4 \times 4 = 4^4$, n단계는 4^n이지.

모서리의 개수를 세어보면 1단계는 6이고 단계가 늘어날수록 4배씩 증가하므로

마찬가지로 4가 곱해지는 등비수열임을 알 수 있어.

즉, 4단계는 6×4^3, n단계는 $6 \times 4^{n-1}$이지.

꼭짓점의 개수를 세어보면 1단계는 4이고 단계가 늘어날수록 정사면체의 개수는 4배씩 증가하지만

큰 정사면체의 4개의 꼭짓점을 제외한 꼭짓점들은 모두 2개씩 겹치니까

겹치는 꼭짓점의 개수에는 $\dfrac{1}{2}$을 곱해줘야겠지?

따라서 4단계는 $4 + (4^4 - 4) \times \dfrac{1}{2}$, n단계는 $4 + (4^n - 4) \times \dfrac{1}{2}$이 됨을 알 수 있어.

어때? 이해할 수 있겠지? 하지만 이 방법도 기본 단계의 꼭짓점, 모서리, 면의 개수는 정확하게 세어야

하므로 이 단원에서 배운 꼭짓점, 모서리, 면을 잊지 않도록 해!

IV

통계

현직 교사의 학교 시험 고난도 킬러 강의

이 단원에서는 주어진 자료를 표나 그래프로 정리하는 능력과 정리된 표와 그래프를 보고 그것을 해석하는 능력이 중요해요. 도수분포표, 히스토그램, 도수분포다각형, 상대도수의 분포표 등에서 일부 계급의 도수만 주고 나머지 계급의 도수를 계산해 내는 문제를 꼭 출제해요. 또한, 히스토그램과 도수분포다각형의 넓이를 이용하는 문제와 전체 도수가 다른 두 자료를 상대도수를 가지고 비교하는 문제는 이 단원에서 가장 중요한 kill 문제죠.

08 도수분포표와 그래프

① 줄기와 잎 그림

(1) **변량** : 나이, 키, 점수 등 자료를 수량으로 나타낸 것

(2) **줄기와 잎 그림** : 줄기와 잎을 이용하여 자료를 나타낸 그림

(3) **줄기와 잎 그림 작성 순서**

❶ 각 변량을 줄기와 잎으로 구분한다.

❷ 줄기를 작은 값부터 차례로 세로로 나열한다.

❸ ❷에서 나열한 수의 오른쪽에 세로선을 긋는다.

❹ 세로선의 오른쪽에 각 줄기에 해당하는 잎을 작은 값부터 차례로 가로로 나열한다. 이때 중복되는 잎이 있으면 중복되는 횟수만큼 쓴다.

(1 | 7은 17회)

줄기	잎
1	7 9
2	0 2 6 8
3	1 2
4	2 5

참고 줄기와 잎 그림을 활용하면 원래의 변량을 정확히 알 수 있을 뿐만 아니라 자료의 전체적인 분포 상태도 쉽게 파악할 수 있다.

② 도수분포표

(1) **계급** : 변량을 일정한 간격으로 나눈 구간

(2) **계급의 크기** : 구간의 너비, 즉 계급의 양 끝 값의 차 ➡ 계급의 크기는 일정

(3) **계급값** : 계급을 대표하는 값으로 각 계급의 가운뎃값

참고 a 이상 b 미만인 계급에서 ➡ (계급의 크기)$=b-a$, (계급값)$=\dfrac{a+b}{2}$

(4) **도수** : 각 계급에 속하는 자료의 수

(5) **도수분포표** : 주어진 자료를 몇 개의 계급으로 나누고, 각 계급의 도수를 조사하여 나타낸 표

(6) **도수분포표 작성 순서**

❶ 자료에서 가장 작은 변량과 가장 큰 변량을 찾는다.

❷ ❶의 두 변량이 포함되는 구간을 일정한 간격으로 나누어 계급을 정한다.

❸ 각 계급에 속하는 변량의 개수를 세어 계급의 도수를 구한다.

기록(m)	학생 수(명)
$10^{이상} \sim 30^{미만}$	13
30 ~ 50	9
50 ~ 70	7
70 ~ 90	4
90 ~ 110	2
합계	35

참고 계급, 계급의 크기, 계급값, 도수는 항상 단위를 포함해서 쓴다.

③ 히스토그램

(1) **히스토그램**

가로축에는 각 계급의 양 끝 값을 표시하고, 세로축에는 도수를 표시하여 직사각형 모양으로 나타낸 그래프

(2) **히스토그램 그리는 순서**

❶ 가로축에 각 계급의 양 끝 값을 차례로 표시한다.

❷ 세로축에 도수를 차례로 표시한다.

❸ 각 계급의 크기를 가로로 하고, 도수를 세로로 하는 직사각형을 차례로 그린다.

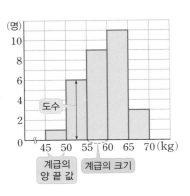

참고 히스토그램은 자료의 분포 상태를 한눈에 알아볼 수 있으나 정확한 변량의 값을 알 수는 없다.

④ 도수분포다각형

(1) 도수분포다각형

히스토그램에서 각 직사각형의 윗변의 중앙에 찍은 점과 그래프의
양 끝에 도수가 0인 계급이 하나씩 더 있는 것으로 생각하여 그 중앙
에 찍은 점을 선분으로 연결하여 그린 그래프

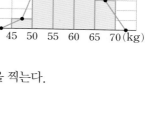

(2) 도수분포다각형 그리는 순서

❶ 히스토그램의 각 직사각형의 윗변의 중앙에 점을 찍는다.

> 참고 각 직사각형의 윗변의 중앙에 있는 점의 좌표는 (계급값, 도수)로 생각할 수 있다.

❷ 양 끝에 도수가 0인 계급이 하나씩 더 있는 것으로 생각하여 그 중앙에 점을 찍는다.

❸ ❶, ❷에서 찍은 점을 차례로 선분으로 연결한다.

(3) 도수분포다각형의 특징

① 자료의 분포 상태를 한눈에 알아볼 수 있다.

② 연속적인 자료의 변화 상태를 나타내는 데 편리하다.

③ 서로 다른 두 자료의 분포 상태를 비교할 때 편리하다.

> 참고 ① 도수분포다각형에서 계급의 개수를 셀 때, 양 끝에 도수가 0인 계급은 세지 않는다.
> ② 2개 이상의 자료의 분포 상태를 동시에 나타내어 비교할 때 도수분포다각형이 히스토그램보다 편리하다.

⑤ 히스토그램과 도수분포다각형의 넓이 〔심화 개념〕

(1) 히스토그램의 넓이

① (각 직사각형의 넓이)

= (직사각형의 가로의 길이) × (직사각형의 세로의 길이)

= (계급의 크기) × (그 계급의 도수)

➡ 각 직사각형의 넓이는 각 계급의 도수에 정비례한다.

② (직사각형의 넓이의 합)

= {(계급의 크기) × (그 계급의 도수)}의 총합

= (계급의 크기) × (도수의 총합)

(2) 도수분포다각형의 넓이

(도수분포다각형과 가로축으로 둘러싸인 부분의 넓이)

= (히스토그램의 각 직사각형의 넓이의 합)

= (계급의 크기) × (도수의 총합)

> **쌤의 활용 꿀팁**
>
> 히스토그램과 도수분포다각형의
> 넓이와 관련된 문제가 나오면 직사
> 각형의 넓이는 계급의 도수에 정비
> 례한다는 사실과 직사각형의 넓이
> 의 합은
> (계급의 크기) × (도수의 총합)이
> 라는 것을 잊지 마세요.

> 참고

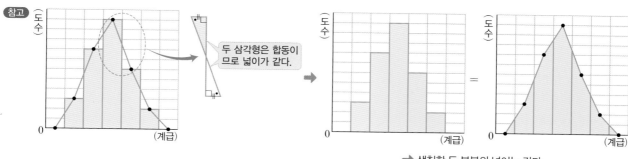

두 삼각형은 합동이
므로 넓이가 같다.

➡ 색칠한 두 부분의 넓이는 같다.

⊘ 이것이 진짜 출제율 100% 문제

① 줄기와 잎 그림

01 대표문제

아래는 현우네 반 학생들의 수학 수행 평가 점수를 조사하여 나타낸 줄기와 잎 그림이다. 다음 중 옳지 <u>않은</u> 것은?

(2|3은 23점)

줄기			잎		
0	3	5	6	8	
1	0	3			
2	2	3	3	5	6
3	1	7	9		
4	1	2	4	5	8	9

① 반 전체 학생 수는 20이다.

② 수행 평가 점수가 20점 미만인 학생은 전체의 30 %이다.

③ 현우의 수행 평가 점수가 31점일 때, 현우보다 점수가 높은 학생 수는 8이다.

④ 수행 평가 점수가 25점인 학생은 반에서 성적이 높은 편에 속한다.

⑤ 수행 평가 점수가 가장 높은 학생과 가장 낮은 학생의 점수의 차는 46점이다.

② 도수분포표

02 대표문제

오른쪽은 어느 독서실의 학생들의 하루 이용 시간을 조사하여 나타낸 도수분포표이다. 이용 시간이 2시간 이상 3시간 미만인 학생이 전체의 25 %일 때, 이용 시간이 0시간 이상 1시간 미만인 학생 수를 구하시오.

이용 시간(시간)	도수(명)
$0^{이상}$ ~ $1^{미만}$	$2A$
1 ~ 2	$4A$
2 ~ 3	$3A$
3 ~ 4	4
4 ~ 5	2
합계	

03

오른쪽은 상호네 반 학생들의 하루 수면 시간을 조사하여 나타낸 도수분포표이다. 수면 시간이 5시간 이상 6시간 미만인 학생이 전체의 20 %일 때, 다음 중 옳은 것은?

수면 시간(시간)	도수(명)
$4^{이상}$ ~ $5^{미만}$	5
5 ~ 6	A
6 ~ 7	7
7 ~ 8	B
8 ~ 9	8
9 ~ 10	2
합계	40

① B의 값은 12이다.

② 수면 시간이 7시간 이상인 학생은 전체의 50 %이다.

③ 수면 시간이 10번째로 적은 학생이 속하는 계급은 6시간 이상 7시간 미만이다.

④ 도수가 가장 작은 계급의 계급값은 7.5시간이다.

⑤ 수면 시간이 7시간인 학생이 속하는 계급의 도수는 7명이다.

③ 히스토그램

04 대표문제

오른쪽은 지원이네 반 학생 35명의 통학 시간을 조사하여 나타낸 히스토그램인데 일부가 찢어져 보이지 않는다. 통학 시간이 10분 이상 15분 미만인 학생 수와 15분 이상 20분 미만인 학생 수의 비가 3 : 2일 때, 통학 시간이 10분 이상 15분 미만인 학생 수를 구하시오.

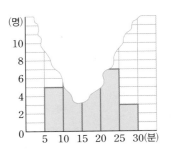

05 실수多

오른쪽은 선미네 반 학생들의 수학 성적을 조사하여 나타낸 히스토그램이다. 수학 성적이 상위 20 % 이내에 속하는 학생들의 점수는 적어도 몇 점 이상인지 구하시오.

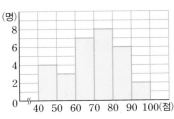

📝 쌤의 오답 코칭 | '적어도'는 '최소한'과 같은 의미이다.

④ 도수분포다각형

06 (대표문제)

오른쪽은 현서네 반 학생들의 키를 조사하여 나타낸 도수분포다각형이다. 다음 중 도수분포다각형으로부터 알 수 없는 것은?

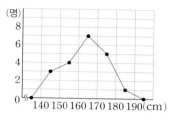

① 현서네 반의 전체 학생 수
② 전체 학생 중 키가 160 cm 미만인 학생의 비율
③ 현서네 반 학생들의 키의 분포 상태
④ 키가 가장 큰 학생의 키
⑤ 키가 168 cm인 학생이 속하는 계급의 도수

07

오른쪽은 시훈이네 반 학생 30명의 국어 점수를 조사하여 나타낸 도수분포다각형인데 일부가 찢어져 보이지 않는다. 국어 점수가 80점 이상 85점 미만인 학생이 85점 이상 90점 미만인 학생보다 3명 더 적을 때, 국어 점수가 80점 이상 85점 미만인 학생은 전체의 몇 %인지 구하시오.

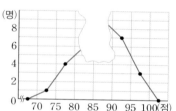

⑤ 히스토그램과 도수분포다각형의 넓이 `심화`

08 (대표문제)

다음은 히스토그램과 도수분포다각형에 대한 학생들의 대화이다. 바르게 말한 학생을 고르시오.

> 주현 : 히스토그램의 각 직사각형의 넓이는 각 계급의 도수에 정비례해.
> 슬기 : 같은 자료를 이용한다고 할 때 히스토그램의 각 직사각형의 넓이의 합이 도수분포다각형과 가로축으로 둘러싸인 부분의 넓이보다 더 넓어.
> 수영 : 히스토그램과 도수분포다각형 모두 각 계급에 속하는 변량을 정확히 알 수 있어.
> 예림 : 도수분포다각형보다 히스토그램이 두 자료의 도수를 비교하는 데 더 적절해.

📖 이것이 진짜 교과서에서 뽑아온 문제

09 | 신사고 유사 |

다음은 다경이네 반 학생들의 30초 동안 윗몸일으키기 횟수를 조사하여 계급의 크기가 다른 두 개의 도수분포표로 나타낸 것이다. A, B, C의 값을 각각 구하시오.

윗몸일으키기 횟수(회)	도수(명)
$0^{이상}$ ~ $10^{미만}$	12
10 ~ 20	13
20 ~ 30	7
30 ~ 40	A
40 ~ 50	3
50 ~ 60	1
합계	40

윗몸일으키기 횟수(회)	도수(명)
$0^{이상}$ ~ $15^{미만}$	20
15 ~ 30	B
30 ~ 45	C
45 ~ 60	2
합계	40

10 | 비상 유사 |

오른쪽은 A반과 B반 학생들의 100 m 달리기 기록을 조사하여 나타낸 도수분포다각형이다. 다음 설명 중 옳은 것은?

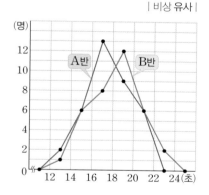

① A반과 B반의 학생 수는 같다.
② 달리기 기록이 가장 느린 학생은 A반에 있다.
③ 달리기 기록이 18초 미만인 학생은 B반이 더 많다.
④ A반에서 16등을 한 학생의 기록은 B반에서 16등을 한 학생의 기록보다 빠르다.
⑤ 각 반에서 달리기 기록이 20초 이상 22초 미만인 학생의 각 반 전체에 대한 비율은 A반과 B반이 같다.

01

오른쪽은 어느 마라톤 대회에 참가한 남녀 선수들의 나이를 조사하여 나타낸 줄기와 잎 그림이다. 다음 중 옳은 것은?

① 남자 선수가 여자 선수보다 더 많다.

② 동갑인 남, 여 선수는 없다.

③ 남녀 합쳐 7번째로 나이가 많은 사람은 여자이다.

④ 평균 나이는 여자가 더 많다.

⑤ 45세부터 포함되는 시니어 경기에 참가하는 인원은 5명이다.

(1|7은 17세)

잎(남자)	줄기	잎(여자)
3	1	7 9
8 3	2	2 5 7 8
8 7 4 1	3	0 3 6
7 5 1	4	2 3
6 1	5	2 5

02

오른쪽은 다경이네 반 학생들의 하루 동안의 휴대폰 사용 시간을 조사하여 나타낸 줄기와 잎 그림이다. 휴대폰을 오래 사용한 순서대로 전체 학생의 $\frac{1}{4}$에게 휴대폰 중독 여부를 검사하려고 할 때, 검사 대상이 되는 학생들 중 가장 오래 사용한 학생과 7번째로 오래 사용한 학생의 이용 시간의 차를 구하시오.

(1|0은 10분)

줄기	잎
1	0 1 5 9
2	1 2 7 9
3	0 1 2 2 4 5 7
4	0 1 1 3 9
5	0 2 4 6 8
6	1 6 9

쌤의 출제 Point

검사 대상이 되는 학생들이 몇 명인지 먼저 구한다.

03

오른쪽은 어느 테마파크의 오전 9시부터 1시간 동안 입장한 입장객의 나이를 조사하여 나타낸 줄기와 잎 그림이다. 입장객의 평균 나이가 23세이고, B는 A의 두 배일 때, A, B의 값을 각각 구하시오.

(1|1은 11세)

줄기	잎
0	3 7
1	1 2 5 5
2	0 1 A 8
3	2 3 6
4	0 B

04

계급의 크기가 7인 도수분포표에서 계급값이 20.5인 계급에 속하는 변량 x의 값의 범위가 $a \leq x < b$일 때, $3a+b$의 값을 구하시오.

05 복합 개념 [안양 | 평촌]

오른쪽은 우진이네 반 학생 35명이 지난 한 달 동안 본 영화의 수를 조사하여 나타낸 도수분포표이다. 영화를 8편 이상 10편 미만 본 학생 수는 영화를 2편 이상 4편 미만 본 학생 수보다 많고 두 학생 수의 최소공배수가 12일 때, 영화를 2편 이상 4편 미만 본 학생 수를 구하시오.

영화(편)	도수(명)
$0^{이상} \sim 2^{미만}$	1
2 ~ 4	
4 ~ 6	10
6 ~ 8	7
8 ~ 10	
10 ~ 12	3
합계	35

쌤의 출제 Point

06 신유형 [서울 | 목동]

다음은 어느 학교 남학생들의 몸무게를 조사하여 나타낸 도수분포표에서 각 계급의 계급값과 도수를 나타낸 것이다. 몸무게가 58 kg 미만인 학생이 전체의 38 %일 때, 몸무게가 61 kg 이상인 학생 수는 최대 x이고 최소 y이다. 이때 $x+y$의 값을 구하시오.

계급값(kg)	43	49	55	61	67	73	합계
도수(명)	2	8	A	16	B	4	50

(계급값의 간격) = (계급의 크기)

07 만점 KILL [서울 | 서초]

오른쪽은 퀴즈 대회에 참가한 학생 40명의 점수를 조사하여 나타낸 표이다. 현재까지 총 세 문제를 풀었고 배점은 1번 문제가 10점, 2번 문제가 20점, 3번 문제가 30점이었다. 1번 문제의 정답자가 20명이었다고 할 때, 현재까지 세 문제 중 두 문제만 맞힌 학생 수를 구하시오.

점수(점)	도수(명)
0	4
10	3
20	8
30	
40	4
50	7
60	5
합계	40

08 만점 KILL [분당 | 서현]

다음은 16개 도시에서 측정한 미세 먼지 농도의 자료와 이를 도수분포표로 나타낸 것이다. $A-B=12$일 때, 두 자연수 A, B의 값을 각각 구하시오. (단, 중복되는 변량은 없다.)

(단위 : μg/m³)

65	77	58	70
55	63	57	61
83	64	85	A
48	68	B	67

➡

농도(μg/m³)	도수(개)
$40^{이상} \sim 50^{미만}$	
50 ~ 60	4
60 ~ 70	6
70 ~ 80	3
80 ~ 90	
합계	16

A, B를 제외한 나머지 자료를 먼저 도수분포표로 나타내 보고 A, B가 속한 계급을 찾는다.

09 교과서 **추론** | 동아 유사 |

오른쪽은 주미네 반 학생들의 1분당 타자 수를 조사하여 나타낸 히스토그램인데 일부가 찢어져 보이지 않는다. 1분당 타자 수가 100타 이상 150타 미만인 학생 수를 a, 250타 이상 300타 미만인 학생 수를 b라 하면 b는 a의 2배이다. 250타 이상인 학생이 전체의 30 %일 때, $a+b$의 값을 구하시오.

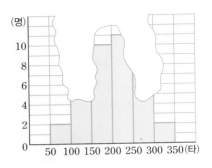

10 복합 개념 대구 | 수성 |

오른쪽은 어느 중학교 1학년 학생 40명이 1분 동안 줄넘기를 한 횟수를 조사하여 나타낸 히스토그램인데 일부가 찢어져 보이지 않는다. 줄넘기 횟수가 60회 이상 65회 미만인 계급과 65회 이상 70회 미만인 계급의 학생 수의 비는 2 : 3이고, 65회 이상 70회 미만인 계급과 70회 이상 75회 미만인 계급의 학생 수의 비는 2 : 1일 때, 줄넘기 횟수가 60회 이상 70회 미만인 학생은 전체의 몇 %인지 구하시오.

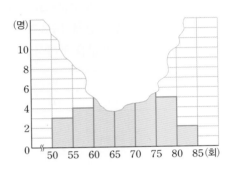

두 계급의 도수의 비가 $a : b$이면 두 도수를 각각 ak명, bk명 (k는 자연수)으로 놓는다.

11

오른쪽은 연수네 반 학생들이 수학 시험 전날 공부한 시간을 조사하여 나타낸 도수분포다각형인데 일부가 찢어져 보이지 않는다. 3시간 이상 4시간 미만 공부한 학생이 2시간 미만 공부한 학생의 2배라 할 때, 3시간 30분 이상 4시간 미만 공부한 학생 수를 구하시오.

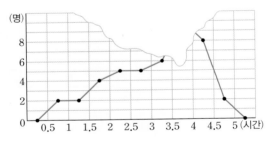

찢어져 보이지 않는 계급의 도수를 미지수로 놓고 주어진 조건을 만족시키는 식을 세운다.

12

오른쪽은 우리나라에 있는 국립 공원들의 넓이를 조사하여 나타낸 히스토그램이다. 이 히스토그램의 직사각형의 넓이의 합이 2800일 때, 도수가 가장 작은 계급의 계급값을 구하시오.

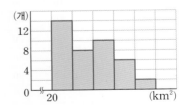

13

오른쪽은 효정이네 반 학생들의 하루 수면 시간을 조사하여 나타낸 히스토그램이다. 두 직사각형 D, E의 넓이의 비가 4 : 3일 때, 다음 중 옳지 <u>않은</u> 것은?

① 도수가 가장 큰 계급의 계급값은 9시간이다.

② 하루 수면 시간이 6시간 미만인 학생은 전체의 25 %이다.

③ 계급값이 9시간인 계급의 도수는 계급값이 7시간인 계급의 도수의 2배이다.

④ (A의 넓이) : (C의 넓이)=(C의 넓이) : (E의 넓이)이다.

⑤ 하루 수면 시간이 많은 쪽에서 20번째인 학생이 속하는 계급의 계급값은 7시간이다.

14

오른쪽은 어느 중학교 1학년 학생들의 과학 성적을 조사하여 나타낸 도수분포다각형이다. 색칠한 세 삼각형의 넓이가 각각 S_1, S_2, S_3이고 그 합이 30일 때, 과학 성적이 50점 미만인 학생 수를 구하시오.

(단, 세로축 눈금 1칸의 간격은 일정하다.)

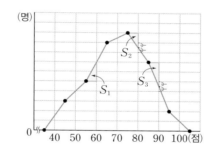

색칠한 삼각형의 넓이의 합을 이용하여 모눈 한 칸의 세로의 길이를 구한다.

15

오른쪽은 승혁이네 중학교 남학생들의 1분 동안 팔굽혀펴기 횟수를 조사하여 나타낸 도수분포다각형이다. 도수분포다각형과 가로축으로 둘러싸인 부분의 넓이가 640일 때, 기록이 10번째로 좋은 학생이 속하는 계급의 계급값을 구하시오. (단, 세로축 눈금 1칸의 간격은 일정하다.)

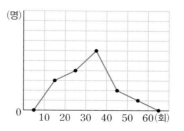

16 신유형 서울 | 강남

어느 중학교 육상부 학생 20명이 100 m 달리기 기록 향상을 위해 2주간 특별훈련을 진행하였다. 아래는 훈련 전과 훈련 1주 차, 훈련 2주 차의 100 m 달리기 기록을 조사하여 나타낸 도수분포다각형이다. 다음 중 옳지 <u>않은</u> 것은?

쌤의 출제 Point

도수분포다각형의 특징을 생각하여 주어진 그래프를 해석한다.

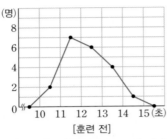
[훈련 전]

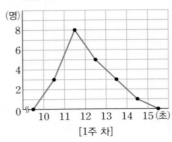
[1주 차]

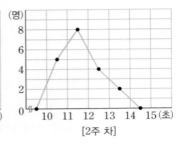
[2주 차]

① 훈련 중간에 그만 둔 학생이 있다.

② 각 시기마다 가장 많은 학생이 속한 계급은 동일하다.

③ 육상부 학생들의 기록은 2주간 특별훈련 후에 대체적으로 빨라졌다고 할 수 있다.

④ 모든 학생들의 기록은 향상되었다.

⑤ 세 도수분포다각형을 동시에 나타내면 훈련이 진행될수록 학생들의 기록의 변화 상태를 한 눈에 확인할 수 있다.

17 교과서 창의사고력 | 신사고 유사 |

오른쪽은 대한이네 중학교 남학생과 여학생의 키를 조사하여 나타낸 도수분포다각형이다. 여학생 중에서 키가 큰 쪽에서 상위 30 % 이내에 드는 학생은 만약 남학생이라면 키가 큰 쪽에서 적어도 상위 몇 % 이내에 들게 되는지 구하시오.

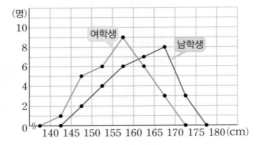

18

오른쪽은 어느 중학교 1학년 1반과 2반 학생들이 한 달 동안 쓴 용돈을 조사하여 나타낸 도수분포다각형이다. 색칠한 부분의 넓이를 각각 S_1, S_2라 할 때, S_1과 S_2의 크기를 비교하시오.

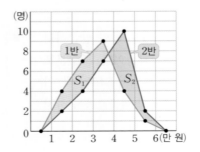

01 오른쪽은 승혁이네 반 학생들이 1년 동안 읽은 책의 권수를 조사하여 나타낸 줄기와 잎 그림이다. 줄기가 1인 학생 수가 줄기가 0인 학생 수의 2배이고, 줄기가 0인 학생들이 읽은 책의 권수의 평균은 5권, 줄기가 1인 학생들이 읽은 책의 권수의 평균은 16권, 반 전체 학생들이 읽은 책의 권수의 평균은 24권일 때, 승혁이네 반의 전체 학생 수를 구하시오.

(3|2는 32권)

줄기	잎
0	
1	
2	0 3 5 8
3	2 4 5 7 8 8

02 다음은 진수와 정훈이가 10월 한 달 동안 매일 '최고 기온'을 함께 측정하여 진수는 도수분포표로, 정훈이는 히스토그램으로 각자 기록한 것이다. 조사한 '최고 기온' 중 일의 자리에서 반올림하였을 때 30 ℃가 되는 날은 최대 며칠이고 최소 며칠인지 구하시오.

기온(℃)	일 수(일)
$16^{이상} \sim 20^{미만}$	5
20 ～ 24	11
24 ～ 28	11
28 ～ 32	4
합계	31

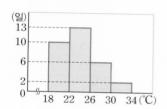

03 오른쪽은 어느 반 학생 40명이 여름 방학 동안 실시한 봉사 활동 시간을 조사하여 나타낸 히스토그램의 일부이다. 모든 계급의 도수는 20명을 넘지 않고 계급값이 각각 7시간과 11시간인 계급의 도수의 비가 2 : 1이라 한다. 모든 계급의 도수가 다 다르다고 할 때, 15번째로 봉사 활동을 많이 한 학생이 속한 계급의 계급값을 구하시오.

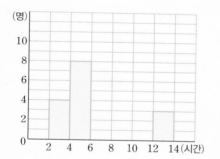

🌐 Challenge

04 오른쪽은 은지네 반 남학생과 여학생의 100 m 달리기 기록을 조사하여 나타낸 도수분포다각형인데 일부에 얼룩이 묻어 보이지 않는다. 남학생과 여학생 수는 같고, 여학생 중 기록이 16초 이상인 학생은 여학생 전체의 35 %이다. 남학생의 그래프와 가로축으로 둘러싸인 부분을 도수분포다각형의 가장 높은 점에서 가로축에 내린 수선으로 나누었을 때, 왼쪽 도형의 넓이를 A, 오른쪽 도형의 넓이를 B라 하자. $A : B$를 가장 간단한 자연수의 비로 나타내시오.

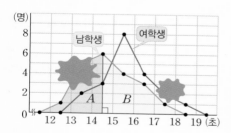

09 상대도수

① 상대도수

(1) 상대도수 : 도수의 총합에 대한 각 계급의 도수의 비율

➡ $(계급의 상대도수) = \dfrac{(계급의 도수)}{(도수의 총합)}$

참고 도수의 총합, 계급의 도수, 계급의 상대도수 중 어느 두 가지가 주어지면 나머지 한 가지를 구할 수 있다.

① $(계급의 도수) = (도수의 총합) \times (계급의 상대도수)$ ② $(도수의 총합) = \dfrac{(계급의 도수)}{(계급의 상대도수)}$

(2) 상대도수의 특징

① 각 계급의 상대도수는 0 이상 1 이하이고, 상대도수의 총합은 항상 1이다.

② 각 계급의 상대도수는 그 계급의 도수에 정비례한다.

③ 도수의 총합이 다른 여러 자료의 분포 상태를 비교할 때 편리하다.

(3) 상대도수의 분포표 : 각 계급의 상대도수를 나타낸 표

예

통학 시간(분)	도수(명)	상대도수
5^{이상} ~ 10^{미만}	6	0.6
10 ~ 15	3	0.3
15 ~ 20	1	0.1
합계	10	1

② 상대도수의 분포를 나타낸 그래프

(1) 상대도수의 분포를 나타낸 그래프 : 상대도수의 분포표를 히스토그램 또는 도수분포다각형 모양으로 나타낸 그래프

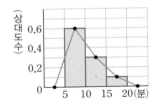

참고 상대도수는 계급의 도수에 정비례하므로 상대도수의 분포를 나타낸 그래프는 도수에 대한 히스토그램, 도수분포다각형과 모양이 같다.

(2) 상대도수의 분포를 나타낸 그래프 그리는 순서

❶ 가로축에 각 계급의 양 끝 값을 적는다.

❷ 세로축에 상대도수를 적는다.

❸ 히스토그램 또는 도수분포다각형과 같은 방법으로 그린다.

(3) 상대도수의 분포를 나타낸 그래프의 특징

상대도수의 분포를 나타낸 그래프와 가로축으로 둘러싸인 부분의 넓이는 계급의 크기와 같다.

➡ $(넓이) = (계급의 크기) \times (상대도수의 총합) = (계급의 크기) \times 1 = (계급의 크기)$

③ 도수의 총합이 다른 두 자료의 비교 `심화 개념`

(1) 도수의 총합이 다른 두 자료를 비교할 때는 각 계급의 도수 대신 상대도수를 비교하는 것이 더 적절하다.

(2) 두 자료의 그래프를 함께 나타내어 보면 두 자료의 분포 상태를 한눈에 비교할 수 있다.

참고 두 자료의 도수의 총합이 다르므로 동일 계급의 도수가 크다고 해서 상대도수가 큰 것은 아니고, 반대로 동일 계급의 상대도수가 크다고 해서 도수 역시 큰 것은 아니다.

> **쌤의 활용 꿀팁**
> 그래프를 가지고 두 집단의 분포 상태를 비교할 때는 어느 집단의 그래프가 어느 쪽으로 치우쳐 있는지에 따라 판단할 수 있어요.

🎯 이것이 진짜 **출제율 100%** 문제

① 상대도수

01 대표문제

다음은 어느 중학교 학생 300명을 대상으로 좋아하는 아이스크림의 맛을 조사하여 나타낸 상대도수의 분포표이다. 초콜릿 맛과 바닐라 맛을 좋아하는 학생 수의 비가 5 : 3일 때, 초콜릿 맛 아이스크림을 좋아하는 학생 수를 구하시오.

아이스크림 맛	상대도수
초콜릿 맛	
딸기 맛	0.27
바닐라 맛	
녹차 맛	0.17
합계	

02

다음은 어느 중학교 1학년 학생들의 몸무게를 조사하여 나타낸 상대도수의 분포표인데 일부가 찢어져 보이지 않는다. 몸무게가 65 kg 이상인 학생이 전체의 65 %일 때, 몸무게가 60 kg 이상 65 kg 미만인 학생 수를 구하시오.

계급(kg)	도수(명)	상대도수
55^{이상} ~ 60^{미만}	4	0.1
60 ~ 65		

03

다음은 어느 중학교 1학년 1, 2, 3반 학생들에 대하여 각 반에서 혈액형이 AB형인 학생들의 학생 수와 상대도수를 나타낸 표이다. 1학년 1, 2, 3반 전체 학생에 대하여 혈액형이 AB형인 학생의 상대도수가 0.25일 때, a의 값을 구하시오.

	1반	2반	3반
혈액형이 AB형인 학생 수	5	10	3
혈액형이 AB형인 학생의 상대도수	0.2	a	0.125

② 상대도수의 분포를 나타낸 그래프

04 대표문제

오른쪽은 어느 중학교 학생들의 신발 크기를 조사하여 상대도수의 분포를 나타낸 그래프이다.

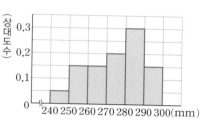

신발 크기가 260 mm 미만인 학생 수가 40일 때, 상대도수가 가장 큰 계급의 학생 수를 구하시오.

05

오른쪽은 어느 학교 수학 경시대회 참가자 80명의 1차 시험 성적을 조사하여 상대도수의 분포를 나타낸 그래프이다. 다음 중 옳지 않은 것은?

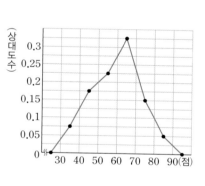

① 계급의 개수는 6이다.
② 50점 미만의 학생은 전체의 25 %이다.
③ 50점 이상 60점 미만인 학생 수는 19이다.
④ 상대도수가 가장 큰 계급과 가장 작은 계급의 학생 수의 차는 22이다.
⑤ 상위 20명만 2차 시험을 본다고 할 때, 2차 시험 대상자 중 1차 시험 성적이 가장 낮은 학생이 속한 계급의 상대도수는 0.325이다.

③ 도수의 총합이 다른 두 자료의 비교　심화

06 대표문제 실수多

오른쪽은 어느 중학교 1학년 남학생과 여학생의 100 m 달리기 기록을 조사하여 나타낸 상대도수의 분포표이다. 다음 중 옳지 <u>않은</u> 것은?

기록(초)	상대도수	
	남학생	여학생
$10^{이상} \sim 12^{미만}$	0.12	0.1
12 ～ 14	0.36	0.35
14 ～ 16		0.25
16 ～ 18	0.2	
18 ～ 20	0.04	0.1
합계	A	B

① A와 B의 값은 같다.

② 남학생이 총 25명이면 계급값이 15초인 계급의 남학생 수는 7이다.

③ 여학생의 기록 중 도수가 가장 큰 계급의 계급값은 13초이다.

④ 남녀 각각 기록이 느린 절반의 학생은 체력 훈련 대상자라 할 때, 13.9초를 기록한 남학생과 여학생은 모두 체력 훈련 대상자가 아니다.

⑤ 기록이 16초 이상 18초 미만인 남학생 수와 여학생 수는 같다.

✏️ **쌤의 오답 코칭** | 두 자료의 어느 계급의 상대도수가 같아도 도수는 다를 수 있다.

07

다음은 어느 중학교 1, 2, 3반의 수학 성적을 조사하여 나타낸 도수분포표이다. 수학 성적이 90점 이상인 학생은 어느 반이 상대적으로 가장 많다고 할 수 있는가?

점수(점)	도수(명)		
	1반	2반	3반
$40^{이상} \sim 50^{미만}$	2	3	4
50 ～ 60	4	5	6
60 ～ 70	5	6	3
70 ～ 80	5	5	4
80 ～ 90	6	3	5
90 ～ 100	3	4	A
합계	25	B	24

① 1반　　　② 2반　　　③ 3반
④ 똑같다.　　⑤ 비교할 수 없다.

📖 이것이 진짜 **교과서에서 뽑아온** 문제

08
| 비상 유사 |

오른쪽은 어느 중학교 1학년과 2학년 학생들의 몸무게를 조사하여 상대도수의 분포를 나타낸 그래프이다. 다음 중 옳은 것은?

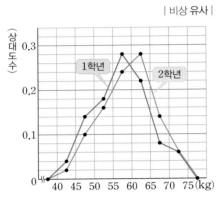

① 1학년 학생들이 2학년 학생들보다 몸무게가 더 나가는 편이다.

② 1학년 전체 학생 수가 300이면 몸무게가 65 kg 이상인 1학년 학생 수는 60이다.

③ 2학년 학생들 중 몸무게가 55 kg 이상 65 kg 미만인 학생은 절반이 넘는다.

④ 몸무게가 70 kg 이상 75 kg 미만인 학생 수는 1학년과 2학년이 같다.

⑤ 1학년과 2학년 학생 수가 다를 때, 각 상대도수의 분포를 나타낸 그래프와 가로축으로 둘러싸인 부분의 넓이는 다르다.

09
| 지학사 유사 |

오른쪽은 A 지역과 B 지역의 관광객의 나이를 조사하여 상대도수의 분포를 나타낸 그래프이다. A 지역의 관광객은 700명, B 지역의 관광객은 800명일 때, 물음에 답하시오.

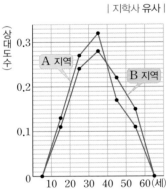

(1) A, B 두 지역의 관광객 수가 같은 계급을 구하시오.

(2) A, B 두 지역의 관광객 수의 차이가 가장 많이 나는 계급의 관광객 수의 차를 구하시오.

01 복합 개념 (서울 | 강남)

40개의 변량으로 만든 도수분포표에서 한 계급의 도수를 x, 그 계급의 상대도수를 y라 하자. 다음 보기의 설명 중 옳은 것을 모두 고른 것은?

◀ 보기 ▶

ㄱ. x와 y 사이의 관계를 식으로 나타내면 $y = \dfrac{x}{40}$이다.

ㄴ. x와 y 사이의 관계를 그래프로 나타내면 원점을 지난다.

ㄷ. 도수가 a인 계급의 상대도수가 b이고, 도수가 c인 계급의 상대도수가 d일 때, 도수가 $a+c$인 계급의 상대도수는 $b+d$이다.

① ㄱ 　　② ㄱ, ㄴ 　　③ ㄱ, ㄷ
④ ㄴ, ㄷ 　　⑤ ㄱ, ㄴ, ㄷ

쌤의 출제 Point

02

오른쪽은 어느 중학교 학생들이 하루 동안 수업 시간에 시계를 보는 횟수를 조사하여 나타낸 상대도수의 분포표이다. 전체 학생이 100명 이하일 때, 전체 학생 수의 최댓값을 구하시오.

횟수(회)	상대도수
0^{이상} ~ 4^{미만}	$\dfrac{1}{6}$
4 ~ 8	$\dfrac{1}{8}$
8 ~ 12	
12 ~ 16	$\dfrac{3}{8}$
16 ~ 20	$\dfrac{1}{4}$
합계	

학생 수는 자연수이다.

03

오른쪽은 이슬이네 반 학생 50명이 방학 동안 읽은 책의 권수를 조사하여 상대도수의 분포를 나타낸 그래프인데 일부가 찢어져 보이지 않는다. 책을 4권 이상 6권 미만 읽은 학생 수는 6권 이상 8권 미만 읽은 학생 수보다 2가 적고, 책을 6권 이상 8권 미만 읽은 학생 수와 8권 이상 10권 미만 읽은 학생 수가 같을 때, 방학 동안 책을 8권 이상 10권 미만 읽은 학생 수를 구하시오.

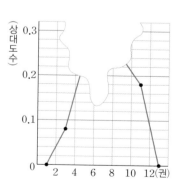

04

오른쪽은 어느 농구 팀의 지난 1년 동안 경기당 득점을 조사하여 나타낸 도수분포다각형인데 일부가 찢어져 보이지 않는다. 총경기 수가 60이고, 80점 이상 90점 미만을 득점한 경기 수와 90점 이상 100점 미만을 득점한 경기 수의 비가 3 : 2이다. 전체 계급 중 100점 이상 110점 미만인 계급의 도수가 가장 작을 때, 득점이 80점 이상 90점 미만인 계급의 상대도수를 구하시오.

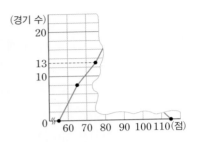

05 만점 KILL 〔분당 | 서현〕

오른쪽은 효진이네 반 학생들이 하루 동안 가족과 함께하는 시간을 조사하여 상대도수의 분포를 나타낸 그래프인데 일부가 찢어져 보이지 않는다. 가족과 함께하는 시간이 60분 이상 80분 미만, 80분 이상 100분 미만인 계급의 상대도수를 각각 a, b라 할 때, $25a$와 $25b$는 모두 소수이다. 이때 가족과 함께하는 시간이 80분 이상 100분 미만인 학생은 전체의 몇 %인지 구하시오.

(단, $a > b$)

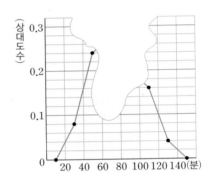

자연수를 두 소수의 합으로 나타내 본다.

06 신유형 〔서울 | 강남〕

다음은 경수네 반 학생들의 30초 동안 윗몸일으키기 횟수를 조사하여 도수분포다각형과 상대도수의 분포를 나타낸 그래프를 각각 그린 것인데 일부가 얼룩져 보이지 않는다. 도수분포다각형과 가로축으로 둘러싸인 부분의 넓이를 A, 상대도수의 분포를 나타낸 그래프와 가로축으로 둘러싸인 부분의 넓이를 B라 할 때, $A+B$의 값을 구하시오.

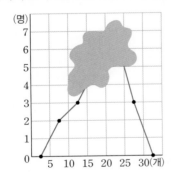
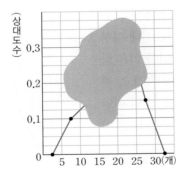

쌤의 출제 Point

07

오른쪽은 어느 중학교 1학년과 2학년의 수학 성적을 조사하여 나타낸 상대도수의 분포표이다. $b : d = 6 : 5$일 때, $a : c$를 가장 간단한 자연수의 비로 나타내시오.

점수(점)	1학년		2학년	
	도수(명)	상대도수	도수(명)	상대도수
$50^{이상} \sim 60^{미만}$	24	0.08	24	0.12
60 ~ 70			a	b
70 ~ 80				
80 ~ 90	c	d		
90 ~ 100				0.1
합계				

08

오른쪽은 어느 중학교 1학년 1반과 1학년 전체 학생들의 키를 조사하여 나타낸 상대도수의 분포표이다. 키가 160 cm 이상 165 cm 미만인 학생이 1반에 10명, 전체에 100명일 때, 1반에서 10번째로 키가 큰 학생이 1학년 전체에서 적어도 몇 번째로 크다고 할 수 있는지 구하시오.

(단, 학생들의 키는 모두 다르다.)

키(cm)	상대도수	
	1학년 1반	1학년 전체
$150^{이상} \sim 155^{미만}$	0.05	0.1
155 ~ 160	0.1	0.15
160 ~ 165	0.25	0.2
165 ~ 170	0.35	0.15
170 ~ 175	0.2	0.3
175 ~ 180	0.05	0.1
합계	1	1

계급의 상대도수는 전체 도수에 대한 그 계급의 도수의 비율임을 이용한다.

09

오른쪽은 지현이네 중학교 학생 400명이 좋아하는 스포츠를 조사하여 나타낸 상대도수의 분포표이다. 다음 중 옳은 것은?

스포츠	상대도수		
	남학생	여학생	전체 학생
축구	0.44	0.24	0.39
야구	0.3	0.26	0.29
농구	0.18	0.18	0.18
배구	0.08	0.32	0.14
합계	1	1	1

① 축구를 좋아하는 여학생 수와 배구를 좋아하는 남학생 수는 같다.

② 야구를 좋아하는 전체 학생 수는 축구를 좋아하는 남학생 수보다 크다.

③ 농구를 좋아하는 남학생 수와 여학생 수는 같다.

④ 배구를 좋아하는 남학생 수와 야구를 좋아하는 여학생 수의 차는 3이다.

⑤ 조사에 참여한 남학생 수와 여학생 수의 비는 4 : 1이다.

10

오른쪽은 전체 학생 수가 700인 A 중학교 남학생과 여학생의 1주일 용돈을 조사하여 상대도수의 분포를 나타낸 그래프이다. 1주일 용돈이 4만 원 이상 6만 원 미만인 남학생 수와 여학생 수의 비가 6 : 5일 때, A 중학교의 전체 남학생 수를 구하시오.

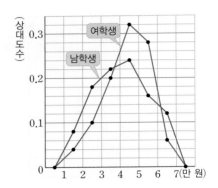

> **쌤의 출제 Point**
> 각 계급의 상대도수를 이용하여 도수를 구한다.

11 교과서 **창의사고력** | 천재 유사 |

오른쪽은 어느 대학교 체육과 1, 2학년 남학생들의 줄넘기 2단 뛰기 기록을 조사하여 상대도수의 분포를 나타낸 그래프이다. 2단 뛰기 기록이 65회 이상 70회 미만인 1학년 남학생은 70회 이상 75회 미만인 1학년 남학생보다 16명 많고, 60회 이상 65회 미만인 2학년 남학생보다 16명 적다고 할 때, 전체 계급 중 1학년, 2학년 남학생 수가 같은 계급의 계급값을 구하시오.

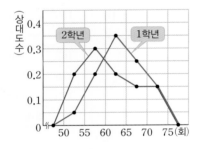

12 교과서 **추론** | 미래엔 유사 |

오른쪽은 A, B 두 동호회 회원들의 나이를 조사하여 상대도수의 분포를 나타낸 그래프인데 세로축은 찢어지고 일부는 얼룩으로 인해 보이지 않는다. B 동호회의 전체 회원 수가 80일 때, B 동호회의 20대 회원 수를 구하시오.

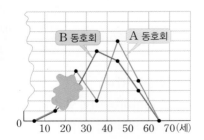

01 오른쪽은 독서반 학생들의 여름 방학 동안의 독서 시간을 조사하여 나타낸 상대도수의 분포표이다. 이 표에서 a, b의 최대공약수가 7일 때, 이 조사에 참여한 학생 수를 구하시오.

독서 시간(시간)	도수(명)	상대도수
$0^{이상}$ ~ $2^{미만}$		$\frac{1}{4}$
2 ~ 4		$\frac{1}{6}$
4 ~ 6		$\frac{1}{12}$
6 ~ 8	a	$\frac{1}{8}$
8 ~ 10	b	$\frac{1}{3}$
10 ~ 12		$\frac{1}{24}$
합계		1

02 ⊕ Challenge

오른쪽은 수진이네 반 학생들의 수학 성적을 조사하여 나타낸 표이다. 중간고사보다 기말고사의 성적이 향상되어 한 계급이 올라간 학생이 5명이었고, 성적이 하락하여 한 계급이 내려간 학생이 1명이었다. 90점 이상인 학생 중 계급이 달라진 학생이 있다고 할 때, $x - y$의 값을 구하시오. (단, 수진이네 반 학생 수의 변화는 없으며, 두 계급 이상 올라가거나 내려간 학생은 없다.)

수학 성적(점)	중간고사 도수(명)	기말고사 상대도수
$40^{이상}$ ~ $50^{미만}$	2	0.04
50 ~ 60	x	0.2
60 ~ 70	7	0.28
70 ~ 80	y	0.16
80 ~ 90	4	0.2
90 ~ 100	3	0.12
합계	25	1

03 전교생이 800명인 어느 중학교의 1학년 남학생은 1학년 여학생보다 36명 많고, 1학년 전체 학생에 대한 1학년 남학생의 상대도수는 0.56이다. 또한, 이 중학교의 2학년 전체 학생은 260명이고, 2학년 전체 학생에 대한 2학년 남학생의 상대도수는 0.6이다. 이 중학교 전교생에 대한 전체 남학생의 상대도수는 0.57일 때, 3학년 전체 학생에 대한 3학년 여학생의 상대도수를 구하시오.

04 오른쪽은 A, B 두 회사의 직원들의 출근 시간을 조사하여 상대도수의 분포를 나타낸 그래프인데 일부가 찢어져 보이지 않는다. 8시 10분에서 8시 20분 사이에 출근하는 두 회사의 직원 수가 같고, 8시 50분에서 9시 사이에 출근하는 두 회사의 직원 수의 상대도수는 같으며 이 계급에 속하는 직원 수는 A 회사가 B 회사보다 12명 더 많다. 이때 8시 40분에서 8시 50분 사이에 출근하는 B 회사의 직원 수를 구하시오.

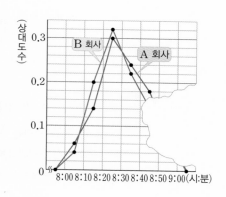

같은 문제

선배들의

다른 풀이

본책 109쪽 · **09** 번 문제

오른쪽은 지현이네 중학교 학생 400명이 좋아하는 스포츠를 조사하여 나타낸 상대도수의 분포표이다. 다음 중 옳은 것은?

① 축구를 좋아하는 여학생 수와 배구를 좋아하는 남학생 수는 같다.

② 야구를 좋아하는 전체 학생 수는 축구를 좋아하는 남학생 수보다 크다.

③ 농구를 좋아하는 남학생 수와 여학생 수는 같다.

④ 배구를 좋아하는 남학생 수와 야구를 좋아하는 여학생 수의 차는 3이다.

⑤ 조사에 참여한 남학생 수와 여학생 수의 비는 4 : 1이다.

스포츠	상대도수		
	남학생	여학생	전체 학생
축구	0.44	0.24	0.39
야구	0.3	0.26	0.29
농구	0.18	0.18	0.18
배구	0.08	0.32	0.14
합계	1	1	1

2학년이 되면 다른 방법으로 해결할 수 있을까요?

이 문제에서는 전체 남학생 수와 여학생 수가 주어지지 않은 상태로 상대도수가 아닌 학생 수, 즉 도수를 비교하고 있어. 그렇기 때문에 전체 남학생 수와 여학생 수를 알아야 각각의 스포츠를 좋아하는 학생 수를 비교할 수 있지. 따라서 우리는 문제에 주어진 조건만을 가지고 남학생 수와 여학생 수를 구할 수 있어야 해. 구하려는 것이 하나일 때는 그것을 미지수로 하는 일차방정식을 세워서 풀 수 있었는데, 이번엔 구하려는 것이 두 개야. 이렇게 되면 미지수가 2개가 되는데 이런 방정식은 어떻게 풀어야 할까?

중학교 2학년 때 '연립방정식'이라는 것을 배워.

두 개 이상의 방정식을 한 쌍으로 묶어서 나타낸 것을 연립방정식이라고 해.

그럼 위의 문제를 연립방정식으로 나타내 보자.

전체 남학생 수를 x, 전체 여학생 수를 y라 하면 전체 학생 수는 400이니까 $x+y=400$

배구를 좋아하는 학생을 식으로 나타내면 $0.08x+0.32y=400 \times 0.14=56$

이 식을 간단하게 정리하면 $x+4y=700$

이때 두 방정식을 한 쌍으로 묶어서 연립방정식 $\begin{cases} x+y=400 & \cdots\cdots \text{㉠} \\ x+4y=700 & \cdots\cdots \text{㉡} \end{cases}$ 으로 나타낼 수 있어.

이와 같은 연립방정식은 두 일차방정식을 변끼리 더하거나 빼서 한 미지수를 없앤 후 푸는데 그 방법을 '가감법'이라고 해.

㉡에서 ㉠을 변끼리 빼면 $3y=300$이니까 $y=100$, 즉 $x=300$이 되겠네.

따라서 전체 남학생은 300명, 여학생은 100명이라는 것을 알 수 있어.

최상위의 절대 기준

절대등급

최상위의 절대 기준

절대등급

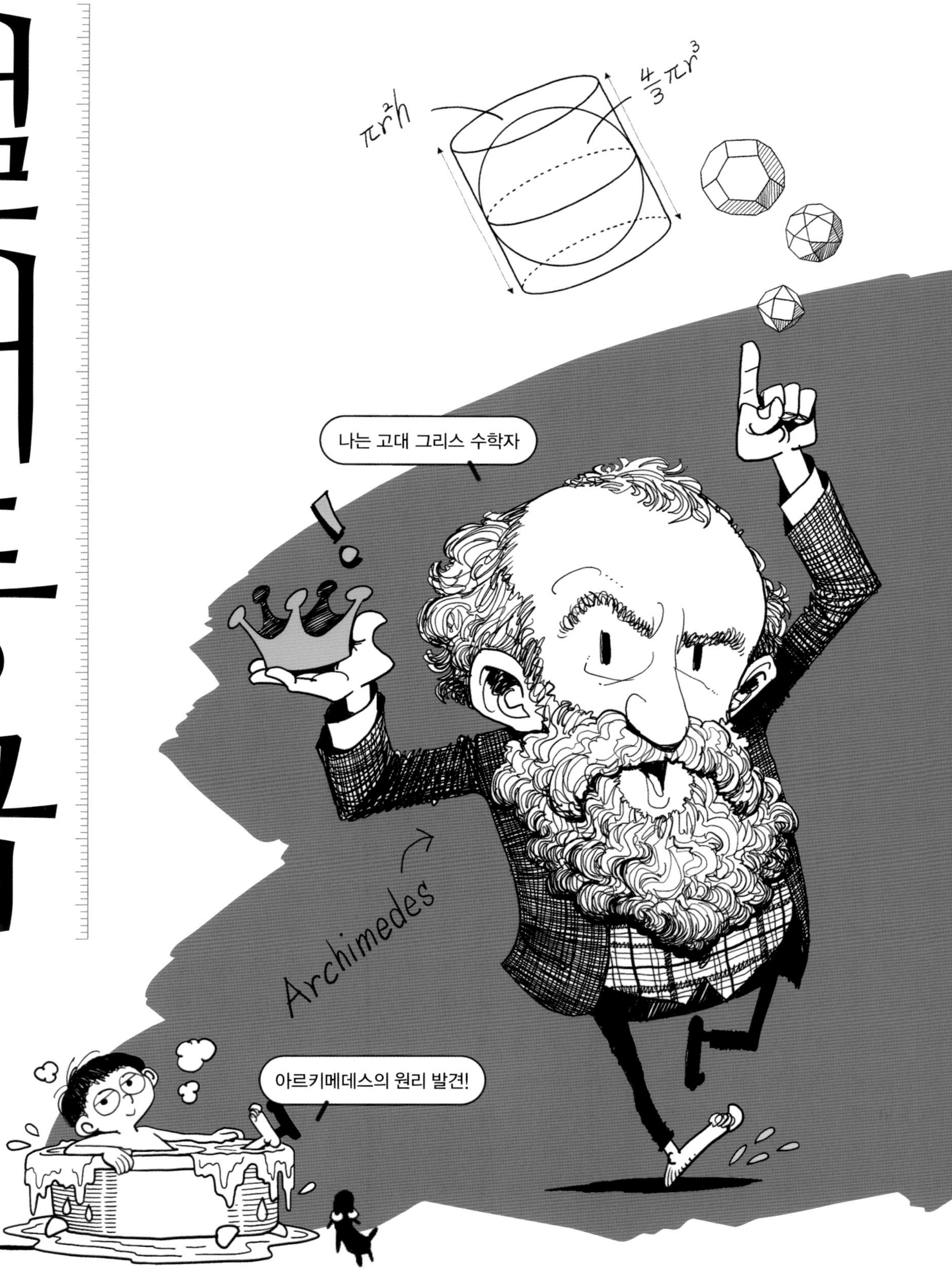

정답과 풀이

중학 **수학 1-2**

동아출판

최상위의 절대 기준

절대등급 중학 수학 1-2 빠른 정답 안내

[모바일 빠른 정답]
QR 코드를 찍으면 **정답과 풀이**를 쉽고 빠르게 확인할 수 있습니다.

최상위의 절대 기준

절대등급

중학 수학 1-2

정답과 풀이

Ⅰ. 기본 도형

01. 기본 도형
| 본책 8쪽~17쪽

LEVEL 1 01 ② 02 20 03 ④ 04 $a=12, b=6$ 05 16 cm
06 40 cm 07 20° 08 40° 09 40° 10 20° 11 125° 12 115° 13 ③
14 5 cm 15 ㄱ과 ㄷ, ㄹ과 ㅂ, ㅇ과 ㅈ 16 16 cm 17 50° 18 ㄴ
LEVEL 2 01 ㄴ, ㄹ 02 10 03 60 04 7 05 20 cm 06 2 cm
07 1 : 2 08 32 cm 09 점 E 10 $\frac{5}{4}$ m 11 60° 12 130° 13 54°
14 6쌍 15 20쌍 16 135° 17 35° 18 ③ 19 24 20 ①, ③ 21 15
LEVEL 3 01 $\frac{120}{17}$ cm 02 105 03 $\frac{360}{11}$ 분 04 54

02. 위치 관계
| 본책 20쪽~29쪽

LEVEL 1 01 ① 02 ⑤ 03 12 04 6 05 ① 06 10 07 ①, ②
08 ③ 09 230° 10 (1) ∠d, ∠f (2) ∠a, ∠g 11 40° 12 35° 13 25°
14 70° 15 ② 16 8 17 ∠a, ∠c 18 80°
LEVEL 2 01 10 02 9 03 4 04 19 05 ② 06 23 07 2 08 4
09 65° 10 ②, ④ 11 230° 12 75° 13 210° 14 55° 15 720° 16 15°
17 63° 18 180° 19 60° 20 15° 21 30° 22 29° 23 65° 24 ①
LEVEL 3 01 3 02 $a=7, b=14$ 03 90° 04 60°

03. 작도와 합동
| 본책 32쪽~39쪽

LEVEL 1 01 ㄱ, ㄷ 02 ④ 03 ㉠ ➡ ㉤ ➡ ㉡ ➡ ㉥ ➡ ㉢ ➡ ㉣
04 ⑤ 05 ④ 06 ⑤ 07 ㄴ, ㄹ 08 ①, ③ 09 ③ 10 ① 11 ④ 12 ②
LEVEL 2 01 ㄱ, ㄹ 02 ③ 03 30° 04 8 05 8 06 6개 07 ④, ⑤
08 ④ 09 ㄱ, ㄹ 10 45° 11 12°
12 ㈎ 180°−2∠a ㈏ 270°−2∠a ㈐ 2∠a ㈑ SAS 13 ⑤ 14 ①
15 12 cm 16 30° 17 45° 18 25 cm² 19 32 cm² 20 90°
LEVEL 3 01 8 02 $\frac{11}{7}$ 배 03 $\frac{225}{2}$ cm² 04 ㄱ, ㄴ, ㄹ, ㅁ

Ⅱ. 평면도형

04. 다각형
| 본책 44쪽~53쪽

LEVEL 1 01 ① 02 ⑤ 03 ③ 04 27° 05 20° 06 60° 07 112°
08 14 09 10 10 정십일각형 11 655° 12 280 13 290° 14 정십각형
15 ㄴ, ㄹ 16 360° 17 ③ 18 108°
LEVEL 2 01 ⑤ 02 ② 03 216° 04 164° 05 ④ 06 20 07 78
08 ③ 09 ④ 10 216° 11 360° 12 540° 13 315° 14 ① 15 252°
16 170 17 123° 18 정십이각형 19 ③ 20 22 21 정팔각형 22 12°
23 $\frac{540°}{7}$ 24 10
LEVEL 3 01 65 02 (4, 3, 4, 6), (4, 3, 4, 3, 3) 03 5, 7 04 24

05. 원과 부채꼴
| 본책 56쪽~65쪽

LEVEL 1 01 ③, ④ 02 60 03 5π cm² 04 10 05 2 06 ④, ⑤
07 8 08 ④ 09 둘레의 길이 : 6π cm, 넓이 : (36−9π) cm² 10 ③
11 둘레의 길이 : $\left(\frac{2}{3}\pi+8\right)$ cm, 넓이 : $\left(4-\frac{2}{3}\pi\right)$ cm² 12 ③ 13 150°
14 9π cm² 15 15 cm 16 (8π+24) cm 17 ②
LEVEL 2 01 1 cm 02 ① 03 (36π−72) cm² 04 45π m²
05 $\left(\frac{21}{2}\pi+14\right)$ cm 06 ⑤ 07 ① 08 ③ 09 2π cm² 10 $\frac{385}{6}\pi$ cm²
11 (12π−24) cm² 12 ③ 13 12π cm² 14 22π cm² 15 ② 16 ⑤
17 144−50π 18 (144π−288) cm² 19 (16π+140) cm²
20 $\frac{26}{3}\pi$ cm 21 ④ 22 (14π+252) cm 23 99π cm² 24 $\frac{508}{3}\pi$ m²
LEVEL 3 01 10 cm 02 (96−24π) cm² 03 16π cm 04 24π cm

Ⅲ. 입체도형

06. 다면체와 회전체
| 본책 70쪽~79쪽

LEVEL 1　**01** 오각기둥, 육각뿔, 오각뿔대　**02** ③　**03** 칠각뿔대　**04** ③
05 7　**06** ㄷ, ㄹ　**07** 꼭짓점의 개수 : 20, 모서리의 개수 : 30　**08** ③　**09** ②
10 ④　**11** ③, ⑤　**12** 50 cm²　**13** ④　**14** ④　**15** 6　**16** 팔각뿔대
17 4π cm

LEVEL 2　**01** 십면체　**02** 57　**03** ㄱ, ㄷ　**04** 사각뿔대　**05** ①, ④
06 면 A : 8, 면 B : 3　**07** ①, ④　**08** 점 C, 점 J　**09** 4개　**10** 14　**11** 30
12 182　**13** 정팔면체　**14** ②, ⑤　**15** ⑤　**16** ③　**17** ④　**18** 120π cm²
19 15　**20** 135°　**21** $(36\pi-72)$ cm²　**22** $(22\pi+12)$ cm　**23** 15

LEVEL 3　**01** 최댓값 : 43, 최솟값 : 19　**02** 18　**03** 50　**04** 258

07. 입체도형의 겉넓이와 부피
| 본책 82쪽~91쪽

LEVEL 1　**01** 188 cm²　**02** 27 cm　**03** 49 cm³　**04** $(10\pi+30)$ cm²
05 384 cm²　**06** 555π cm³　**07** 10　**08** 36π cm²　**09** 200 cm³
10 23π cm²　**11** 64π cm³　**12** 72π cm³　**13** 100π cm³　**14** 79π cm²
15 16π cm³　**16** 원뿔 : 18π cm³, 구 : 36π cm³　**17** 99π cm³　**18** 4
19 18π cm²

LEVEL 2　**01** 564 cm²　**02** 1800　**03** 5 cm　**04** $(64\pi-32)$ cm²
05 208 cm³　**06** $\dfrac{20}{3}$　**07** 288 cm³　**08** $\dfrac{64}{3}$ cm³　**09** $\dfrac{136}{3}$ cm³　**10** $\dfrac{7}{3}$
11 36π cm²　**12** 4090π cm³　**13** 1 : 1　**14** ④　**15** 160 cm³　**16** $\dfrac{20}{3}$
17 π　**18** $(12-2\pi)$ cm　**19** 252π cm³　**20** 40 mL　**21** 144π cm³
22 ②, ⑤

LEVEL 3　**01** 300 cm²　**02** 1872π cm³　**03** $4r^3-\dfrac{2}{3}\pi r^3$
04 4 : 1 : 4 : 2

Ⅳ. 통계

08. 도수분포표와 그래프
| 본책 96쪽~103쪽

LEVEL 1　**01** ④　**02** 4　**03** ②　**04** 12　**05** 80점　**06** ④　**07** 20 %
08 주현　**09** $A=4, B=12, C=6$　**10** ④

LEVEL 2　**01** ③　**02** 17분　**03** $A=4, B=8$　**04** 75　**05** 2　**06** 46
07 19　**08** $A=71, B=59$　**09** 15　**10** 50 %　**11** 10　**12** 335 km²
13 ⑤　**14** 6　**15** 45회　**16** ④　**17** 60 %　**18** $S_1=S_2$

LEVEL 3　**01** 16　**02** 최대 15일, 최소 8일　**03** 9시간　**04** 9 : 11

09. 상대도수
| 본책 105쪽~111쪽

LEVEL 1　**01** 105　**02** 10　**03** $\dfrac{10}{23}$　**04** 60　**05** ③　**06** ⑤　**07** ②
08 ③　**09** (1) 30세 이상 40세 미만　(2) 57

LEVEL 2　**01** ⑤　**02** 96　**03** 13　**04** 0.35　**05** 20 %　**06** 105
07 4 : 5　**08** 200번째　**09** ①　**10** 450　**11** 62.5회　**12** 12

LEVEL 3　**01** 168　**02** 1　**03** 0.45　**04** 49

I. 기본 도형

01. 기본 도형

LEVEL 1 시험에 꼭 내는 문제 → 8쪽~10쪽

01 ②	**02** 20	**03** ④	**04** $a=12, b=6$	**05** 16 cm
06 40 cm	**07** 20°	**08** 40°	**09** 40°	**10** 20° **11** 125° **12** 115°
13 ③	**14** 5 cm	**15** ㄱ과 ㄷ, ㄹ과 ㅂ, ㅇ과 ㅈ		
16 16 cm	**17** 50°	**18** ㄴ		

01

① 선과 선이 만나면 교점이 생긴다.
③ 점이 연속하여 움직인 자리는 선이 된다.
④ 서로 다른 두 점을 지나는 직선은 오직 하나뿐이다.
⑤ 서로 다른 두 점을 잇는 선 중에서 길이가 가장 짧은 것은 선분이다. 답 ②

02

입체도형에서 교점의 개수는 꼭짓점의 개수와 같으므로 8
∴ $a=8$
입체도형에서 교선의 개수는 모서리의 개수와 같으므로 12
∴ $b=12$
∴ $a+b=8+12=20$ 답 20

03

④ 시작점과 방향이 각각 다르므로 $\overrightarrow{CA} \neq \overrightarrow{BD}$ 답 ④

04

주어진 네 점으로 만들 수 있는 반직선은
$\overrightarrow{AB}, \overrightarrow{AC}, \overrightarrow{AD}, \overrightarrow{BA}, \overrightarrow{BC}, \overrightarrow{BD}, \overrightarrow{CA}, \overrightarrow{CB}, \overrightarrow{CD}, \overrightarrow{DA}, \overrightarrow{DB}, \overrightarrow{DC}$
의 12개이므로 $a=12$
선분은
$\overline{AB}, \overline{AC}, \overline{AD}, \overline{BC}, \overline{BD}, \overline{CD}$
의 6개이므로 $b=6$ 답 $a=12, b=6$

쌤의 오답 피하기 특강

두 점을 고르면 직선, 반직선, 선분이 모두 하나로 결정된다고 생각하지 않도록 주의한다. 두 점을 고르면 직선과 선분은 하나로 결정되지만, 반직선은 시작점과 방향이 정해져야 하므로, 만들 수 있는 반직선의 개수는 2이다.
따라서 두 점을 골라서 만들 수 있는 반직선의 개수는 선분의 개수의 2배이다.

05

$\overline{AB} = \overline{AC} + \overline{CB} = 2\overline{MC} + 2\overline{CN}$
$= 2(\overline{MC} + \overline{CN}) = 2\overline{MN}$
$= 2 \times 8 = 16 \text{ (cm)}$ 답 16 cm

06

$\overline{BC} = 2\overline{BN} = 2 \times 10 = 20 \text{ (cm)}$
$\overline{AB} = 3\overline{BC}$이므로 $\overline{AB} = 3 \times 20 = 60 \text{ (cm)}$
∴ $\overline{AC} = \overline{AB} + \overline{BC} = 60 + 20 = 80 \text{ (cm)}$
두 점 M, N이 각각 $\overline{AB}, \overline{BC}$의 중점이므로
$\overline{MN} = \frac{1}{2}\overline{AC} = \frac{1}{2} \times 80 = 40 \text{ (cm)}$ 답 40 cm

07

$(2\angle x - 10°) + 75° + (3\angle x + 15°) = 180°$
$5\angle x = 100°$ ∴ $\angle x = 20°$ 답 20°

08

$\angle a + \angle b + \angle c = 180°$이므로
$\angle a = 180° \times \frac{2}{2+3+4} = 180° \times \frac{2}{9} = 40°$ 답 40°

09

$\angle AOC + \angle COE = 180°$에서
$2\angle COE + \angle COE = 180°, 3\angle COE = 180°$
∴ $\angle COE = 60°$
$\angle DOE + \angle COD = \angle COE = 60°$에서
$5\angle COD + \angle COD = 60°, 6\angle COD = 60°$
∴ $\angle COD = 10°$
이때 $\angle BOC = \angle BOE - \angle COE = 90° - 60° = 30°$이므로
$\angle BOD = \angle BOC + \angle COD = 30° + 10° = 40°$ 답 40°

참고 $\angle DOE = 60° - 10° = 50°$이므로
$\angle BOD = \angle BOE - \angle DOE = 90° - 50° = 40°$로 구할 수도 있다.

10

$2\angle x + 20° = 3\angle x - 40°$
∴ $\angle x = 60°$
$(2\angle x + 20°) + \angle y = 180°$에서
$(120° + 20°) + \angle y = 180°$ ∴ $\angle y = 40°$
∴ $\angle x - \angle y = 60° - 40° = 20°$ 답 20°

11

$\angle a + \angle b + 81° = 180°$에서 $\angle a + \angle b = 99°$
$\angle a = 99° \times \frac{4}{4+5} = 99° \times \frac{4}{9} = 44°$

$$\therefore \angle AOE = \angle AOF + \angle EOF$$
$$= 81° + \angle a$$
$$= 81° + 44° = 125°$$
🔒 125°

12

$\angle c + 130° = 180°$에서 $\angle c = 50°$

$\angle a + \angle b - 15° = \angle c$에서 $\angle a + \angle b - 15° = 50°$

$\therefore \angle a + \angle b = 65°$

$\therefore \angle a + \angle b + \angle c = 65° + 50° = 115°$
🔒 115°

13

③ 점 C와 $\overleftrightarrow{AB}$ 사이의 거리는 $\overline{CO}$의 길이와 같다.

④ $\overline{CO} = \overline{DO}$이므로 점 A와 $\overleftrightarrow{CO}$ 사이의 거리는 점 A와 $\overleftrightarrow{DO}$ 사이의 거리와 같다.
🔒 ③

14

점 D와 $\overline{BC}$ 사이의 거리는 점 D에서 $\overline{BC}$에 내린 수선의 발 H까지의 거리와 같으므로 $\overline{DH}$의 길이와 같다.

$\therefore \overline{DH} = \overline{AB} = 5\,cm$

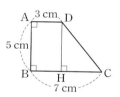

🔒 5 cm

15

$\overline{AC}$와 $\overline{CA}$는 같은 선분이다.

$\overrightarrow{AB}$와 $\overrightarrow{AC}$는 시작점이 같고 방향이 같으므로 같은 반직선이다.

세 점 A, B, C가 한 직선 위에 있으므로 $\overleftrightarrow{AB}$, $\overleftrightarrow{BC}$는 같은 직선이다.

따라서 서로 같은 것을 나타내는 것은 ㄱ과 ㄷ, ㄹ과 ㅂ, ㅇ과 ㅈ이다.
🔒 ㄱ과 ㄷ, ㄹ과 ㅂ, ㅇ과 ㅈ

16

$\overline{AC} = \overline{CD} = \dfrac{1}{2}\overline{AD} = \dfrac{1}{2} \times 16 = 8\,(cm)$

$\therefore \overline{CB} = 2\overline{CD} = 2 \times 8 = 16\,(cm)$
🔒 16 cm

17

$\angle EOB = 90°$이므로

$\angle DOB = \angle EOB - \angle EOD = 90° - 50° = 40°$

$\angle DOF = 90°$이므로

$\angle BOF = \angle DOF - \angle DOB = 90° - 40° = 50°$
🔒 50°

18

ㄱ. 점 A에서 $\overleftrightarrow{BC}$에 내린 수선의 발은 점 C이다.

ㄴ. 점 A와 $\overleftrightarrow{BC}$ 사이의 거리는 $\overline{AC}$의 길이와 같으므로 8 cm이다.

ㄷ. 점 D는 선분 BC의 중점이지만 $\overline{AD}$는 $\overline{BC}$에 수직이 아니므로 수직이등분선이 아니다.

따라서 옳은 것은 ㄴ이다.
🔒 ㄴ

→ 11쪽~16쪽

LEVEL 2 필수 기출 문제

01 ㄴ, ㄹ	02 10	03 60	04 7	05 20 cm
06 2 cm	07 1 : 2	08 32 cm		09 점 E
10 $\dfrac{5}{4}$ m	11 60°	12 130°	13 54°	14 6쌍	15 20쌍
16 135°	17 35°	18 ③	19 24	20 ①, ③	21 15

01

[전략] 주어진 도형을 그림에서 확인한다.

ㄱ. $\overrightarrow{BC}$와 $\overrightarrow{AD}$는 점 A에서 만난다.

ㄷ. $\overrightarrow{AC}$의 시작점은 점 A이고, $\overrightarrow{DA}$의 시작점은 점 D로 서로 다르다.

따라서 옳은 것은 ㄴ, ㄹ이다.
🔒 ㄴ, ㄹ

02

[전략] 각 점을 시작점으로 하는 반직선의 개수를 구한다.

점 A를 시작점으로 하는 반직선은 $\overrightarrow{AB}$, $\overrightarrow{AD}$

점 B를 시작점으로 하는 반직선은 $\overrightarrow{BA}$, $\overrightarrow{BC}$, $\overrightarrow{BD}$

점 C를 시작점으로 하는 반직선은 $\overrightarrow{CB}$, $\overrightarrow{CD}$

점 D를 시작점으로 하는 반직선은 $\overrightarrow{DA}$, $\overrightarrow{DB}$, $\overrightarrow{DC}$

따라서 반직선의 개수는 10이다.
🔒 10

03

[전략] 선분의 개수는 직선의 개수와 같음을 이용한다.

직선은

$\overleftrightarrow{AB}$, $\overleftrightarrow{AC}$, $\overleftrightarrow{AD}$, $\overleftrightarrow{AE}$, $\overleftrightarrow{AF}$, $\overleftrightarrow{BC}$, $\overleftrightarrow{BD}$, $\overleftrightarrow{BE}$, $\overleftrightarrow{BF}$, $\overleftrightarrow{CD}$, $\overleftrightarrow{CE}$, $\overleftrightarrow{CF}$, $\overleftrightarrow{DE}$, $\overleftrightarrow{DF}$, $\overleftrightarrow{EF}$

의 15개이므로 $a = 15$

점 A를 시작점으로 하는 반직선은

$\overrightarrow{AB}$, $\overrightarrow{AC}$, $\overrightarrow{AD}$, $\overrightarrow{AE}$, $\overrightarrow{AF}$의 5개

점 B, C, D, E를 시작점으로 하는 반직선은 각각 5개이므로

반직선은 총 $5 \times 6 = 30$(개)

$\therefore b = 30$

선분의 개수는 직선의 개수와 같으므로 $c = 15$

$\therefore a + b + c = 15 + 30 + 15 = 60$
🔒 60

04

[**전략**] 어떤 세 점도 한 직선 위에 있지 않아야 많은 직선을 만들 수 있다.

서로 다른 직선의 개수가 최대이려면 다음 그림과 같이 네 점 중 어느 세 점도 한 직선 위에 있지 않아야 한다.

$\therefore a=6$

서로 다른 직선의 개수가 최소이려면 다음 그림과 같이 네 점이 한 직선 위에 있어야 한다.

$\therefore b=1$

$\therefore a+b=6+1=7$ **답** 7

05

[**전략**] $\overline{AD}=\overline{AC}+\overline{CD}$임을 이용한다.

$\overline{AE}=2\overline{BD}$, $\overline{BD}=\dfrac{2}{5}\overline{AF}$이므로 $\overline{AE}=\dfrac{4}{5}\overline{AF}$

$\therefore \overline{AF}=\overline{AE}+\overline{EF}=\dfrac{4}{5}\overline{AF}+\overline{EF}$

즉, $\overline{EF}=\dfrac{1}{5}\overline{AF}$이므로 $\overline{AF}=5\overline{EF}=5\times6=30$ (cm)

$\therefore \overline{AE}=\dfrac{4}{5}\times30=24$ (cm)

$\overline{AB}=\overline{BC}$, $\overline{AC}=2\overline{CE}$이므로 $\overline{AB}=\overline{BC}=\overline{CE}$

$\therefore \overline{AC}=\dfrac{2}{3}\overline{AE}$, $\overline{CE}=\dfrac{1}{3}\overline{AE}$

$\therefore \overline{AD}=\overline{AC}+\overline{CD}=\overline{AC}+\dfrac{1}{2}\overline{CE}$

$\qquad =\dfrac{2}{3}\overline{AE}+\dfrac{1}{2}\times\dfrac{1}{3}\overline{AE}=\dfrac{5}{6}\overline{AE}$

$\qquad =\dfrac{5}{6}\times24=20$ (cm) **답** 20 cm

06

[**전략**] 먼저 $\overline{AC}$의 길이를 이용하여 $\overline{DE}$의 길이를 구한다.

$\overline{AB}=2\overline{DB}$, $\overline{BC}=2\overline{BE}$이므로

$\overline{AC}=\overline{AB}+\overline{BC}=2(\overline{DB}+\overline{BE})=2\overline{DE}$

$\overline{AC}=20$ cm이므로 $2\overline{DE}=20$ $\quad\therefore \overline{DE}=10$ (cm)

$\overline{DF}:\overline{FE}=3:2$이므로 $\overline{DF}=\dfrac{3}{5}\overline{DE}=\dfrac{3}{5}\times10=6$ (cm)

$\overline{AF}=\dfrac{1}{2}\overline{AC}=\dfrac{1}{2}\times20=10$ (cm)이므로

$\overline{AD}=\overline{AF}-\overline{DF}=10-6=4$ (cm)

$\therefore \overline{BF}=\overline{AF}-\overline{AB}=\overline{AF}-2\overline{AD}$

$\qquad =10-2\times4=2$ (cm) **답** 2 cm

07

[**전략**] $\overline{RP}$, $\overline{QB}$의 길이를 문자로 놓고 선분의 길이 사이의 관계를 구한다.

$\overline{RP}=a$, $\overline{QB}=b$라 하자.

점 Q가 $\overline{PB}$의 중점이므로 $\overline{PQ}=\overline{QB}=b$

점 R가 $\overline{AQ}$의 중점이므로 $\overline{AR}=\overline{RQ}=\overline{RP}+\overline{PQ}=a+b$

점 P가 $\overline{AB}$의 중점이므로 $\overline{AP}=\overline{PB}$

즉, $\overline{AR}+\overline{RP}=2\overline{PQ}$이므로

$(a+b)+a=2b$에서 $2a=b$

따라서 $\overline{RP}=a$, $\overline{QB}=b=2a$이므로

$\overline{RP}:\overline{QB}=a:2a=1:2$ **답** 1 : 2

08

[**전략**] 주어진 조건을 이용하여 점들을 직선 위에 나타내 본다.

주어진 조건을 모두 만족시키는 여섯 개의 점 A, B, P, Q, M, N 의 위치는 다음과 같다.

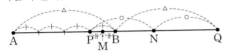

$\overline{AP}=3\overline{PB}$이므로

$\overline{PB}=\dfrac{1}{4}\overline{AB}=\dfrac{1}{4}\times64=16$ (cm)

점 B는 $\overline{AQ}$의 중점이므로

$\overline{AB}=\overline{BQ}=64$ cm

즉, $\overline{PQ}=\overline{PB}+\overline{BQ}=16+64=80$ (cm)

$\overline{PM}=\dfrac{1}{2}\overline{PB}=\dfrac{1}{2}\times16=8$ (cm)

$\overline{PN}=\dfrac{1}{2}\overline{PQ}=\dfrac{1}{2}\times80=40$ (cm)

$\therefore \overline{MN}=\overline{PN}-\overline{PM}=40-8=32$ (cm) **답** 32 cm

> **쌤의 만점 특강**
>
> $\overline{AP}=3\overline{PB}$에서 $\overline{AP}:\overline{PB}=3:1$이므로
>
> $\overline{AP}=\dfrac{3}{4}\overline{AB}$, $\overline{PB}=\dfrac{1}{4}\overline{AB}$
>
> $\overline{AQ}=2\overline{BQ}$에서는 점 Q가 $\overline{AB}$의 연장선 위의 점이므로
>
> $\overline{AB}=\dfrac{1}{2}\overline{AQ}$

다른 풀이

$\overline{MN}=\overline{MB}+\overline{BN}$

$\qquad =\dfrac{1}{2}\overline{PB}+(\overline{PN}-\overline{PB})$

$\qquad =\overline{PN}-\dfrac{1}{2}\overline{PB}$

$\qquad =\dfrac{1}{2}(\overline{PQ}-\overline{PB})$

$\qquad =\dfrac{1}{2}\overline{BQ}$

$\qquad =\dfrac{1}{2}\overline{AB}$

$\qquad =\dfrac{1}{2}\times64=32$ (cm)

09

[**전략**] 주어진 조건을 만족시키도록 직선 위에 점을 나타내 본다.

조건 (가), (나)에서 세 점 A, B, C의 위치는 다음과 같다.

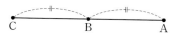

조건 (다), (라)에서 두 점 D, E의 위치는 다음과 같다.

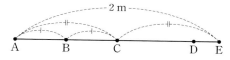

따라서 왼쪽에서 두 번째에 위치한 점은 점 E이다.　　　　🔲 점 E

10

[**전략**] 조건에 맞는 점을 한 직선 위에 나타내 본다.

일렬로 심는 가지, 고추, 상추, 감자, 토마토 모종의 위치를 한 직선 위에 각각 다섯 개의 점 A, B, C, D, E로 나타내면 다음과 같다.

조건 (가)에서 $\overline{AE} = 2\,\text{m}$

조건 (나)에서 $\overline{AB} = \overline{BC}$

조건 (다)에서 $\overline{CE} = 2\overline{BC}$이므로

$$\overline{AE} = \overline{AB} + \overline{BC} + \overline{CE}$$
$$= \overline{BC} + \overline{BC} + 2\overline{BC}$$
$$= 4\overline{BC}$$

$2 = 4\overline{BC}$　　∴ $\overline{BC} = \dfrac{1}{2}\,(\text{m})$

$\overline{CE} = 2\overline{BC} = 2 \times \dfrac{1}{2} = 1\,(\text{m})$

조건 (라)에서 $\overline{DE} = \dfrac{1}{3}\overline{CD}$이므로

$\overline{CE} = \overline{CD} + \overline{DE} = \overline{CD} + \dfrac{1}{3}\overline{CD} = \dfrac{4}{3}\overline{CD}$

$1 = \dfrac{4}{3}\overline{CD}$　　∴ $\overline{CD} = \dfrac{3}{4}\,(\text{m})$

∴ $\overline{BD} = \overline{BC} + \overline{CD} = \dfrac{1}{2} + \dfrac{3}{4} = \dfrac{5}{4}\,(\text{m})$

🔲 $\dfrac{5}{4}\,\text{m}$

11

[**전략**] $\angle COE = \angle COD + \angle DOE$임을 이용한다.

$\angle AOC = \dfrac{2}{3}\angle AOD$이므로 $\angle COD = \dfrac{1}{3}\angle AOD$

$\angle EOB = \dfrac{2}{3}\angle DOB$이므로 $\angle DOE = \dfrac{1}{3}\angle DOB$

∴ $\angle COE = \angle COD + \angle DOE$

　　　　$= \dfrac{1}{3}\angle AOD + \dfrac{1}{3}\angle DOB = \dfrac{1}{3}(\angle AOD + \angle DOB)$

　　　　$= \dfrac{1}{3} \times 180° = 60°$　　　　🔲 60°

12

[**전략**] $\angle AOD = \angle AOB + \angle BOD$임을 이용한다.

$\angle AOB + \angle BOC = 90°$이므로 $\angle AOB = 90° - \angle BOC$

$\angle AOD = \angle AOB + \angle BOD$

　　　　$= (90° - \angle BOC) + 90°$

　　　　$= 180° - \angle BOC$

이므로 $\angle BOC = 180° - \angle AOD$

(i) $\angle AOD = 100°$일 때

　　$\angle BOC = 180° - 100° = 80°$

(ii) $\angle AOD = 130°$일 때

　　$\angle BOC = 180° - 130° = 50°$

(i), (ii)에서 $50° \leq \angle BOC \leq 80°$

따라서 $\angle BOC$의 크기가 가장 클 때와 가장 작을 때의 합은

$80° + 50° = 130°$　　　　🔲 130°

13

[**전략**] 접은 각의 크기가 같음을 이용한다.

직사각형 ABCD를 $\overline{DE}$를 접는 선으로 하여 접었으므로

$\angle C'ED = \angle DEC$

따라서 $\angle BEC' : \angle C'ED : \angle DEC = 6 : 7 : 7$이므로

$\angle BEC' = 180° \times \dfrac{6}{6+7+7}$

　　　　$= 180° \times \dfrac{6}{20} = 54°$　　　　🔲 54°

14

[**전략**] 반직선은 맞꼭지각의 개수에 영향을 주지 않으므로 생각하지 않는다.

반직선 OG에 의해서는 맞꼭지각이 생기지 않으므로 구하는 맞꼭지각의 쌍의 개수는 서로 다른 3개의 직선이 한 점에서 만날 때 생기는 맞꼭지각의 쌍의 개수와 같다.

즉, 두 직선 AB와 CD, 두 직선 AB와 EF, 두 직선 CD와 EF로 만들어지는 맞꼭지각이 각각 2쌍이므로

$2 \times 3 = 6(\text{쌍})$　　　　🔲 6쌍

다른 풀이

$3 \times (3-1) = 6(\text{쌍})$

참고 맞꼭지각은

$\angle AOC$와 $\angle BOD$, $\angle AOE$와 $\angle BOF$, $\angle AOF$와 $\angle BOE$,

$\angle COE$와 $\angle DOF$, $\angle COB$와 $\angle DOA$, $\angle EOD$와 $\angle FOC$

의 6쌍이다.

쌤의 특강

n개의 서로 다른 직선이 한 점에서 만날 때 생기는 맞꼭지각은 모두 $n(n-1)$쌍이다.

15

[전략] 2개의 직선이 한 점에서 만날 때, 2쌍의 맞꼭지각이 생긴다.

오른쪽 그림과 같이 5개의 직선을 각각
a, b, c, d, e라 하자.
직선 a와 b, 직선 a와 c,
직선 a와 d, 직선 a와 e,
직선 b와 c, 직선 b와 d, 직선 b와 e,
직선 c와 d, 직선 c와 e,
직선 d와 e
로 만들어지는 맞꼭지각이 각각 2쌍이므로
$2 \times 10 = 20$(쌍)

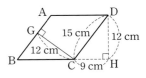

🖉 20쌍

다른 풀이

$5 \times 4 = 20$(쌍)

16

[전략] 맞꼭지각의 크기는 서로 같고 $\angle BOD = \angle BOC + \angle COD$임을 이용한다.

$\angle BOC = 3\angle AOB$이므로 $\angle BOC = \dfrac{3}{4}\angle AOC$

$\angle COD = 3\angle DOE$이므로 $\angle COD = \dfrac{3}{4}\angle COE$

$\therefore \angle HOF = \angle BOD$
$\quad\quad\quad = \angle BOC + \angle COD$
$\quad\quad\quad = \dfrac{3}{4}\angle AOC + \dfrac{3}{4}\angle COE$
$\quad\quad\quad = \dfrac{3}{4}(\angle AOC + \angle COE)$
$\quad\quad\quad = \dfrac{3}{4} \times 180° = 135°$

🖉 135°

17

[전략] 맞꼭지각의 성질을 이용하여 크기가 같은 각을 찾는다.

오른쪽 그림에서 맞꼭지각의 크기는 서로
같으므로

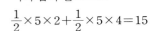

$(\angle a + 10°) + \angle a + 2\angle a = 90°$
$4\angle a + 10° = 90°, \ 4\angle a = 80°$
$\therefore \angle a = 20°$
$\angle b + (\angle a + 35°) = 90°$이므로
$\angle b + (20° + 35°) = 90°$
$\therefore \angle b = 35°$

🖉 35°

18

[전략] 그림을 그려 내용을 이해한다.

③ 오른쪽 그림에서 $\overline{AB} = \overline{BM}$,
$l \perp \overline{AB}$이지만 직선 l은 선분 AB
의 수직이등분선이 아니다.

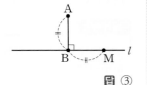

🖉 ③

19

[전략] 각 거리를 나타내는 도형을 찾는다.

오른쪽 그림과 같이 점 C에서 직선
AB에 내린 수선의 발을 G, 점 D에
서 직선 BC에 내린 수선의 발을 H
라 하자.

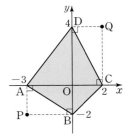

점 A와 직선 BC 사이의 거리는 $\overline{DH}$의 길이와 같으므로 $x = 12$
점 A와 직선 CD 사이의 거리는 $\overline{CG}$의 길이와 같으므로 $y = 12$
$\therefore x + y = 12 + 12 = 24$

🖉 24

20

[전략] 그림 속 변들 사이의 수직 관계를 보고 옳지 않은 설명을 고른다.

① 점 C에서 $\overline{AB}$에 내린 수선의 발은 점 A이다.
③ 점 A와 $\overline{BC}$ 사이의 거리는 $\overline{AH}$의 길이와 같다.

🖉 ①, ③

21

[전략] 점 (a, b)에서 x축, y축에 내린 수선의 발의 좌표는 각각 $(a, 0), (0, b)$이다.

두 점 P, Q에서 각각 x축, y축에 내린
수선의 발은 오른쪽 그림과 같다.
따라서 사각형 ABCD의 넓이는 삼각
형 ABC의 넓이와 삼각형 DAC의 넓
이의 합과 같으므로

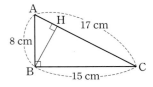

$\dfrac{1}{2} \times 5 \times 2 + \dfrac{1}{2} \times 5 \times 4 = 15$

🖉 15

LEVEL 3 최고난도 문제
→ 17쪽

01 $\dfrac{120}{17}$ cm   **02** 105   **03** $\dfrac{360}{11}$분   **04** 54

01 solution 미리 보기

step ❶	꼭짓점 B에서 변 AC에 수선의 발 내리기
step ❷	삼각형의 넓이를 이용하여 식 세우기
step ❸	점 B와 변 AC 사이의 거리 구하기

오른쪽 그림과 같이 꼭짓점 B에서
변 AC에 내린 수선의 발을 H라 하
면 점 B와 변 AC 사이의 거리는
$\overline{BH}$의 길이와 같다. ─ ❶

삼각형 ABC의 넓이에서

$\frac{1}{2} \times \overline{AB} \times \overline{BC} = \frac{1}{2} \times \overline{AC} \times \overline{BH}$ ········ ❷

$\frac{1}{2} \times 8 \times 15 = \frac{1}{2} \times 17 \times \overline{BH}$

$\therefore \overline{BH} = \frac{120}{17}$ (cm) ········ ❸

답 $\frac{120}{17}$ cm

02 solution 미리 보기

step ❶	규칙 찾기
step ❷	선분 15개가 만났을 때의 교점의 개수 구하기

선분 2개가 만났을 때의 교점의 개수는 1

선분 3개가 만났을 때의 교점의 개수는 $1+2=3$

선분 4개가 만났을 때의 교점의 개수는 $1+2+3=6$

⋮

선분 n개가 만났을 때의 교점의 개수는

$1+2+3+\cdots+(n-1)$ ········ ❶

따라서 선분 15개가 만났을 때의 교점의 개수는

$1+2+3+\cdots+14=105$ ········ ❷

답 105

쌤의 특강

자연수의 합

$1+2+3+\cdots+n=\dfrac{n(n+1)}{2}$

03 solution 미리 보기

step ❶	시침과 분침이 이루는 각의 크기가 90° 이하인 경우 이해하기
step ❷	첫 번째로 시침과 분침이 직각을 이루는 시각 구하기
step ❸	두 번째로 시침과 분침이 직각을 이루는 시각 구하기
step ❹	시침과 분침이 이루는 작은 각의 크기가 90° 이하인 시간이 몇 분 동안인지 구하기

구하는 시간은 7시와 8시 사이에 첫 번째로 시계의 시침과 분침이 직각을 이루는 시각부터 두 번째로 직각을 이루는 시각까지이다.

········ ❶

(i) 첫 번째로 시계의 시침과 분침이 직각을 이루는 시각을 7시 a분 이라 하자. 시침이 12를 가리킬 때부터 7시 a분까지 시침이 움직인 각의 크기는 $30° \times 7 + 0.5° \times a = 210° + 0.5° \times a$

분침이 12를 가리킬 때부터 a분 동안 움직인 각의 크기는

$6° \times a$

분침이 움직인 각의 크기보다 시침이 움직인 각의 크기가 더 크므로

$210 + \frac{1}{2}a - 6a = 90, \quad -\frac{11}{2}a = -120$

$\therefore a = \frac{240}{11}$

즉, 첫 번째로 시계의 시침과 분침이 직각을 이루는 시각은

7시 $\frac{240}{11}$분이다. ········ ❷

(ii) 두 번째로 시계의 시침과 분침이 직각을 이루는 시각을 7시 b분 이라 하자. 시침이 12를 가리킬 때부터 7시 b분까지 시침이 움직인 각의 크기는 $30° \times 7 + 0.5° \times b = 210° + 0.5° \times b$

분침이 12를 가리킬 때부터 b분 동안 움직인 각의 크기는

$6° \times b$

시침이 움직인 각의 크기보다 분침이 움직인 각의 크기가 더 크므로

$6b - \left(210 + \frac{1}{2}b\right) = 90, \quad \frac{11}{2}b = 300$

$\therefore b = \frac{600}{11}$

즉, 두 번째로 시계의 시침과 분침이 직각을 이루는 시각은

7시 $\frac{600}{11}$분이다. ········ ❸

(i), (ii)에서 시침과 분침이 90° 이하인 각을 이루는 시간은

$\frac{600}{11} - \frac{240}{11} = \frac{360}{11}$(분) 동안이다.

········ ❹

답 $\frac{360}{11}$분

쌤의 특강

(1) 시침이 1시간 동안 움직이는 각의 크기는

$360° \times \frac{1}{12} = 30°$

시침이 1분 동안 움직이는 각의 크기는

$30° \times \frac{1}{60} = 0.5°$

(2) 분침이 1분 동안 움직이는 각의 크기는

$360° \times \frac{1}{60} = 6°$

04 solution 미리 보기

step ❶	회전한 총 각의 크기를 x로 나타내기
step ❷	처음 직선과 직교할 때의 회전한 각의 크기 구하기
step ❸	x의 값 구하기

직선을 9번 회전시켰을 때, 회전한 총 각의 크기는

$x° - 2x° + 3x° - 4x° + 5x° - 6x° + 7x° - 8x° + 9x° = 5x°$

········ ❶

이 직선이 처음의 직선과 직교하므로

$5x° = 90°, 270°, 450°, 630°, \cdots$ ········ ❷

$\therefore x = 18, 54, 90, 126, \cdots$

이때 $40 < x < 60$이므로 $x = 54$ ········ ❸

답 54

02. 위치 관계

LEVEL 1 시험에 꼭 내는 문제 →20쪽~22쪽

01 ①	02 ⑤	03 12	04 6	05 ①	06 10	07 ①, ②
08 ③	09 230°	10 (1) ∠d, ∠f	(2) ∠a, ∠g		11 40°	
12 35°	13 25°	14 70°	15 ②	16 8	17 ∠a, ∠c	18 80°

01

① 서로 다른 두 점을 지나는 평면은 무수히 많다. **답** ①

02

⑤ $l \perp m$, $l /\!/ n$이면 오른쪽 그림에서
$m \perp n$이다.

답 ⑤

쌤의 오답 피하기 특강

세 직선 l, m, n이 서로 다른 직선이라는 조건이 있는 경우와 없는 경우에 보기
의 옳고 그름이 달라질 수 있다.
세 직선이 모두 다르다는 조건이 없다면 ②에서 두 직선 m, n이 일치하는 경
우, ③에서 두 직선 l, n이 일치하는 경우도 있으므로 ②, ③도 답이 된다.

03

직선 AG와 한 점에서 만나는 직선은 $\overrightarrow{AB}$, $\overrightarrow{AF}$, $\overrightarrow{GH}$, $\overrightarrow{GL}$의 4개이
므로 $a=4$
직선 BC와 꼬인 위치에 있는 직선은
$\overrightarrow{AG}$, $\overrightarrow{DJ}$, $\overrightarrow{EK}$, $\overrightarrow{FL}$, $\overrightarrow{GH}$, $\overrightarrow{GL}$, $\overrightarrow{IJ}$, $\overrightarrow{JK}$의 8개이므로 $b=8$
∴ $a+b=4+8=12$ **답** 12

04

$\overline{DF}$와 꼬인 위치에 있는 모서리는
$\overline{AB}$, $\overline{BC}$, $\overline{AE}$, $\overline{CG}$, $\overline{EH}$, $\overline{GH}$의 6개이다. **답** 6

05

① 평행한 두 직선은 한 평면을 결정한다.
② 공간에서 한 직선과 직교하는 서로 다른 두 직선은 평행하거나
만나거나 꼬인 위치에 있다.
③ 한 평면 위에 있으면서 서로 만나지 않는 두 직선은 평행하다.
④ 한 평면에 평행인 서로 다른 두 직선은 평행하거나 만나거나 꼬
인 위치에 있다.
⑤ 한 직선과 꼬인 위치에 있는 서로 다른 두 직선은 평행하거나 만
나거나 꼬인 위치에 있다. **답** ①

06

꼭짓점 A와 면 BEFC 사이의 거리는 $\overline{AB}$의 길이와 같고
$\overline{AB}=6$ cm이므로 $a=6$
꼭짓점 C와 면 DEF 사이의 거리는 $\overline{CF}$의 길이와 같고
$\overline{CF}=4$ cm이므로 $b=4$
∴ $a+b=6+4=10$ **답** 10

07

① 모서리 DH와 수직으로 만나는 모서리는 $\overline{AD}$, $\overline{DN}$, $\overline{EH}$, $\overline{HG}$
의 4개이다.
② 면 AMND와 만나는 모서리는 $\overline{AE}$, $\overline{DH}$, $\overline{MF}$, $\overline{NG}$의 4개이다.
③ 모서리 FG와 평행한 모서리는 $\overline{AD}$, $\overline{MN}$, $\overline{EH}$의 3개이다.
④ 점 M과 면 EFGH 사이의 거리는 $\overline{AE}$의 길이와 같다.
⑤ 면 MFGN과 수직인 면은 면 AEFM, 면 DHGN의 2개이다.
답 ①, ②

08

①, ② $\angle a=180°-130°=50°$
③ $\angle a$의 동위각의 크기는
$180°-110°=70°$
④ $\angle a$의 엇각의 크기는
$180°-110°=70°$

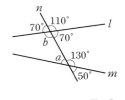

답 ③

09

오른쪽 그림에서 $\angle x$의 엇각은 $\angle a$와
$\angle b$이므로
$\angle a=110°$ (맞꼭지각)
$\angle b=180°-60°=120°$
∴ $\angle a+\angle b=110°+120°=230°$

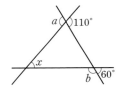

답 230°

10

(1) $\angle a$의 동위각은 $\angle d$, $\angle f$이다.
(2) $\angle b$의 엇각은 $\angle a$, $\angle g$이다. **답** (1) ∠d, ∠f (2) ∠a, ∠g

11

오른쪽 그림과 같이 두 직선 l, m에 평행
한 두 직선 n, p를 그으면
$4\angle x+20°=180°$
$4\angle x=160°$ ∴ $\angle x=40°$

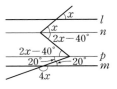

답 40°

12

오른쪽 그림에서

$\angle x + (\angle x - 10°) + 120° = 180°$

$2\angle x = 70°$　∴ $\angle x = 35°$

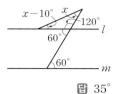

답 $35°$

13

오른쪽 그림과 같이 두 직선 l, m에 평행한 직선 n을 그으면

$130° + 25° + \angle x = 180°$

∴ $\angle x = 25°$

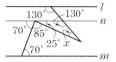

답 $25°$

14

오른쪽 그림과 같이 두 직선 l, m에 평행하고 점 B를 지나는 직선 n을 그으면 이등변삼각형 ABC에서

$\angle ABC = \angle ACB$

$= \dfrac{1}{2} \times (180° - 40°) = 70°$

∴ $\angle x + \angle y = 70°$

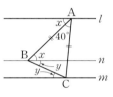

답 $70°$

15

주어진 전개도로 만든 정사면체는 오른쪽 그림과 같다.

모서리 AF와 꼬인 위치에 있는 모서리는 $\overline{BD}$ 이다.

답 ②

쌤의 오답 피하기 특강

주어진 전개도로 만든 정사면체에서
① $\overline{BC}$, ③ $\overline{CD}$, ④ $\overline{DF}$는 모서리 AF와 한 점에서 만나며, ⑤ $\overline{EF}$는 모서리 AF와 일치함을 알 수 있다.

16

면 ABC와 수직인 모서리는 $\overline{AD}$, $\overline{CG}$, $\overline{BF}$의 3개이므로 $x = 3$

모서리 AB와 꼬인 위치에 있는 모서리는 $\overline{CG}$, $\overline{DE}$, $\overline{EF}$, $\overline{FG}$, $\overline{GD}$의 5개이므로 $y = 5$

∴ $x + y = 3 + 5 = 8$

답 8

17

$\angle BCE = \angle c$ (맞꼭지각)

$l /\!/ n$이므로 $\angle BCE = \angle a$ (엇각)

답 $\angle a$, $\angle c$

18

오른쪽 그림에서

$\angle DEG = \angle EGF = 40°$ (엇각)

$\angle GEF = \angle DEG = 40°$ (접은 각)

∴ $\angle x = \angle DEF$

$= 40° + 40° = 80°$ (엇각)

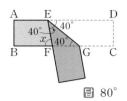

답 $80°$

쌤의 특강

오른쪽 그림과 같이 직사각형 모양의 종이를 접으면

① 접은 각의 크기가 같다.

② 엇각의 크기가 같다.

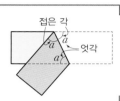

LEVEL 2 필수 기출 문제　→ 23쪽~28쪽

01 10	**02** 9	**03** 4	**04** 19	**05** ②	**06** 23	**07** 2	**08** 4
09 65°	**10** ②, ④		**11** 230°	**12** 75°	**13** 210°	**14** 55°	**15** 720°
16 15°	**17** 63°	**18** 180°	**19** 60°	**20** 15°	**21** 30°	**22** 29°	**23** 65°
24 ①							

01

[전략] 직선을 추가로 그릴 때 이미 그려진 모든 직선과 만나게 그린다.

오른쪽 그림과 같이 서로 다른 직선을 어느 두 직선도 평행하지 않고, 어느 세 직선도 한 점에서 만나지 않도록 그릴 때 생기는 교점의 개수는 최대가 된다.

따라서 서로 다른 5개의 직선을 그릴 때 생기는 교점의 최대 개수는 10이다.

답 10

쌤의 특강

서로 다른 직선을 그릴 때 교점의 개수가 최대가 되려면 다음 두 조건을 만족시켜야 한다.

(i) 어느 세 직선도 한 점에서 만나지 않아야 한다.

(ii) 어느 두 직선도 평행하지 않아야 한다.

서로 다른 n개의 직선을 그릴 때 생기는 교점의 최대 개수를 a_n이라 하면

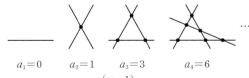

$a_1 = 0$　$a_2 = 1$　$a_3 = 3$　$a_4 = 6$

같은 방법으로 계속하면 $a_n = \dfrac{n(n-1)}{2}$로 나타낼 수 있다.

02

[전략] 점 H를 포함하는 평면과 포함하지 않는 평면으로 나누어 구한다.

(ⅰ) 한 평면 위의 다섯 개의 점 A, B, C, D, E 중 한 직선 위에 있지 않은 서로 다른 세 점으로 정해지는 평면은 모두 같은 평면이므로 1개

(ⅱ) 한 직선 위의 세 점 A, B, C 중 두 점과 점 H로 정해지는 평면은 모두 같은 평면이므로 1개

(ⅲ) 한 평면 위의 다섯 개의 점 중 두 점과 점 H로 정해지는 평면은 면 ADH, 면 AEH, 면 BDH, 면 BEH, 면 CDH, 면 CEH, 면 DEH의 7개

(ⅰ)~(ⅲ)에서 세 점으로 정해지는 서로 다른 평면의 개수는

$1+1+7=9$ 　　답 9

참고 (ⅲ)의 경우에 한 평면 위의 다섯 개의 점 중 두 점은 한 직선 위에 있는 세 점 A, B, C 중 두 점을 포함하지 않도록 주의한다.

03

[전략] 주어진 조건을 만족시키는 여러 가지 경우를 그려 성립하지 않는 경우가 있는지 확인한다.

ㄱ. $l \perp m$, $m \perp n$이면 다음과 같은 위치 관계가 가능하다.

➡ $l \perp n$ 　　➡ $l /\!/ n$

➡ l, n은 수직이 아니고 만난다. 　➡ l, n은 꼬인 위치에 있다.

ㄴ. 오른쪽 그림과 같은 직육면체에서 $l /\!/ m$, $m /\!/ n$이면 $l /\!/ n$

ㄷ. $l /\!/ m$, $m \perp n$이면 다음과 같은 위치 관계가 가능하다.

➡ $l \perp n$ 　➡ l, n은 꼬인 위치에 있다.

ㄹ. $l /\!/ P$, $m /\!/ P$이면 다음과 같은 위치 관계가 가능하다.

➡ $l /\!/ m$ 　➡ $l \perp m$

➡ l, m은 수직이 아니고 만난다. 　➡ l, m은 꼬인 위치에 있다.

ㅁ. 오른쪽 그림과 같은 직육면체에서 $l \perp P$, $l \perp Q$이면 $P /\!/ Q$

ㅂ. 오른쪽 그림과 같은 직육면체에서 $P \perp Q$, $Q /\!/ R$이면 $P \perp R$

ㅅ. 오른쪽 그림과 같은 직육면체에서 $P /\!/ Q$, $Q /\!/ R$이면 $P /\!/ R$

따라서 항상 옳은 것은 ㄴ, ㅁ, ㅂ, ㅅ의 4개이다. 　　답 4

쌤의 특강

공간에서 두 직선, 직선과 평면, 두 평면의 위치 관계는 직육면체를 그려 확인한다. 이때 모서리를 직선으로, 면을 평면으로 생각한다.

04

[전략] 꼬인 위치에 있는 모서리를 찾을 때에는 먼저 만나는 모서리를 제외하고, 만나지 않는 모서리들 중 평행한 모서리를 제외한다.

모서리 BC와 평행한 모서리는

$\overline{AD}$, $\overline{PE}$, $\overline{OF}$, $\overline{NG}$, $\overline{MH}$, $\overline{LI}$, $\overline{KJ}$의 7개이므로 $a=7$

모서리 AD와 꼬인 위치에 있는 모서리는

$\overline{PO}$, $\overline{ON}$, $\overline{NM}$, $\overline{ML}$, $\overline{EF}$, $\overline{FG}$, $\overline{GH}$, $\overline{HI}$, $\overline{BK}$, $\overline{CJ}$, $\overline{LK}$, $\overline{IJ}$의 12개이므로 $b=12$

$\therefore a+b=7+12=19$ 　　답 19

05

[전략] 각 보기에 해당하는 면과 모서리를 찾는다.

② 모서리 MQ와 평행한 면은 면 BFGPN의 1개이다.

③ 모서리 MQ와 수직인 모서리는 $\overline{MN}$, $\overline{QP}$의 2개이다.

④ 모서리 MQ와 평행한 모서리는 $\overline{NP}$의 1개이다.

⑤ 모서리 MQ와 꼬인 위치에 있는 모서리는 $\overline{AB}$, $\overline{EF}$, $\overline{HG}$, $\overline{BF}$, $\overline{PG}$, $\overline{BN}$, $\overline{FG}$의 7개이다. 　　답 ②

쌤의 복합 개념 특강

선분 AB의 중점

선분 AB 위의 한 점 M에 대하여 $\overline{AM}=\overline{BM}$일 때, 점 M을 선분 AB의 중점이라 한다.

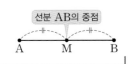

06

[전략] 각 경우의 직선과 평면을 그림에서 찾아 위치 관계를 확인한다.

평면 DGJE와 수직인 평면은 평면 ABLK, 평면 DCHG, 평면 EJIMNF, 평면 ABCDEF, 평면 GHIJ, 평면 KLMN의 6개이므로 $x=6$

평면 KLMN과 수직인 직선은 $\overrightarrow{\text{AK}}$, $\overrightarrow{\text{BL}}$, $\overrightarrow{\text{CH}}$, $\overrightarrow{\text{DG}}$, $\overrightarrow{\text{EJ}}$, $\overrightarrow{\text{IM}}$, $\overrightarrow{\text{FN}}$의 7개이므로 $y=7$

직선 HG와 꼬인 위치에 있는 직선은 $\overleftrightarrow{\text{BC}}$, $\overleftrightarrow{\text{LM}}$, $\overleftrightarrow{\text{KN}}$, $\overleftrightarrow{\text{AF}}$, $\overleftrightarrow{\text{DE}}$, $\overleftrightarrow{\text{BL}}$, $\overleftrightarrow{\text{AK}}$, $\overleftrightarrow{\text{FN}}$, $\overleftrightarrow{\text{IM}}$, $\overleftrightarrow{\text{EJ}}$의 10개이므로 $z=10$

$\therefore x+y+z=6+7+10=23$

답 23

쌤의 만점 특강

직선 HG와 꼬인 위치에 있는 직선을 찾을 때에는 직선 HG와 한 점에서 만나는 직선은 $\overleftrightarrow{\text{CH}}$, $\overleftrightarrow{\text{HI}}$, $\overleftrightarrow{\text{DG}}$, $\overleftrightarrow{\text{GJ}}$이므로 제외한다. 또한, 직선 HG와 평행한 직선은 $\overleftrightarrow{\text{AB}}$, $\overleftrightarrow{\text{CD}}$, $\overleftrightarrow{\text{EF}}$, $\overleftrightarrow{\text{IJ}}$, $\overleftrightarrow{\text{LK}}$, $\overleftrightarrow{\text{MN}}$이므로 제외한다.

07

[전략] 주어진 전개도를 이용하여 직육면체를 그려 각각의 조건을 만족시키는 모서리를 찾는다.

주어진 전개도로 만든 직육면체는 오른쪽과 같다.

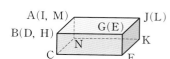

(i) 면 KFGJ에 수직인 모서리는
$\overline{\text{NK}}$, $\overline{\text{CF}}$, $\overline{\text{AJ}}(=\overline{\text{ML}}=\overline{\text{IJ}})$, $\overline{\text{BG}}(=\overline{\text{DE}}=\overline{\text{HG}})$

(ii) 모서리 CD와 꼬인 위치에 있는 모서리는
$\overline{\text{KF}}$, $\overline{\text{GJ}}(=\overline{\text{EL}})$, $\overline{\text{AJ}}(=\overline{\text{ML}}=\overline{\text{IJ}})$, $\overline{\text{NK}}$

(i), (ii)에서 면 KFGJ에 수직이고 모서리 CD와 꼬인 위치에 있는 모서리는 $\overline{\text{NK}}$, $\overline{\text{AJ}}(=\overline{\text{ML}}=\overline{\text{IJ}})$의 2개이다.

답 2

08

[전략] 주어진 전개도를 이용하여 삼각기둥을 그려 각각의 조건을 만족시키는 모서리를 찾는다.

주어진 전개도로 만든 삼각기둥은 오른쪽과 같다.

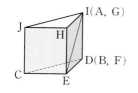

모서리 GF와 평행한 모서리는 $\overline{\text{JC}}$, $\overline{\text{HE}}$의 2개이므로 $a=2$

선분 GE와 꼬인 위치에 있는 모서리는 $\overline{\text{JH}}$, $\overline{\text{CD}}(=\overline{\text{CB}}=\overline{\text{CF}})$, $\overline{\text{JC}}$의 3개이므로 $b=3$

면 ABCJ와 평행한 모서리는 $\overline{\text{HE}}$의 1개이므로 $c=1$

$\therefore a+b-c=2+3-1=4$

답 4

09

[전략] 평행선에서 엇각의 크기가 같음을 이용하여 $\angle x$의 크기를 구한다.

$l /\!/ k$이므로 엇각의 크기가 $140°$로 같고 $m /\!/ n$이므로 엇각의 크기가 $115°$로 같다. 따라서 오른쪽 그림에서

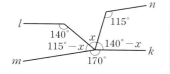

$(115°-\angle x)+\angle x+(140°-\angle x)+170°=360°$

$425°-\angle x=360°$

$\therefore \angle x=65°$

답 $65°$

10

[전략] 동위각, 엇각 관계에 있는 각을 찾아 크기를 비교한다.

오른쪽 그림에서 두 직선 a, e가 직선 q와 만나서 생긴 엇각의 크기가 $59°$로 같으므로 $a /\!/ e$

또한, 두 직선 b, d가 직선 p와 만나서 생긴 동위각의 크기가 $45°$로 같으므로 $b /\!/ d$

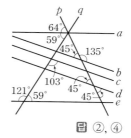

답 ②, ④

쌤의 특강

동위각, 엇각의 위치를 다음과 같이 생각하면 기억하기 쉽다.

① 동위각 ➡ 같은 위치 ➡ 알파벳 F

② 엇각 ➡ 엇갈린 위치 ➡ 알파벳 Z

11

[전략] 각들 중 동위각, 엇각 관계에 있는 각의 크기를 비교하여 평행선을 찾는다.

오른쪽 그림에서 두 직선 l, m이 직선 q와 만나서 생긴 동위각의 크기가 $50°$로 같으므로 $l /\!/ m$

즉, 두 직선 l, m이 직선 p와 만나서 생기는 동위각의 크기가 $60°$로 같으므로

$\angle x=180°-60°=120°$

삼각형 ABC에서 $\angle \text{ACB}=180°-(60°+50°)=70°$이므로

$\angle y=180°-70°=110°$

$\therefore \angle x+\angle y=120°+110°=230°$

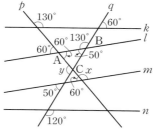

답 $230°$

12

[전략] 꺾인 점을 지나고 두 직선 l, m에 평행한 직선을 긋는다.

오른쪽 그림과 같이 두 직선 l, m에 평행한 직선 n을 그으면

$\angle x+50°=125°$

$\therefore \angle x=75°$

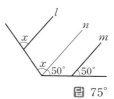

답 $75°$

평행선 사이에 꺾인 부분이 있을 때

① 꺾인 부분이 1개

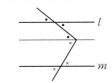

② 꺾인 부분이 2개

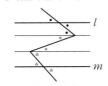

13

[전략] 꺾인 점을 지나고 두 직선 l, m에 평행한 직선을 그은 후 평행선의 성질을 이용한다.

오른쪽 그림과 같이 두 직선 l, m에 평행한 두 직선 p, q를 그으면

$(\angle c-30°)+(\angle b-\angle a)=180°$

$\therefore \angle b+\angle c-\angle a=210°$

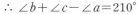

图 210°

14

[전략] 꺾인 점과 두 선이 만나는 점을 지나고 두 직선 l, m에 평행한 직선을 그은 후 평행선의 성질을 이용한다.

오른쪽 그림과 같이 두 직선 l, m에 평행한 네 직선 p, q, r, s를 그으면

$\angle a=40°+45°=85°$

$(\angle b-25°)+65°=180°$

$\therefore \angle b=140°$

$\therefore \angle b-\angle a=140°-85°=55°$

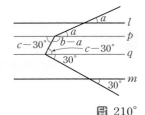

图 55°

15

[전략] 꺾인 점을 지나고 두 직선 l, m에 평행한 직선을 그은 후 평행선의 성질을 이용한다.

다음 그림과 같이 두 직선 l, m에 평행한 세 직선 p, q, r를 그으면

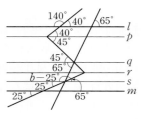

$360°-(\angle a+\angle b)+360°-(\angle d+\angle e)=\angle c$

$\therefore \angle a+\angle b+\angle c+\angle d+\angle e=360°+360°=720°$ 图 720°

16

[전략] 평행선의 성질을 이용하여 각의 크기를 구한 후 삼각형의 각의 크기의 합이 180°임을 이용한다.

다음 그림과 같이 두 직선 l, m에 평행한 두 직선 p, q를 그으면

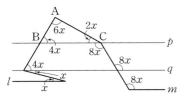

삼각형 ABC에서 $6\angle x+4\angle x+2\angle x=180°$

$12\angle x=180°$ $\therefore \angle x=15°$ 图 15°

17

[전략] 평행선에서 엇각의 성질을 이용하여 각의 크기를 구한다.

오른쪽 그림과 같이 $\overline{CD}$의 연장선이 직선 m과 만나는 점을 H라 하면

$\angle DHA=\angle x$ (엇각)

$\angle BAQ=\angle CHA$
$\qquad =\angle x$ (동위각)

또한, $\angle GAD=4\angle a$, $\angle DAP=3\angle a$라 하면

$\angle BAE=\angle GAD=4\angle a$

$\angle EAQ=\angle DAP=3\angle a$

삼각형 DHA에서 $\angle x+3\angle a=90°$ ...... ㉠

$\angle BAQ=\angle DHA$ (동위각)이므로 $\angle x=7\angle a$

$\angle x=7\angle a$를 ㉠에 대입하면

$10\angle a=90°$ $\therefore \angle a=9°$

$\therefore \angle x=7\angle a=7\times9°=63°$ 图 63°

18

[전략] 꺾인 점을 지나고 두 직선 l, m에 평행한 직선을 그은 후 평행선의 성질을 이용한다.

다음 그림과 같이 두 직선 l, m에 평행한 세 직선 p, q, r를 그으면

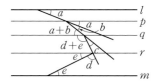

$\therefore \angle a+\angle b+\angle c+\angle d+\angle e=180°$ 图 180°

19

[전략] 두 점 B, D를 지나고 두 직선 l, m에 평행한 직선을 그은 후 평행선의 성질을 이용한다.

다음 그림과 같이 두 점 B, D를 지나고 두 직선 l, m에 평행한 두 직선 p, q를 그은 후 $\angle EAB=\angle BAD=\angle a$,

$\angle DCB=\angle BCF=\angle b$라 하면

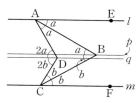

$2\angle a+2\angle b=120°$에서 $\angle a+\angle b=60°$

$\therefore \angle x=\angle a+\angle b=60°$

답 60°

20

[전략] 점 B를 지나고 두 직선 l, m에 평행한 직선을 긋고, 정사각형의 대각선은 직각을 이등분함을 이용한다.

다음 그림과 같이 점 B를 지나고 두 직선 l, m에 평행한 직선 n을 그은 후 $\angle BCG=\angle a$라 하면 $\angle FAB=2\angle a$

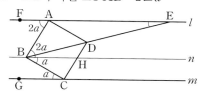

$n /\!/ m$에서 $\angle CBH=\angle BCG=\angle a$ (엇각)

$l /\!/ n$에서 $\angle ABH=\angle FAB=2\angle a$ (엇각)

$2\angle a+\angle a=90°$, $3\angle a=90°$ $\therefore \angle a=30°$

따라서 $l /\!/ n$에서 $\angle AED=\angle DBH$ (엇각)이고

$\angle DBH=\angle DBC-\angle a=45°-30°=15°$이므로

$\angle AED=15°$

답 15°

21

[전략] 삼각형의 꼭짓점을 지나고 직사각형의 가로와 평행한 직선을 그은 후 평행선의 성질을 이용한다.

오른쪽 그림과 같이 주어진 직사각형의 가로와 평행한 네 직선을 그으면

$5\angle x+\angle x=180°$, $6\angle x=180°$

$\therefore \angle x=30°$

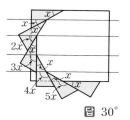

답 30°

22

[전략] 처음 도형이 직사각형임을 이용하여 평행선을 찾는다.

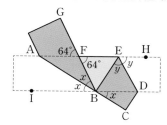

위의 그림에서 $\angle ABF=\angle x$ (접은 각)이므로

$2\angle x=\angle GFA=64°$ (동위각)

$\therefore \angle x=32°$

$\angle DBC=\angle x=32°$ (맞꼭지각)이므로

$\angle EBD=\angle EBC-\angle DBC=90°-32°=58°$

$\angle FEB=\angle EBD=58°$ (엇각)이고

$\angle HED=\angle y$ (접은 각)이므로

$58°+2\angle y=180°$, $2\angle y=122°$ $\therefore \angle y=61°$

$\therefore \angle y-\angle x=61°-32°=29°$

답 29°

다른 풀이

$\angle ABF=\angle x$ (접은 각)이므로

$2\angle x=\angle GFA=64°$ (동위각)

$\therefore \angle x=32°$

$\angle FBE=\angle EBA-\angle FBA=90°-32°=58°$

$\angle EBI=2\angle y$ (엇각)이므로

$2\angle x+58°=2\angle y$

$2\angle y-2\angle x=58°$

$\therefore \angle y-\angle x=29°$

23

[전략] 접은 각의 크기와 평행선에서의 엇각의 크기가 같음을 이용한다.

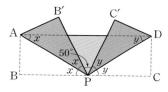

위의 그림에서 $\overline{AD} /\!/ \overline{BC}$이므로 $\angle APB=\angle x$ (엇각)

$\therefore \angle B'PA=\angle x$ (접은 각)

또한, $\angle DPC=\angle y$ (엇각)이므로 $\angle C'PD=\angle y$ (접은 각)

즉, $2\angle x+50°+2\angle y=180°$이므로 $2\angle x+2\angle y=130°$

$\therefore \angle x+\angle y=65°$

답 65°

24

[전략] 접은 각의 크기와 평행선에서의 엇각의 크기가 같음을 이용한다.

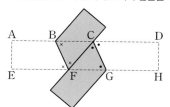

위의 그림에서 $\angle DCG=\angle FCG$ (접은 각) $=\angle CGE$ (엇각)

$\angle BFE=\angle BFC$ (접은 각) $=\angle CBF$ (엇각)

이때 $\angle EFC=\angle DCF$ (엇각)이므로

$\angle FCG=\angle BFC$

답 ①

LEVEL **3** 최고난도 문제　　　　　→29쪽

01 3　　**02** $a=7, b=14$　**03** 90°　**04** 60°

01 solution 미리 보기

step **1**	전개도를 이용하여 입체도형 만들기
step **2**	$\overline{BN}$과 꼬인 위치에 있는 모서리 찾기
step **3**	$\overline{JH}$와 꼬인 위치에 있는 모서리 찾기
step **4**	두 경우를 동시에 만족시키는 모서리의 개수 구하기

주어진 전개도로 만든 정육면체는 오
른쪽 그림과 같다. ┈┈┈┈ **1**

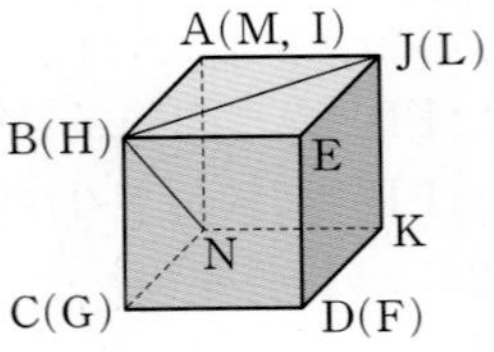

$\overline{BN}$과 꼬인 위치에 있는 모서리는
$\overline{CD}(=\overline{GF})$, $\overline{AJ}(=\overline{ML}=\overline{IL})$,
$\overline{DK}(=\overline{FK})$, $\overline{EJ}(=\overline{EL})$,
$\overline{ED}(=\overline{EF})$, $\overline{JK}(=\overline{LK})$
┈┈┈┈ **2**

$\overline{JH}$와 꼬인 위치에 있는 모서리는
$\overline{CD}(=\overline{GF})$, $\overline{NK}$, $\overline{CN}(=\overline{GN})$, $\overline{DK}(=\overline{FK})$,
$\overline{AN}(=\overline{MN}=\overline{IN})$, $\overline{ED}(=\overline{EF})$
┈┈┈┈ **3**

따라서 $\overline{BN}$, $\overline{JH}$와 동시에 꼬인 위치에 있는 모서리는
$\overline{CD}(=\overline{GF})$, $\overline{DK}(=\overline{FK})$, $\overline{ED}(=\overline{EF})$
의 3개이다. ┈┈┈┈ **4**

답 3

02 solution 미리 보기

step **1**	전개도를 이용하여 입체도형 만들기
step **2**	직선 AB와 평행한 직선의 개수 구하기
step **3**	직선 AB와 꼬인 위치에 있는 직선의 개수 구하기

주어진 전개도로 만든 입체도형은 오른쪽 그
림과 같다. ┈┈┈┈ **1**

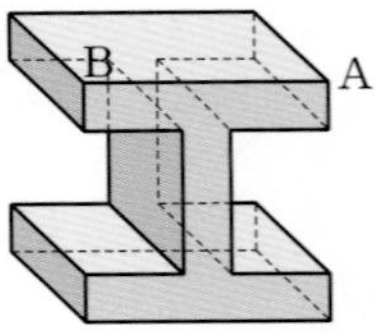

[그림 1]

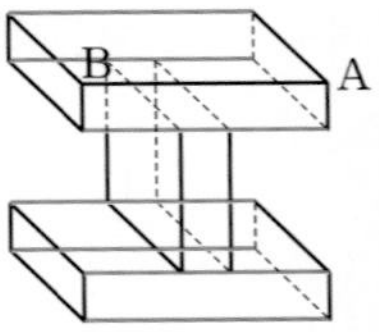

[그림 2]

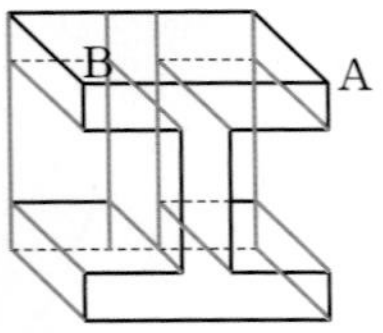

[그림 1]에서 직선 AB와 평행한 직선의 개수는 7이므로 $a=7$
┈┈┈┈ **2**

[그림 2]에서 직선 AB와 꼬인 위치에 있는 직선의 개수는 14이므
로 $b=14$ ┈┈┈┈ **3**

답 $a=7, b=14$

03 solution 미리 보기

| step **1** | 두 직선 l, m에 평행한 두 직선을 그은 후 평행선의 성질을 이용하여 크기가 같은 각 표시하기 |
| step **2** | $\angle x-\angle y$의 크기 구하기 |

다음 그림과 같이 두 직선 l, m과 평행한 두 직선을 그으면

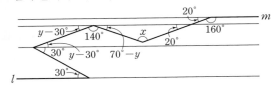
┈┈┈┈ **1**

$(70°-\angle y)+\angle x+20°=180°$

$\therefore \angle x-\angle y=90°$ ┈┈┈┈ **2**

답 90°

04 solution 미리 보기

| step **1** | 점 E를 지나고 $\overline{AD}$, $\overline{BC}$와 평행한 직선을 그은 후 평행선의 성질을 이용하여 $\angle BCD$의 크기 구하기 |
| step **2** | 식을 정리하여 $\angle x+2\angle y$의 크기 구하기 |

오른쪽 그림과 같이 점 E를 지나고
$\overline{AD}$, $\overline{BC}$와 평행한 직선 FE를 그으
면

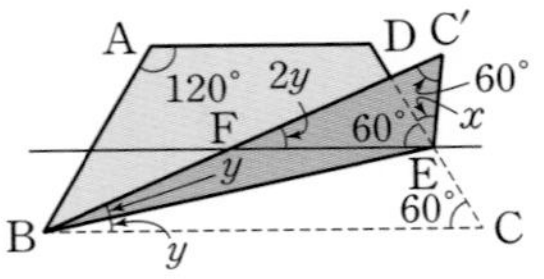

$\overline{AD} /\!/ \overline{BC}$이므로 $\angle ABC=60°$

$\therefore \angle BCD=60°$ ┈┈┈┈ **1**

$\angle BC'E=\angle BCE=60°$ (접은 각)이고
$\overline{FE} /\!/ \overline{BC}$이므로 $\angle FED=\angle BCD=60°$ (동위각)

또한, $\angle EBC=\angle FBE=\angle y$ (접은 각)이고
$\overline{FE} /\!/ \overline{BC}$이므로 $\angle C'FE=\angle FBC=2\angle y$ (동위각)

삼각형 C'FE에서
$60°+2\angle y+(60°+\angle x)=180°$

$\therefore \angle x+2\angle y=60°$ ┈┈┈┈ **2**

답 60°

03. 작도와 합동

01

ㄴ. 두 선분의 길이를 비교할 때 컴퍼스를 사용한다.

ㄹ. 눈금 없는 자와 컴퍼스만을 사용하여 도형을 그리는 것을 작도라 한다.

따라서 옳은 것은 ㄱ, ㄷ이다. **답** ㄱ, ㄷ

02

④ $\overline{OA}=\overline{AB}$인지는 알 수 없다. **답** ④

03 **답** ㉠ ➡ ㉢ ➡ ㉡ ➡ ㉤ ➡ ㉣ ➡ ㉥

04

① $1+2=3$

② $2+2=4$

③ $4+5<10$

④ $7+7<15$

⑤ $6+8>10$

따라서 삼각형의 세 변의 길이가 될 수 있는 것은 ⑤이다. **답** ⑤

05

①, ③ 한 변의 길이 작도 ➡ 한 각의 크기 작도 ➡ 다른 한 각의 크기 작도

②, ⑤ 한 각의 크기 작도 ➡ 한 변의 길이 작도 ➡ 다른 한 각의 크기 작도 **답** ④

06

① ∠A가 $\overline{AB}$, $\overline{BC}$의 끼인각이 아니므로 삼각형이 하나로 정해지지 않는다.

② $\overline{AB}+\overline{BC}<\overline{CA}$이므로 삼각형이 만들어지지 않는다.

③ ∠B+∠C=180°이므로 삼각형이 만들어지지 않는다.

④ 모양은 같지만 크기가 다른 삼각형이 무수히 많이 만들어진다. **답** ⑤

쌤의 오답 피하기 특강

두 변의 길이와 그 끼인각이 주어질 때 삼각형이 하나로 정해진다. 이때 끼인각이 아닌 다른 한 각이 주어지면 삼각형이 하나로 정해지지 않을 수도 있다.

07

ㄱ. 11=7+4이므로 삼각형이 만들어지지 않는다.

ㄴ. 두 변의 길이와 그 끼인각의 크기가 주어졌으므로 삼각형이 하나로 정해진다.

ㄷ. ∠A는 $\overline{AB}$, $\overline{BC}$의 끼인각이 아니므로 삼각형이 하나로 정해지지 않는다.

ㄹ. 한 변의 길이와 그 양 끝 각의 크기가 주어졌으므로 삼각형이 하나로 정해진다.

따라서 △ABC가 하나로 정해지는 것은 ㄴ, ㄹ이다. **답** ㄴ, ㄹ

08

① SSS 합동

③ SAS 합동 **답** ①, ③

09

①, ②, ④, ⑤ △ABC와 △ADE에서

$\overline{AB}=\overline{AD}$, ∠A는 공통, ∠ABC=∠ADE

따라서 △ABC≡△ADE (ASA 합동)이므로

$\overline{AC}=\overline{AE}$, $\overline{BC}=\overline{DE}$, ∠ACB=∠AED

③ $\overline{AB}=\overline{BE}$인지는 알 수 없다. **답** ③

10

$x>6$이므로 가장 긴 변의 길이는 x이다.

$x<3+6$이므로 $x<9$

따라서 자연수 x의 값이 될 수 있는 것은 7, 8이다. **답** ①

11

ㄴ. SAS 합동

ㄷ. ∠B=∠E, ∠C=∠F이면 ∠A=∠D이므로 ASA 합동

ㄹ. ASA 합동

따라서 합동이 되기 위한 조건은 ㄴ, ㄷ, ㄹ이다. **답** ④

12

조건 (내)에서 △ABC는 $\overline{AB}=\overline{AC}$인 이등변삼각형이므로

∠B=∠C이고, 조건 (개)에서 △ABC≡△DEF이므로

∠E=∠F

조건 (대)에서 ∠D=∠A=$\frac{2}{5}$∠E이므로

$\angle D+\angle E+\angle F=\frac{2}{5}\angle E+\angle E+\angle E$

$=\frac{12}{5}\angle E=180°$

∴ ∠E=75°

∴ $\angle D=\frac{2}{5}\angle E=\frac{2}{5}\times75°=30°$ **답** ②

LEVEL 2 필수 기출 문제
→ 34쪽~38쪽

01 ㄱ, ㄹ	**02** ③	**03** 30°	**04** 8	**05** 8	**06** 6개
07 ④, ⑤	**08** ④	**09** ㄱ, ㄹ		**10** 45°	**11** 12°
12 (가) $180°-2\angle a$	(나) $270°-2\angle a$	(다) $2\angle a$	(라) SAS		
13 ⑤	**14** ①	**15** 12 cm		**16** 30° **17** 45°	**18** 25 cm²
19 32 cm²	**20** 90°				

01

[전략] 크기가 같은 각의 작도를 이용한다.

ㄱ. ❷, ❸은 각각 점 O와 점 P를 각각 중심으로 같은 크기의 원을
그리므로 $\overline{OA}=\overline{PG}$

ㄹ. ❾, ❿은 각각 점 D와 점 F를 각각 중심으로 같은 크기의 원을
그리므로 $\overline{CD}=\overline{EF}$

따라서 옳은 것은 ㄱ, ㄹ이다. **目** ㄱ, ㄹ

02

[전략] 엇각의 크기가 같으면 두 직선이 평행함을 이용한다.

① $\overline{AB}=\overline{QC}$, $\overline{CD}=\overline{BP}$

② $\overline{BP}=\overline{CD}$, $\overline{DQ}=\overline{PA}$

④ 크기가 같은 각의 작도를 이용하였다.

⑤ 엇각의 크기가 같으면 두 직선이 평행하다는 성질을 이용하였
다. **目** ③

03

[전략] 삼각형의 각의 크기의 합이 180°임을 이용한다.

$\angle ABD=\angle DBC=\angle a$, $\angle ACD=\angle DCE=\angle b$라 하면

△ABC에서 $\angle ACB=180°-(2\angle a+60°)=120°-2\angle a$

$\angle ACB+\angle ACE=180°$이므로

$(120°-2\angle a)+2\angle b=180°$

$2(\angle b-\angle a)=60°$ ∴ $\angle b-\angle a=30°$

△BCD에서

$\angle a+(180°-\angle b)+\angle BDC=180°$

∴ $\angle BDC=\angle b-\angle a=30°$ **目** 30°

04

[전략] 가장 긴 변을 선택하고 나머지 두 변을 조건에 맞게 선택한다.

(i) 가장 긴 변의 길이가 10 cm일 때
(4 cm, 7 cm, 10 cm), (5 cm, 7 cm, 10 cm)의 2개

(ii) 가장 긴 변의 길이가 7 cm일 때
(3 cm, 5 cm, 7 cm), (4 cm, 4 cm, 7 cm),
(4 cm, 5 cm, 7 cm)의 3개

(iii) 가장 긴 변의 길이가 5 cm일 때
(3 cm, 4 cm, 5 cm), (4 cm, 4 cm, 5 cm)의 2개

(iv) 가장 긴 변의 길이가 4 cm일 때
(3 cm, 4 cm, 4 cm)의 1개

(i)~(iv)에서 만들 수 있는 모든 삼각형의 개수는

$2+3+2+1=8$ **目** 8

05

[전략] 먼저 삼각형의 가장 긴 변이 될 수 있는 길이를 고르고 식을 세운다.

가장 긴 변의 길이가 $x+4$이므로

$x+4<x+(x-3)$

∴ $x>7$

따라서 x의 값이 될 수 있는 가장 작은 자연수는 8이다. **目** 8

06

[전략] 삼각형의 두 변의 길이의 합은 나머지 한 변의 길이보다 커야 함을 이용한다.

구하는 이등변삼각형의 둘레의 길이가 28 cm이므로

$2x+y=28$ ······ ㉠

삼각형의 두 변의 길이의 합은 나머지 한 변의 길이보다 크므로

$2x>y$ ······ ㉡

㉠, ㉡을 만족시키는 x, y의 순서쌍 (x, y)는

$(8, 12)$, $(9, 10)$, $(10, 8)$, $(11, 6)$, $(12, 4)$, $(13, 2)$

이므로 구하는 이등변삼각형은 모두 6개이다. **目** 6개

07

[전략] 삼각형이 하나로 정해지는 조건을 생각해 본다.

① 세 변의 길이가 주어졌으므로 삼각형이 하나로 정해진다.

② 두 변의 길이와 그 끼인각의 크기가 주어졌으므로 삼각형이 하
나로 정해진다.

③ 한 변의 길이와 그 양 끝 각의 크기가 주어졌으므로 삼각형이 하
나로 정해진다.

④ 무수히 많은 삼각형이 만들어진다.

⑤ 무수히 많은 삼각형이 만들어진다. **目** ④, ⑤

08

[전략] 주어진 조건을 이용하여 길이가 같은 변, 크기가 같은 각을 찾아 합동인 삼각형을 찾는다.

①, ②, ⑤ △ADF와 △BED와 △CFE에서

$\angle A=\angle B=\angle C=60°$

$\overline{AF}=\overline{BD}=\overline{CE}$

$\overline{AD}=\overline{BE}=\overline{CF}$

∴ △ADF≡△BED≡△CFE (SAS 합동)

따라서 $\overline{DF}=\overline{ED}=\overline{FE}$이므로 △DEF는 정삼각형이다.

③ △DEF가 정삼각형이므로

$\angle DEF=\angle EFD=\angle FDE=60°$

④ $\angle AFD+\angle DFE+\angle EFC=180°$에서

$\angle DFE=60°$이므로

$\angle AFD+\angle EFC=120°$ **目** ④

09

[전략] 정삼각형의 변의 길이와 각의 크기를 이용하여 합동인 삼각형을 찾는다.

ㄱ. △ACE와 △BCD에서

$\overline{AC}=\overline{BC}$

$\overline{CE}=\overline{CD}$

$\angle ACE = \angle ACD + 60° = \angle BCD$

∴ △ACE ≡ △BCD (SAS 합동)

ㄴ. ∠APB = ∠QPD (맞꼭지각)

△ABP와 △QDP에서

∠ABC = ∠DCE = 60° (동위각)이므로 $\overline{AB} /\!/ \overline{DC}$

∴ ∠ABP = ∠QDP (엇각)

∠BAP = ∠DQP (엇각)

따라서 △ABP와 △QDP는 세 각의 크기는 각각 같으나 합동 인지는 알 수 없다.

ㄷ. ∠AEC = ∠BDC, ∠CAE = ∠CBD이고

∠ACE = 120°이므로

∠CAE + ∠CDB = ∠CAE + ∠CEA = 60°

ㄹ. △DPE에서

∠PDE = ∠BDC + 60°, ∠DEP = 60° − ∠AEC

∴ ∠PDE + ∠DEP = (∠BDC + 60°) + (60° − ∠AEC)

$= 120°$ (∠BDC = ∠AEC)

∴ ∠DPE = 180° − (∠PDE + ∠DEP)

$= 180° − 120° = 60°$

따라서 옳은 것은 ㄱ, ㄹ이다.   📋 ㄱ, ㄹ

10

[전략] 주어진 합동인 삼각형을 이용하여 다른 합동인 삼각형을 찾는다.

△CFE의 둘레의 길이가 정사각형 ABCD의 둘레의 길이의 $\frac{1}{2}$이

므로

$\overline{EF} + \overline{CE} + \overline{CF} = \overline{BC} + \overline{CD}$

∴ $\overline{EF} = (\overline{BC} - \overline{CE}) + (\overline{CD} - \overline{CF})$

$= \overline{BE} + \overline{DF}$

△AEF와 △AGF에서

$\overline{AF}$는 공통

$\overline{AE} = \overline{AG}$

$\overline{EF} = \overline{BE} + \overline{DF} = \overline{DG} + \overline{DF} = \overline{GF}$

∴ △AEF ≡ △AGF (SSS 합동)

∠EAF = ∠GAF이므로

∠EAG = ∠EAD + ∠DAG

$= \angle EAD + \angle BAE$

$= \angle BAD$

$= 90°$

∴ $\angle EAF = \frac{1}{2}\angle EAG = \frac{1}{2} \times 90° = 45°$ 📋 45°

11

[전략] 합동인 삼각형을 찾아 각의 크기를 구한다.

△GBC와 △EDC에서

$\overline{BC} = \overline{DC}, \overline{GC} = \overline{EC}$,

∠BCG = 90° − ∠GCD = ∠DCE

∴ △GBC ≡ △EDC (SAS 합동)

이때

∠EDC = ∠GBC = 90° − 70° = 20°

∠ECD = ∠GCB = 58°

∴ ∠DEF = 180° − 90° − 20° − 58° = 12°   📋 12°

12

[전략] 두 개의 이등변삼각형의 각들을 한 문자로 표현하여 합동 조건을 찾는다.

△AEB에서

∠ABE = ∠a라 하면 ∠AEB = ∠a이므로

∠EAB = 180° − ∠a − ∠a = 180° − 2∠a

따라서

∠EAD = ∠EAB + 90° = (180° − 2∠a) + 90° = 270° − 2∠a

∠CBF = 180° − 90° − ∠a = 90° − ∠a

이때 △CBF에서

∠BCF = 180° − (90° − ∠a) − (90° − ∠a) = 2∠a

∠DCF = 360° − 90° − 2∠a = 270° − 2∠a

그러므로 △AED와 △CDF에서

∠EAD = ∠DCF, $\overline{AE} = \overline{CD}$, $\overline{AD} = \overline{CF}$이므로

△AED ≡ △CDF (SAS 합동)

📋 (가) 180° − 2∠a   (나) 270° − 2∠a   (다) 2∠a   (라) SAS

쌤의 만점 특강

이등변삼각형의 두 밑각의 크기

△ABC에서

$\overline{AB} = \overline{AC}$이면 ∠B = ∠C

➡ (1) ∠A = 180° − 2∠B

(2) ∠B = ∠C = $\frac{1}{2}$ × (180° − ∠A)

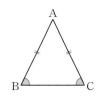

13

[전략] 먼저 합동인 삼각형을 찾아 길이가 같은 변을 표시한다.

△ADP와 △A′DP에서

$\overline{DP}$는 공통, $\overline{AP} = \overline{A'P}$, ∠APD = ∠A′PD = 90°이므로

△ADP ≡ △A′DP (SAS 합동)

△ACD와 △A′CD에서

$\overline{CD}$는 공통, $\overline{AD} = \overline{A'D}$,

∠ADC = 180° − ∠ADP

$= 180° − \angle A'DP = \angle A'DC$

이므로

△ACD ≡ △A′CD (SAS 합동)

∴ $\overline{AC} = \overline{A'C}$

④, ⑤ $\overline{AC}+\overline{BC}=\overline{A'C}+\overline{BC}=\overline{A'B}$이고

$\overline{A'B}<\overline{A'D}+\overline{BD}=\overline{AD}+\overline{BD}$이므로

$\overline{AC}+\overline{BC}<\overline{AD}+\overline{BD}$　　　　　　　답 ⑤

쌤의 복합 개념 특강

개념1 삼각형의 SAS 합동 조건
두 쌍의 대응변의 길이가 각각 같고, 그 끼인각의 크기가 같을 때

개념2 삼각형의 세 변의 길이 사이의 관계
삼각형의 두 변의 길이의 합은 나머지 한 변의 길이보다 크다.

14

[전략] 정사각형 ABCD에서 대각선 BD는 ∠B를 이등분하고, 변의 길이가 모두 같음을 이용하여 합동 조건을 찾는다.

② △ABE와 △CBE에서

　　$\overline{AB}=\overline{CB}$, $\overline{BE}$는 공통, $\angle ABE=\angle CBE=45°$

　　∴ △ABE≡△CBE (SAS 합동)

③ $\overline{AD}$∥$\overline{BG}$이므로 ∠DAE=∠FGC (엇각)

④ $\overline{AB}$∥$\overline{DC}$이므로 ∠GFC=∠GAB

　　△ABE≡△CBE이므로 ∠BAE=∠BCE

　　따라서 ∠CFG=∠BCE이고, ∠CFG=∠EFD (맞꼭지각)

　　이므로 ∠EFD=∠BCE이다.

⑤ △AED와 △CED에서

　　$\overline{AD}=\overline{CD}$, $\overline{DE}$는 공통, $\angle ADE=\angle CDE=45°$

　　∴ △AED≡△CED (SAS 합동)　　　　　　답 ①

15

[전략] 먼저 정사각형의 성질을 이용하여 합동인 삼각형을 찾는다.

△GBC와 △EDC에서

$\overline{BC}=\overline{DC}$, $\overline{GC}=\overline{EC}$, $\angle BCG=\angle DCE=90°$

∴ △GBC≡△EDC (SAS 합동)

즉, $\overline{GB}=\overline{ED}=5$ cm

∴ (△GBC의 둘레의 길이)$=\overline{GB}+\overline{BC}+\overline{GC}$

　　　　　　　　　　　　$=5+\overline{BC}+\overline{EC}$

　　　　　　　　　　　　$=5+7=12$ (cm)　　　답 12 cm

16

[전략] $\overline{BD}$를 그린 후 합동인 삼각형을 찾는다.

오른쪽 그림과 같이 $\overline{BD}$를 그으면

△BCD와 △FCD에서

$\overline{BC}=\overline{FC}$, $\overline{CD}$는 공통, $\angle BCD=\angle FCD$

∴ △BCD≡△FCD (SAS 합동)

△BCD와 △BAD에서

$\overline{BC}=\overline{BA}$, $\overline{DC}=\overline{DA}$, $\overline{BD}$는 공통

∴ △BCD≡△BAD (SSS 합동)

따라서 $\angle ABD=\angle CBD=\dfrac{1}{2}\angle ABC=\dfrac{1}{2}\times 60°=30°$

∴ ∠CFD=∠CBD=30°　　　　　　　답 30°

17

[전략] 먼저 합동인 삼각형을 찾아 변의 길이를 구한다.

△BDM와 △CEM에서

$\overline{BM}=\overline{CM}$

∠BMD=∠CME (맞꼭지각)

∠MBD=90°−∠BMD=90°−∠CME=∠MCE

∴ △BDM≡△CEM (ASA 합동)

따라서 $\overline{CE}=\overline{BD}=12$ cm, $\overline{DM}=\overline{EM}=5$ cm이므로

$\overline{AE}=\overline{AD}-\overline{ED}=22-10=12$ (cm)

따라서 △AEC는 $\overline{AE}=\overline{CE}$인 직각이등변삼각형이므로

∠ACE=45°　　　　　　　답 45°

18

[전략] 먼저 △OCI와 합동인 삼각형을 찾은 후,
(사각형 OECI의 넓이)=△OEC+△OCI임을 이용한다.

△OBE와 △OCI에서

$\overline{OB}=\overline{OC}$

∠OBE=∠OCI=45°

∠BOE=90°−∠EOC=∠COI

∴ △OBE≡△OCI (ASA 합동)

∴ (사각형 OECI의 넓이)=△OEC+△OCI

　　　　　　　　　　　　$=$△OEC+△OBE

　　　　　　　　　　　　$=$△OBC

　　　　　　　　　　　　$=\dfrac{1}{4}\times$ (정사각형 ABCD의 넓이)

　　　　　　　　　　　　$=\dfrac{1}{4}\times(10\times 10)=25$ (cm^2)

　　　　　　　　　　　　　　　　　답 25 cm^2

쌤의 특강

① ∠OBC=∠OCB=45°이므로 △OBC는 직각이등변삼각형이다.
　　즉, $\overline{OB}=\overline{OC}$이다.

② 정사각형 ABCD의 두 대각선 AC, BD로 나누어진 △OBC의 넓이는
　　정사각형 ABCD의 넓이의 $\dfrac{1}{4}$배이다.

19

[전략] 먼저 합동인 삼각형을 찾은 후 높이와 밑변의 길이가 같은 삼각형을 찾는다.

△GBC와 △EDC에서

$\overline{GC}=\overline{EC}$, $\overline{BC}=\overline{DC}$,

∠GCB=90°−∠GCD=∠ECD

∴ △GBC≡△EDC (SAS 합동)

이때 △GBC$=\dfrac{1}{2}\times 8\times 8=32$ (cm^2)이므로

△CED=△GBC=32 cm^2　　　　답 32 cm^2

두 삼각형의 넓이가 같을 조건

① 두 삼각형의 밑변과 높이가 각각 같을 때
② 두 삼각형이 합동일 때

20

[전략] 먼저 합동인 삼각형을 찾고 크기를 알 수 없는 각의 크기를 미지수로 놓는다. 또, 삼각형의 각의 크기의 합이 $180°$임을 이용하여 각의 크기를 구한다.

$\triangle ABG$와 $\triangle ADC$에서

$\overline{AB}=\overline{AD}$, $\overline{AG}=\overline{AC}$,

$\angle BAG=90°+\angle BAC=\angle DAC$

$\therefore \triangle ABG \equiv \triangle ADC$ (SAS 합동)

이때 $\angle ABG=\angle ADC=\angle a$, $\angle AGB=\angle ACD=\angle b$라 하면

$\triangle ABG$에서

$(\angle BAC+90°)+\angle a+\angle b=180°$

$\angle BAC+\angle a+\angle b=90°$

$\triangle ABC$에서

$\angle BAC+\angle a+\angle PBC+\angle b+\angle PCB=180°$

$90°+\angle PBC+\angle PCB=180°$

$\therefore \angle PBC+\angle PCB=90°$ 🔲 $90°$

$\triangle ABG$와 $\triangle ADC$가 합동임을 이용하면

$\angle ABG=\angle ADC$, $\angle AGB=\angle ACD$임을 알 수 있다.

크기를 모르는 각인 $\angle ABG$, $\angle ACD$의 크기를 각각 미지수로 놓고 $\angle BAC$의 크기를 미지수로 나타낸 후 $\triangle ABC$의 각의 크기의 합이 $180°$임을 이용하여 $\angle PBC+\angle PCB$의 크기를 구한다.

이때 $\angle PBC$, $\angle PCB$의 크기를 각각 구하지 않아도 $\angle PBC+\angle PCB$의 크기를 구할 수 있다.

LEVEL 3 최고난도 문제   → 39쪽

01 8	02 $\frac{11}{7}$배	03 $\frac{225}{2}$ cm^2	04 ㄱ, ㄴ, ㄹ, ㅁ

01 solution 미리 보기

step ❶	가장 긴 변의 길이가 c임을 이용하여 c에 대한 조건 구하기
step ❷	a와 b는 각각 c보다 작거나 같음을 이용하여 c에 대한 조건 구하기
step ❸	자연수 c의 값 구하기
step ❹	조건을 만족시키는 삼각형의 개수 구하기

$a\le b\le c$, $a+b>c$이고 $a+b+c=20$이므로

$a+b+c>2c$, $20>2c$

$\therefore c<10$ …… ㉠   ❶

또, $a\le c$, $b\le c$이므로

$a+b+c\le c+c+c=3c$, $20\le 3c$

$\therefore c\ge \dfrac{20}{3}$ …… ㉡   ❷

㉠, ㉡을 만족시키는 자연수 c는 7, 8, 9이다.   ❸

(ⅰ) $c=7$일 때, $a+b=13$에서

(a, b)는 $(6, 7)$의 1개

(ⅱ) $c=8$일 때, $a+b=12$에서

(a, b)는 $(4, 8)$, $(5, 7)$, $(6, 6)$의 3개

(ⅲ) $c=9$일 때, $a+b=11$에서

(a, b)는 $(2, 9)$, $(3, 8)$, $(4, 7)$, $(5, 6)$의 4개

(ⅰ)~(ⅲ)에서 구하는 삼각형의 개수는 8이다.   ❹

🔲 8

02 solution 미리 보기

step ❶	$\triangle ABC\equiv \triangle DBE$임을 이용하여 $\overline{AC}=\overline{DE}$임을 알아내기
step ❷	$\triangle ABC\equiv \triangle FEC$임을 이용하여 $\overline{AB}=\overline{FE}$임을 알아내기
step ❸	$\overline{AB}=a$, $\overline{AC}=b$라 놓고 $\overline{BC}$의 길이를 a, b로 나타내기
step ❹	삼각형 ABC와 오각형 EDBCF의 둘레의 길이를 a, b로 나타내고, 오각형의 둘레의 길이가 삼각형의 둘레의 길이의 몇 배인지 구하기

$\triangle ABC$와 $\triangle DBE$에서

$\overline{AB}=\overline{DB}$, $\overline{BC}=\overline{BE}$,

$\angle ABC=60°-\angle EBF=\angle DBE$

$\therefore \triangle ABC\equiv \triangle DBE$ (SAS 합동)

$\therefore \overline{AC}=\overline{DE}$ ❶

$\triangle ABC$와 $\triangle FEC$에서

$\overline{AC}=\overline{FC}$, $\overline{BC}=\overline{EC}$,

$\angle BCA=60°-\angle DCE=\angle ECF$

$\therefore \triangle ABC\equiv \triangle FEC$ (SAS 합동)

$\therefore \overline{AB}=\overline{FE}$ ❷

한편, $\overline{AB}=a$, $\overline{AC}=b$라 하면

$4\overline{BC}=3(\overline{AB}+\overline{AC})$에서 $\overline{BC}=\dfrac{3}{4}(\overline{AB}+\overline{AC})$이므로

$\overline{BC}=\dfrac{3}{4}(a+b)$ ❸

$\therefore$ (삼각형 ABC의 둘레의 길이)

$=\overline{AB}+\overline{BC}+\overline{CA}$

$=a+\dfrac{3}{4}(a+b)+b=\dfrac{7}{4}(a+b)$

$\therefore$ (오각형 EDBCF의 둘레의 길이)

$=\overline{ED}+\overline{DB}+\overline{BC}+\overline{CF}+\overline{FE}$

$=\overline{CA}+\overline{AB}+\overline{BC}+\overline{CA}+\overline{AB}$

$=2\overline{CA}+2\overline{AB}+\overline{BC}$

$=2b+2a+\dfrac{3}{4}(a+b)=\dfrac{11}{4}(a+b)$

따라서 오각형 EDBCF의 둘레의 길이는 삼각형 ABC의 둘레의 길이의 $\dfrac{11}{4}(a+b)\div \dfrac{7}{4}(a+b)=\dfrac{11}{7}$(배)이다.   ❹

🔲 $\dfrac{11}{7}$배

03 solution 미리 보기

step ❶	△DAH≡△FEC임을 이용하여 $\overline{HA}=\overline{CE}$임을 알아내기
step ❷	△DAH≡△ABG임을 이용하여 $\overline{HA}=\overline{GB}$임을 알아내기
step ❸	$\overline{CE}$의 길이 구하기
step ❹	△ABH의 넓이 구하기

△DAH와 △FEC에서

$\overline{DH}=\overline{FC}$, ∠AHD=∠ECF=90°

∠DAH=∠FEC (엇각)이므로

∠ADH=90°−∠DAH=90°−∠FEC=∠EFC

∴ △DAH≡△FEC (ASA 합동)

∴ $\overline{HA}=\overline{CE}$ ·············· ❶

△DAH와 △ABG에서

$\overline{DA}=\overline{AB}$

∠DAH=90°−∠BAG=∠ABG

∠ADH=90°−∠DAH=90°−∠ABG=∠BAG

∴ △DAH≡△ABG (ASA 합동)

∴ $\overline{HA}=\overline{GB}$ ·············· ❷

△FCE=60 cm²이므로 $\dfrac{1}{2}\times\overline{CE}\times8=60$

∴ $\overline{CE}=15$ (cm) ·············· ❸

$\overline{HA}=\overline{GB}=\overline{CE}=15$ cm이므로

$\triangle ABH=\dfrac{1}{2}\times15\times15=\dfrac{225}{2}$ (cm²) ·············· ❹

답 $\dfrac{225}{2}$ cm²

04 solution 미리 보기

step ❶	△ABD와 △ACE가 합동임을 알아내기
step ❷	∠DCE의 크기 구하기
step ❸	동위각의 크기가 같음을 이용하여 평행선 찾기
step ❹	평행선의 성질을 이용하여 ∠EFG=∠FEC임을 알아내기
step ❺	△ADF와 △AEG가 합동임을 알아내고 답 구하기

ㄱ. △ABD와 △ACE에서

$\overline{AB}=\overline{AC}$, $\overline{AD}=\overline{AE}$, ∠BAD=60°−∠DAC=∠CAE

∴ △ABD≡△ACE (SAS 합동) ·············· ❶

∠ABD=∠ACE이므로

∠DCE=60°+∠ACE=60°+∠ABD

=60°+60°=120° ·············· ❷

ㄴ. ∠ACE=∠DCE−60°=120°−60°=60°

△AFG가 정삼각형이므로 ∠AFG=60°

따라서 ∠AFG=∠ACE (동위각)이므로

$\overline{FG}\,/\!/\,\overline{CE}$ ·············· ❸

ㄹ. $\overline{FG}\,/\!/\,\overline{CE}$이므로 ∠EFG=∠FEC (엇각) ·············· ❹

ㅁ. △ADF와 △AEG에서

$\overline{AD}=\overline{AE}$, $\overline{AF}=\overline{AG}$, ∠DAF=60°−∠FAE=∠EAG

∴ △ADF≡△AEG (SAS 합동) ·············· ❺

따라서 옳은 것은 ㄱ, ㄴ, ㄹ, ㅁ이다.

답 ㄱ, ㄴ, ㄹ, ㅁ

Ⅱ. 평면도형

04. 다각형

LEVEL 1 시험에 꼭 내는 문제 → 44쪽~46쪽

01 ①	02 ⑤	03 ③	04 27°	05 20°	06 60°	07 112°	08 14
09 10	10 정십일각형	11 655°	12 280	13 290°	14 정십각형
15 ㄴ, ㄹ		16 360°	17 ③	18 108°

01

∠x+(2∠x−120°)=180°에서

3∠x=300°

∴ ∠x=100° 답 ①

02

⑤ 정삼각형의 한 내각의 크기는 60°, 한 외각의 크기는 120°이므로 한 내각의 크기와 한 외각의 크기는 같지 않다. 답 ⑤

03

△ABC에서

∠x=180°−(50°+40°)=90°

∠DCE=∠x=90° (맞꼭지각)이므로

△DCE에서

∠y=180°−(30°+90°)=60°

∴ ∠x−∠y=90°−60°=30° 답 ③

쌤의 특강

삼각형의 내각의 크기의 합은 180°이므로

∠a+∠b=180°−∠x

∠c+∠d=180°−∠x

∴ ∠a+∠b=∠c+∠d

04

△ABC에서 ∠ACB=∠ABC=∠x

∴ ∠CAD=∠x+∠x=2∠x

△ACD에서 ∠CDA=∠CAD=2∠x

△DBC에서 ∠DCE=∠x+2∠x=3∠x

△DCE에서 ∠DEC=∠DCE=3∠x

△DBE에서 ∠EDF=∠x+3∠x=4∠x

즉, 4∠x=108°

∴ ∠x=27° 답 27°

05

△ABC에서 ∠ACD=∠ABC+40°

$$\angle ECD = \frac{1}{2}\angle ACD = \frac{1}{2}(\angle ABC + 40°)$$
$$= \frac{1}{2}\angle ABC + 20° \qquad \cdots\cdots \ \bigcirc$$

$\triangle EBC$에서 $\angle ECD = \angle x + \frac{1}{2}\angle ABC \qquad \cdots\cdots \ \bigcirc\!\!\!\!\!\!\;\;$ㄴ

이때 ㄱ, ㄴ에서

$$\frac{1}{2}\angle ABC + 20° = \angle x + \frac{1}{2}\angle ABC$$

$$\therefore \angle x = 20° \hspace{4cm} \text{🔲 } 20°$$

06

오른쪽 그림과 같이 선분 BC를 그으
면 $\triangle DBC$에서
$$\angle DBC + \angle DCB = 180° - 140°$$
$$= 40°$$
$\triangle ABC$에서
$$80° + (\angle x + \angle DBC) + (\angle y + \angle DCB) = 180°$$
$$\therefore \angle x + \angle y = 180° - (80° + \angle DBC + \angle DCB)$$
$$= 180° - (80° + 40°) = 60° \hspace{1.5cm} \text{🔲 } 60°$$

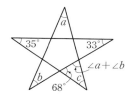

07

오른쪽 그림에서
$$(\angle a + \angle b) + \angle c + 68° = 180°$$
$$\therefore \angle a + \angle b + \angle c = 180° - 68°$$
$$= 112°$$

$$\text{🔲 } 112°$$

다른 풀이

오른쪽 그림에서
$$\angle x + \angle y = 35° + 33° = 68°$$
$$\angle a + (\angle b + \angle x) + (\angle c + \angle y) = 180°$$
이므로
$$\angle a + \angle b + \angle c + 68° = 180°$$
$$\therefore \angle a + \angle b + \angle c = 180° - 68° = 112°$$

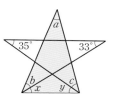

08

주어진 다각형의 한 꼭짓점에서 한 개의 대각선
을 그었을 때, 삼각형과 육각형의 두 부분으로
나누어졌으므로 주어진 다각형은 오른쪽 그림
과 같은 칠각형이다.
따라서 칠각형의 대각선의 개수는
$$\frac{7 \times (7-3)}{2} = 14 \hspace{3cm} \text{🔲 } 14$$

09

주어진 다각형을 n각형이라 하면

$$\frac{n(n-3)}{2} = 54$$
$$n(n-3) = 108 = 12 \times 9 \qquad \therefore n = 12$$
따라서 십이각형의 한 꼭짓점에서 대각선을 그었을 때 생기는 삼각
형의 개수는 $12 - 2 = 10$ \hspace{2cm} 🔲 10

10

조건 ㈎에서 구하는 다각형은 정다각형이다.
구하는 다각형을 정n각형이라 하면 조건 ㈏에서
$$\frac{n(n-3)}{2} = 44$$
$$n(n-3) = 88 = 11 \times 8 \qquad \therefore n = 11$$
따라서 구하는 다각형은 정십일각형이다. \hspace{1cm} 🔲 정십일각형

11

오른쪽 그림에서
$$\angle x + \angle y = 25° + 40° = 65°$$
육각형의 내각의 크기의 합은
$180° \times (6-2) = 720°$이므로
$$\angle a + \angle b + (\angle c + \angle x) + (\angle y + \angle d)$$
$$+ \angle e + \angle f = 720°$$
$$\angle a + \angle b + \angle c + \angle d + \angle e + \angle f + 65° = 720°$$
$$\therefore \angle a + \angle b + \angle c + \angle d + \angle e + \angle f = 720° - 65° = 655°$$

$$\text{🔲 } 655°$$

12

오각형의 내각의 크기의 합은 $180° \times (5-2) = 540°$이므로
가장 큰 내각의 크기는
$$540° \times \frac{8}{3+4+6+6+8} = 540° \times \frac{8}{27} = 160°,$$
가장 작은 내각의 크기는
$$540° \times \frac{3}{3+4+6+6+8} = 540° \times \frac{1}{9} = 60°$$
이므로 가장 큰 외각의 크기는
$$180° - 60° = 120°$$
$$\therefore a = 160, \ b = 120$$
$$\therefore a + b = 160 + 120 = 280 \hspace{2cm} \text{🔲 } 280$$

다른 풀이

다섯 개의 내각의 크기를 각각 $3k°,\ 4k°,\ 6k°,\ 6k°,\ 8k°$ (k는 양수)
라 하자.
오각형의 내각의 크기의 합은 $540°$이므로
$$3k + 4k + 6k + 6k + 8k = 540$$
$$27k = 540 \qquad \therefore k = 20$$
따라서 크기가 가장 큰 내각의 크기는 $8k° = 8 \times 20° = 160°$,
크기가 가장 큰 외각의 크기는 $180° - 3k° = 180° - 3 \times 20° = 120°$
$$\therefore a = 160, \ b = 120$$
$$\therefore a + b = 160 + 120 = 280$$

13

오른쪽 그림에서 다각형의 외각의 크기의 합은 360°이므로

$(\angle a + \angle b) + (\angle c + \angle d)$
$+ (\angle e + 70°) = 360°$

$\therefore \angle a + \angle b + \angle c + \angle d + \angle e$
$= 360° - 70°$
$= 290°$

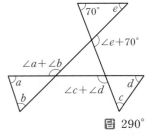

답 290°

14

한 내각의 크기와 한 외각의 크기의 합은 180°이므로

$(한\ 외각의\ 크기) = 180° \times \dfrac{1}{4+1} = 36°$

구하는 정다각형을 정n각형이라 하면

$\dfrac{360°}{n} = 36°$　　$\therefore n = 10$

따라서 구하는 정다각형은 정십각형이다.　　답 정십각형

15

ㄱ. 대각선의 개수는 $\dfrac{15 \times (15-3)}{2} = 90$

ㄴ. 한 내각의 크기는 $\dfrac{180° \times (15-2)}{15} = 156°$

ㄷ. 한 외각의 크기는 $\dfrac{360°}{15} = 24°$

ㄹ. 정십오각형의 한 꼭짓점에서 대각선을 그어 만들어지는 삼각형은 $15-2 = 13$(개)이다.

따라서 옳은 것은 ㄴ, ㄹ이다.　　답 ㄴ, ㄹ

16

$\triangle$GCD에서 $\angle$AGC$= \angle c + \angle d$
$\triangle$FHE에서 $\angle$FHB$= \angle e + \angle f$
따라서 사각형 ABHG의 내각의 크기의 합이 360°이므로

$\angle a + \angle b + \angle c + \angle d + \angle e + \angle f$
$= 360°$

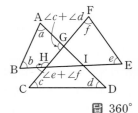

답 360°

다른 풀이

$\triangle$ABI에서 $\angle a + \angle b = 180° - \angle$AIB
$\triangle$GCD에서 $\angle c + \angle d = 180° - \angle$CGD
$\triangle$FHE에서 $\angle e + \angle f = 180° - \angle$FHE

$\therefore \angle a + \angle b + \angle c + \angle d + \angle e + \angle f$
$= 180° \times 3 - (\angle$AIB$+ \angle$CGD$+ \angle$FHE$)$
$= 540° - 180°$
$= 360°$

17

오른쪽 그림에서
$\angle b = 360°$
　$- (정오각형의\ 한\ 내각의\ 크기)$
　$- (정팔각형의\ 한\ 내각의\ 크기)$
이므로 $\angle$BAD$= \angle b$

정오각형의 한 외각의 크기는 $\dfrac{360°}{5} = 72°$

정팔각형의 한 외각의 크기는 $\dfrac{360°}{8} = 45°$

따라서 사각형 ABCD의 내각의 크기의 합은 360°이므로

$\angle a + 45° + \angle b + 72° = 360°$

$\therefore \angle a + \angle b = 360° - (45° + 72°) = 243°$　　답 ③

참고 정오각형의 한 내각의 크기는 $\dfrac{180° \times (5-2)}{5} = 108°$

정팔각형의 한 내각의 크기는 $\dfrac{180° \times (8-2)}{8} = 135°$이므로

$\angle b = 360° - (108° + 135°) = 117°$
$\angle a = 360° - (45° + 117° + 72°) = 126°$

18

정오각형의 한 내각의 크기는

$\dfrac{180° \times (5-2)}{5} = 108°$

$\triangle$ABC, $\triangle$ABE는 각각 $\overline{BA} = \overline{BC}$, $\overline{AB} = \overline{AE}$인 이등변삼각형이므로

$\angle$BAC$= \angle$ABE$= \dfrac{1}{2} \times (180° - 108°) = 36°$

$\triangle$ABF에서 $\angle x = \angle$BFA$= 180° - (36° + 36°) = 108°$

답 108°

LEVEL 2 필수 기출 문제 → 47쪽~52쪽

01 ⑤	02 ②	03 216°	04 164°	05 ④	06 20	07 78	08 ③
09 ④	10 216°	11 360°	12 540°	13 315°	14 ①	15 252°	16 170
17 123°	18 정십이각형	19 ③	20 22	21 정팔각형		22 12°	
23 $\dfrac{540°}{7}$		24 10					

01

[전략] 크기가 작은 정사각형부터 차례대로 그려 본다.

4개의 점으로 만들 수 있는 크기가 서로 다른 정사각형은 다음과 같이 나타낼 수 있다.

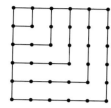 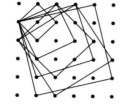

$\therefore 5+6=11$

답 ⑤

정사각형의 이웃하는 두 꼭짓점이 가로 m칸, 세로 n칸만큼 떨어져 있다면 $m+n\leq5$이어야 한다. 이 조건을 만족시키는 자연수 m, n의 순서쌍 (m, n)을 구하면 된다.

단, 예를 들어 $(2, 3)$과 $(3, 2)$일 때의 두 정사각형은 합동인 정사각형이므로 m, n이 서로 바뀐 경우는 한 가지로 본다.

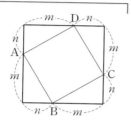

02

[전략] △ABC에서 ∠A의 외각의 크기와 ∠C의 외각의 크기의 합을 구한다.

△ACD에서

$\angle DAC+\angle DCA=180°-80°=100°$

$\angle CAE+\angle ACF=2(\angle DAC+\angle DCA)$
$\qquad\qquad\qquad\quad=2\times100°=200°$

△ABC에서

$\angle BAC+\angle BCA$
$=(180°-\angle CAE)+(180°-\angle ACF)$
$=360°-(\angle CAE+\angle ACF)$
$=360°-200°=160°$

$\therefore \angle B=180°-\angle BAC-\angle BCA$
$\qquad\quad=180°-(\angle BAC+\angle BCA)$
$\qquad\quad=180°-160°=20°$

답 ②

03

[전략] ∠x, ∠y를 각각 ∠A와 ∠B를 사용한 식으로 나타낸다.

△ABC에서 $\angle A+\angle B=180°-36°=144°$

△ABD에서 $\angle x=\dfrac{1}{2}\angle A+\angle B$

△ABE에서 $\angle y=\angle A+\dfrac{1}{2}\angle B$

$\therefore \angle x+\angle y=\left(\dfrac{1}{2}\angle A+\angle B\right)+\left(\angle A+\dfrac{1}{2}\angle B\right)$
$\qquad\qquad\quad=\dfrac{3}{2}\angle A+\dfrac{3}{2}\angle B=\dfrac{3}{2}(\angle A+\angle B)$
$\qquad\qquad\quad=\dfrac{3}{2}\times144°=216°$

답 216°

04

[전략] △DBC, △DGC, △DBH에서 삼각형의 내각과 외각의 관계를 이용한다.

$\angle ABD=\angle DBE=\angle EBC=\angle a$,
$\angle ACD=\angle DCE=\angle ECF=\angle b$라 하면

△DBC에서

$32°+2\angle a=2\angle b$

$2\angle b-2\angle a=32°$

$\therefore \angle b-\angle a=16°$

△DGC에서

$32°+\angle b=180°-\angle x$

$\therefore \angle x=148°-\angle b$

△DBH에서

$32°+\angle a=\angle y$

$\therefore \angle x+\angle y=(148°-\angle b)+(32°+\angle a)$
$\qquad\qquad\quad=180°-(\angle b-\angle a)$
$\qquad\qquad\quad=180°-16°=164°$

답 164°

05

[전략] 삼각형의 내각과 외각의 관계와 평행선의 성질을 이용한다.

오른쪽 그림과 같이 $\overline{AD}$와 $\overline{BE}$의 교점을 G라 하면 △BDG에서

$\angle DGE=\angle b+\angle d$

$\therefore \angle BEF=\angle DGE$ (엇각)
$\qquad\qquad=\angle b+\angle d$

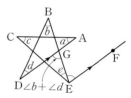

답 ④

점 E를 지나면서 $\overline{DB}$와 평행한 직선 EG를 그리면

$\angle BEG=\angle DBE=\angle b$ (엇각),
$\angle GEF=\angle BDA=\angle d$ (동위각)

$\therefore \angle BEF=\angle BEG+\angle GEF$
$\qquad\qquad=\angle b+\angle d$

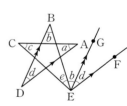

06

[전략] 대각선 AD와 만나도록 네 점 A, B, C, D에서 각각 대각선을 그어 본다.

대각선 AD와 점 A 또는 점 D에서 만나는 대각선의 개수는 다음 그림과 같이 각각 5이다.

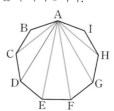 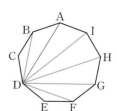

대각선 AD와 정구각형의 내부에서 만나는 대각선은 다음 그림과 같이 점 B에서 점 D를 제외한 점들에 그은 대각선과 점 C에서 점 A를 제외한 점들에 그은 대각선이다.

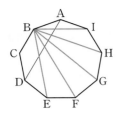 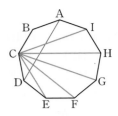

즉, 두 점 B와 C에서 그은 대각선의 개수는 위의 그림과 같이 각각 5이다.

따라서 대각선 AD와 한 점에서 만나는 대각선의 개수는

$5+5+5+5=20$　　　　　　　　　**目** 20

07

[전략] 이웃한 학생끼리 악수하는 경우와 이웃하지 않은 학생끼리 악수하는 경우로 나누어 생각한다.

이웃하는 학생끼리 서로 한 번씩 악수하는 횟수는 십삼각형의 변의 개수와 같으므로 13

이웃하지 않은 학생끼리 서로 한 번씩 악수하는 횟수는 십삼각형의 대각선의 개수와 같으므로

$\dfrac{13 \times (13-3)}{2} = 65$

따라서 모든 학생이 서로 한 번씩 악수하는 횟수는

$13+65=78$　　　　　　　　　**目** 78

08

[전략] 정다각형의 한 꼭짓점에서 그을 수 있는 길이가 가장 짧은 대각선과 길이가 가장 긴 대각선을 생각한다.

주어진 정다각형을 정n각형이라 하면 정n각형의 내부의 한 점에서 각 꼭짓점을 연결하였을 때 생기는 삼각형의 개수는 n이므로 $n=8$

정팔각형의 대각선의 개수는

$\dfrac{8 \times (8-3)}{2} = 20$　　$\therefore a=20$

정팔각형의 한 꼭짓점에서 그을 수 있는 길이가 가장 짧은 대각선은 2개이므로 총 2×8(개)의 대각선을 그을 수 있다.

이때 한 대각선을 두 번씩 계산하였으므로 2로 나눈다.

$\therefore b = \dfrac{2 \times 8}{2} = 8$

정팔각형의 한 꼭짓점에서 그을 수 있는 길이가 가장 긴 대각선은 1개이므로 총 1×8(개)의 대각선을 그을 수 있다.

이때 한 대각선을 두 번씩 계산하였으므로 2로 나눈다.

$\therefore c = \dfrac{1 \times 8}{2} = 4$

$\therefore a+b+c=20+8+4=32$　　**目** ③

쌤의 특강

다각형의 내부의 한 점에서 각 꼭짓점에 선분을 그었을 때 생기는 삼각형의 개수는 다각형의 변의 개수와 같다.

따라서 n각형의 내부의 한 점에서 각 꼭짓점에 선분을 그었을 때 생기는 삼각형의 개수는 n이다.

09

[전략] 다각형의 내각과 외각의 크기, 대각선의 개수에 대한 공식을 이용한다.

ㄱ. 삼각형의 외각의 크기의 합은 $360°$이다.

ㄴ. 육각형의 내각의 크기의 합은 $180° \times (6-2) = 720°$

ㄷ. 정n각형의 한 내각의 크기는 $\dfrac{180° \times (n-2)}{n}$,

한 외각의 크기는 $\dfrac{360°}{n}$이므로

$\dfrac{180° \times (n-2)}{n} = \dfrac{360°}{n}$에서 $n-2=2$　　$\therefore n=4$

따라서 한 내각의 크기와 한 외각의 크기가 같은 정다각형은 정사각형뿐이다.

ㄹ. 구하는 정다각형을 정n각형이라 하면

$\dfrac{180° \times (n-2)}{n} = 144°$　　$\therefore n=10$

이때 정십각형의 대각선의 개수는 $\dfrac{10 \times (10-3)}{2} = 35$

ㅁ. 구하는 다각형을 n각형이라 하면 $n-3=8$　　$\therefore n=11$

이때 십일각형의 대각선의 개수는 $\dfrac{11 \times (11-3)}{2} = 44$

따라서 옳은 것은 ㄴ, ㄷ, ㅁ이다.　　**目** ④

10

[전략] ∠C를 기준으로 각의 크기를 정한다.

∠A, ∠B, ∠C, ∠D, ∠E의 내각의 크기를 각각 $\angle x+14°$, $\angle x+7°$, $\angle x$, $\angle x-7°$, $\angle x-14°$라 하면

오각형의 내각의 크기의 합은 $180° \times (5-2) = 540°$이므로

$(\angle x+14°)+(\angle x+7°)+\angle x+(\angle x-7°)+(\angle x-14°)$
$=540°$

$5\angle x=540°$　　$\therefore \angle x=108°$

이때 가장 큰 내각의 크기는 $\angle x+14°=108°+14°=122°$,

가장 작은 내각의 크기는 $\angle x-14°=108°-14°=94°$

따라서 구하는 합은 $122°+94°=216°$　　**目** $216°$

11

[전략] 구하는 각의 크기의 합은 육각형의 내각의 크기의 합에서 삼각형 두 개의 내각의 크기의 합을 빼면 된다.

(색칠한 각의 크기의 합)
$=$(육각형의 내각의 크기의 합)$-2 \times$(삼각형의 내각의 크기의 합)
$=180° \times (6-2)-2 \times 180° = 720°-360°$
$=360°$　　　　　　　　　　　**目** $360°$

다른 풀이

오른쪽 그림에서

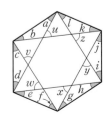

$\angle a + \angle b = \angle u$
$\angle c + \angle d = \angle v$
$\angle e + \angle f = \angle w$
$\angle g + \angle h = \angle x$
$\angle i + \angle j = \angle y$
$\angle k + \angle l = \angle z$

$$\therefore \angle a + \angle b + \angle c + \angle d + \angle e + \angle f + \angle g + \angle h + \angle i + \angle j$$
$$+ \angle k + \angle l$$
$$= \angle u + \angle v + \angle w + \angle x + \angle y + \angle z$$
$$= (\text{육각형의 외각의 크기의 합})$$
$$= 360°$$

12

[**전략**] 보조선을 그어 다각형의 내각의 크기의 합을 이용한다.

오른쪽 그림에서

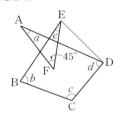

$$\angle f + \angle g = \angle x + \angle y$$
$$\angle h + \angle i = \angle z + \angle w$$

오각형의 내각의 크기의 합은

$$180° \times (5-2) = 540°$$이므로

$$\angle a + \angle b + \angle c + \angle d + \angle e + \angle f + \angle g + \angle h + \angle i$$
$$= \angle a + \angle b + \angle c + \angle d + \angle e + \angle x + \angle y + \angle z + \angle w$$
$$= 540°$$

답 540°

13

[**전략**] 보조선을 그어 다각형의 내각의 크기의 합을 이용한다.

오른쪽 그림과 같이 $\overline{ED}$를 그으면

$$\angle FED + \angle ADE = \angle a + 45°$$이므로

사각형 BCDE에서

$$\angle a + 45° + \angle b + \angle c + \angle d + \angle e$$
$$= 360°$$
$$\therefore \angle a + \angle b + \angle c + \angle d + \angle e$$
$$= 360° - 45°$$
$$= 315°$$

답 315°

다른 풀이

오른쪽 그림의 △AFH에서

$$\angle AHE = \angle a + 45°$$

△EGH에서

$$\angle BGD = \angle e + \angle GHE$$
$$= \angle e + \angle AHE$$
$$= \angle e + \angle a + 45°$$

이므로

$$\angle a + \angle e = \angle BGD - 45°$$
$$\therefore \angle a + \angle b + \angle c + \angle d + \angle e$$
$$= \angle BGD - 45° + \angle b + \angle c + \angle d$$
$$= (\text{사각형 BCDG의 내각의 크기의 합}) - 45°$$
$$= 360° - 45°$$
$$= 315°$$

14

[**전략**] 점 E를 지나고 두 직선 l, m에 평행한 보조선을 그어 평행선의 성질을 이용한다.

정오각형의 한 내각의 크기는

$$\frac{180° \times (5-2)}{5} = 108°$$

오른쪽 그림과 같이 점 E를 지나면서 두 직선 l, m에 평행한 직선 n을 그으면

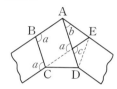

$$\angle AEG = \angle FAE = \angle x \ (\text{엇각})$$
$$\angle GED = 108° - \angle x$$이므로
$$\angle EDH = \angle GED = 108° - \angle x \ (\text{엇각})$$
$$\angle y + 108° + (108° - \angle x) = 180°$$이므로
$$\angle x - \angle y = 108° + 108° - 180° = 36°$$

답 ①

15

[**전략**] 평행선의 성질을 이용한다.

주어진 정오각형을 ABCDE라 하자.

정오각형의 한 내각의 크기는 $\dfrac{180° \times (5-2)}{5} = 108°$

$$\angle a = \angle ABC = 108° \ (\text{엇각})$$

이등변삼각형 EAD에서

$$\angle b = \frac{1}{2} \times (180° - 108°) = 36°$$

$\overline{CE}$를 그으면 $\angle c$의 맞꼭지각은 $\angle a$와 동위각이므로

$$\angle c = \angle a = 108°$$
$$\therefore \angle a + \angle b + \angle c = 108° + 36° + 108° = 252°$$

답 252°

쌤의 복합 개념 특강

개념1 정다각형의 한 내각의 크기

정다각형은 내각의 크기가 모두 같으므로

$$(\text{정}n\text{각형의 한 내각의 크기}) = \frac{180° \times (n-2)}{n}$$

개념2 평행선의 성질

평행한 두 직선이 한 직선과 만날 때

① 동위각의 크기는 같다.

② 엇각의 크기는 같다.

16

[**전략**] 평면에서 한 꼭짓점에 모인 다각형의 내각의 크기의 합은 360°임을 이용한다.

정오각형의 한 내각의 크기는 $\dfrac{180° \times (5-2)}{5} = 108°$,

정사각형의 한 내각의 크기는 90°

$$\angle BCD + \angle BCG + \angle DCG = 360°$$

즉, $\angle BCD + 108° + 90° = 360°$

$$\therefore \angle BCD = 162°$$

이때

$$\frac{180° \times (n-2)}{n} = 162°$$

$$18n = 360 \quad \therefore n = 20$$

따라서 정이십각형의 대각선의 개수는 $\dfrac{20\times(20-3)}{2}=170$

답 170

17

[전략] 정오각형과 정육각형이 겹쳐져서 만들어진 도형의 내각의 크기의 합을 이용한다.

오른쪽 그림과 같이 정팔각형과 정육각형의 한 변에 평행하고 정오각형의 한 점을 지나는 직선을 l이라 하자.

정오각형, 정육각형, 정팔각형의 한 내각의 크기는 각각

$\dfrac{180°\times(5-2)}{5}=108°$,

$\dfrac{180°\times(6-2)}{6}=120°$, $\dfrac{180°\times(8-2)}{8}=135°$

따라서 $\angle b=\angle c=108°$, $\angle d=120°$

이때 $\angle g=\angle f=135°-108°=27°$ (엇각)이므로

$\angle a=\angle e=108°-\angle f=108°-27°=81°$ (동위각)

정오각형과 정육각형이 겹쳐져서 만들어진 오각형의 내각의 크기의 합은 $180°\times(5-2)=540°$이므로

$\angle a+\angle b+\angle c+\angle x+\angle d=540°$

$81°+108°+108°+\angle x+120°=540°$

$\therefore \angle x=123°$

답 123°

18

[전략] $\triangle ABP$와 $\triangle BRP$에서 $\angle BAP+\angle BPA=\angle RBP+\angle RPB$임을 확인한다.

$\triangle ABP$와 $\triangle BCQ$에서

$\overline{AB}=\overline{BC}$, $\overline{BP}=\overline{CQ}$, $\angle ABP=\angle BCQ$

$\therefore \triangle ABP\equiv\triangle BCQ$ (SAS 합동)

$\angle BAP=\angle CBQ$이므로

$\triangle BPR$, $\triangle BPA$에서

$\angle PBR+\angle BPR=\angle BAP+\angle BPA$이므로

$\angle BRP=180°-(\angle PBR+\angle BPR)$

$\qquad\quad=180°-(\angle BAP+\angle BPA)$

$\qquad\quad=\angle ABP=\angle ABC$

즉, $\angle BRP$의 크기는 정다각형의 한 내각의 크기와 같다.

$\angle ARB=30°$이므로

$\angle BRP=180°-30°=150°$

이때 한 내각의 크기가 $150°$인 정다각형을 정n각형이라 하면

$\dfrac{180°\times(n-2)}{n}=150°$ $\qquad\therefore n=12$

따라서 구하는 정다각형은 정십이각형이다. **답** 정십이각형

쌤의 특강

합동인 한 쌍의 삼각형을 찾아 그 대응각의 크기가 같다는 성질을 이용하여 정n각형에서 $\angle BRP$와 정n각형의 내각의 크기와의 관계를 알아본다.

19

[전략] 정칠각형의 한 내각의 크기와 삼각형의 합동 조건을 이용한다.

① $\triangle ABC$와 $\triangle BCD$에서

$\overline{AB}=\overline{BC}$, $\overline{BC}=\overline{CD}$

$\angle ABC=\angle BCD=$ (정칠각형의 한 내각의 크기)이므로

$\triangle ABC\equiv\triangle BCD$ (SAS 합동)

$\therefore \overline{AC}=\overline{BD}$

$\triangle ACD$와 $\triangle DBA$에서

$\overline{CD}=\overline{BA}$, $\overline{AC}=\overline{DB}$, $\overline{AD}$는 공통이므로

$\triangle ACD\equiv\triangle DBA$ (SSS 합동)

② $\triangle ABC$와 $\triangle BCD$에서

$\angle BAC=\angle BCA=\angle CBD=\angle CDB$

$\triangle ACD$와 $\triangle DBA$에서

$\angle ACD=\angle DBA$, $\angle CAD=\angle BDA$

$\therefore \angle CBA+\angle BAD$

$\quad=(\angle CBD+\angle DBA)+(\angle BAC+\angle CAD)$

$\quad=$ (사각형 ABCD의 내각의 크기의 합) $\times\dfrac{1}{2}$

$\quad=360°\times\dfrac{1}{2}=180°$

③ 정칠각형의 한 내각의 크기는

$\dfrac{180°\times(7-2)}{7}=\dfrac{900°}{7}$이므로

$\angle CDA=180°-\angle BCD=180°-\dfrac{900°}{7}=\dfrac{360°}{7}$

$\therefore \angle ADE=\dfrac{900°}{7}-\angle CDA=\dfrac{900°}{7}-\dfrac{360°}{7}=\dfrac{540°}{7}$

④ $\triangle DBA\equiv\triangle EGA$ (SAS 합동)이므로

$\angle EAG=\angle DAB=180°-\angle ABC$

$\qquad\quad=180°-\dfrac{900°}{7}=\dfrac{360°}{7}$

⑤ $\angle CAD=\angle DAB-\angle BAC$

$\qquad\quad=\dfrac{360°}{7}-\left\{\dfrac{1}{2}\times\left(180°-\dfrac{900°}{7}\right)\right\}$

$\qquad\quad=\dfrac{360°}{7}-\dfrac{1}{2}\times\dfrac{360°}{7}=\dfrac{180°}{7}$

답 ③

20

[전략] 정n각형의 한 외각의 크기는 $\dfrac{360°}{n}$이다.

구하는 정다각형을 정n각형이라 하자.

정n각형의 한 외각의 크기, 즉 $\dfrac{360°}{n}$가 정수가 되려면 n은 360의 약수이어야 한다.

$360=2^3\times3^2\times5$이므로 360의 약수의 개수는

$(3+1)\times(2+1)\times(1+1)=24$

이때 $n\geq3$이므로 n의 값이 될 수 없는 것은 1, 2의 2개이다.

따라서 한 외각의 크기가 (정수)°인 정다각형의 개수는

$24-2=22$

답 22

21

[**전략**] 직각이등변삼각형의 밑각의 크기는 $45°$이다.

만들어지는 다각형은 한 외각의 크기가 $45°$인 정다각형이다.

이때 만들어지는 다각형을 정n각형이라 하면

$$\frac{360°}{n} = 45° \qquad \therefore n = 8$$

따라서 구하는 다각형은 정팔각형이다.　　　　　　🔲 정팔각형

22

[**전략**] 평면에서 한 꼭짓점에 모인 각들의 크기의 합은 $360°$이다.

축구공의 전개도에서 한 꼭짓점에 모인 도형은 정오각형 한 개와 정육각형 두 개이다.

정오각형의 한 내각의 크기는 $\dfrac{180° \times (5-2)}{5} = 108°$

정육각형의 한 내각의 크기는 $\dfrac{180° \times (6-2)}{6} = 120°$

$108° + 120° \times 2 + $ (변 사이의 각) $= 360°$이므로

(변 사이의 각) $= 360° - (108° + 120° \times 2) = 12°$　　🔲 $12°$

23

[**전략**] 정십사각형의 한 내각의 크기를 이용하여 $\angle BCD$의 크기를 먼저 구한 후, 사각형의 내각의 크기의 합이 $360°$임을 이용하여 $\angle A$의 크기를 구한다.

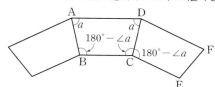

위의 그림과 같이 $\angle A = \angle D = \angle a$라 하면 사각형 ABCD의 내각의 크기의 합은 $360°$이므로

$$\angle ABC = \angle BCD = \frac{1}{2} \times (360° - 2\angle a) = 180° - \angle a$$

벽돌은 모두 합동이므로

$$\angle DCE = 180° - \angle a$$

이때 $\angle BCE$는 정십사각형의 한 내각이므로

$$\angle BCE = \frac{180° \times (14-2)}{14} = \frac{1080°}{7}$$

점 C에서 $2 \times (180° - \angle a) + \dfrac{1080°}{7} = 360°$이므로

$$2\angle a = \frac{1080°}{7}$$

$$\therefore \angle a = \frac{540°}{7}$$　　　　　🔲 $\dfrac{540°}{7}$

오른쪽 그림과 같이 합동인 사다리꼴 14개를 이어 붙이면 내부에 생기는 도형은 정십사각형이다.

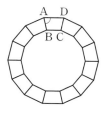

이때 정십사각형의 한 내각의 크기는

$$\frac{180° \times (14-2)}{14} = \frac{1080°}{7}$$

$$\therefore \angle A = \frac{1}{2} \times \frac{1080°}{7} = \frac{540°}{7}$$

24

[**전략**] 정오각형으로 둘러싸인 정다각형의 한 내각의 크기를 구한다.

정오각형의 한 내각의 크기는

$$\frac{180° \times (5-2)}{5} = 108°$$

즉, 원의 내부에 생기는 정n각형의 한 내각의 크기는

$$360° - 2 \times 108° = 144°$$

이때 $\dfrac{180° \times (n-2)}{n} = 144°$에서

$$180° \times n - 360° = 144° \times n$$

$$36° \times n = 360°$$

$$\therefore n = 10$$

따라서 원주를 빈틈없이 채우려면 10개의 정오각형이 필요하다.

🔲 10

LEVEL 3 최고난도 문제　　　　　→ 53쪽

01 65　**02** (4, 3, 4, 6), (4, 3, 4, 3, 3)　**03** 5, 7　**04** 24

01　solution　미리 보기

step ❶	정십오각형의 대각선으로만 이루어진 삼각형 중 정삼각형이 아닌 이등변삼각형의 개수 구하기
step ❷	정십오각형의 대각선으로만 이루어진 삼각형 중 정삼각형의 개수 구하기
step ❸	정십오각형의 대각선으로만 이루어진 이등변삼각형의 개수 구하기

정십오각형의 대각선 중 한 꼭짓점의 대변을 밑변으로 하는 이등변삼각형은 4개이므로 정삼각형이 아닌 이등변삼각형의 개수는

$4 \times 15 = 60$ ············· ❶

정십오각형의 대각선 중 한 꼭짓점의 대변을 한 변으로 하는 정삼각형은 1개이므로 총 $1 \times 15 = 15$(개)의 정삼각형이 만들어진다. 이때 한 정삼각형을 세 번씩 계산하였으므로 3으로 나눈다.

즉, 정삼각형의 개수는

$15 \div 3 = 5$ ·················· ❷

따라서 구하는 이등변삼각형의 개수는

$60 + 5 = 65$ ·················· ❸

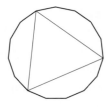

📘 65

쌤의 특강

이등변삼각형에서
① 꼭지각 : 길이가 서로 같은 두 변이 만나 이루는 각
② 밑변 : 꼭지각이 마주 보는 변
③ 밑각 : 밑변의 양 끝 각

02 solution 미리 보기

step ❶	평면을 빈틈없이 채우기 위한 한 꼭짓점에 모인 내각의 크기의 합을 이용하여 완성해야 할 부분의 각의 크기 구하기
step ❷	완성해야 할 부분의 각의 크기를 갖는 정다각형의 종류와 개수 구하기
step ❸	배열 완성하기

$(4, 3, 4, \cdots)$는 한 꼭짓점을 중심으로 모인 정다각형이 정사각형, 정삼각형, 정사각형이라는 것을 의미한다.

평면을 빈틈없이 채우기 위해서는 한 꼭짓점을 중심으로 모인 각의 크기의 합이 $360°$이어야 한다.

배열을 완성하기 위해 남은 각의 크기는

$360° - (90° + 60° + 90°) = 120°$ ·················· ❶

정다각형의 한 내각의 크기의 합이 $120°$인 경우는

(i) 정육각형이 1개일 때
(ii) 정삼각형이 2개일 때
이다. ·················· ❷

따라서 테셀레이션의 배열을 완성하면
$(4, 3, 4, 6)$ 또는 $(4, 3, 4, 3, 3)$이다. ·················· ❸

📘 $(4, 3, 4, 6)$, $(4, 3, 4, 3, 3)$

03 solution 미리 보기

step ❶	이등변삼각형이 되기 위한 조건 구하기
step ❷	$\overline{A_1A_5} = \overline{A_1A_2}$를 만족시키는 n의 값 구하기
step ❸	$\overline{A_1A_5} = \overline{A_2A_5}$를 만족시키는 n의 값 구하기

$\triangle A_1A_2A_5$가 이등변삼각형이 되려면 두 변의 길이 또는 세 변의 길이가 같아야 한다.

즉, $\overline{A_1A_2} \neq \overline{A_2A_5}$이므로 $\overline{A_1A_5} = \overline{A_1A_2}$이거나 $\overline{A_1A_5} = \overline{A_2A_5}$이어야 한다. ·················· ❶

(i) $\overline{A_1A_5} = \overline{A_1A_2}$일 때
정n각형에서 점 A_5는 점 A_1과 이웃하는 꼭짓점이어야 하므로 $n = 5$이다. ·················· ❷

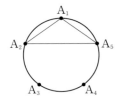

(ii) $\overline{A_1A_5} = \overline{A_2A_5}$일 때
정n각형에서 점 A_5와 점 A_1 사이에, 점 A_2와 점 A_5 사이에 각각 두 개의 꼭짓점이 있어야 하므로 $n = 7$이다. ·················· ❸

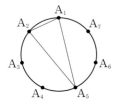

📘 5, 7

04 solution 미리 보기

step ❶	$\angle B_1A_1B_2 = \angle x$라 하고 두 종류의 이등변삼각형의 밑각을 각각 x를 사용한 식으로 나타내기
step ❷	$\angle A_1B_2A_2$를 x를 사용한 식으로 나타내기
step ❸	다각형 $B_1B_2 \cdots B_n$의 내각의 크기 구하기
step ❹	다각형 $B_1B_2 \cdots B_n$이 정다각형임을 확인하여 n의 값 구하기

$\angle B_1A_1B_2 = \angle x$라 하면 $\angle B_2A_2B_3 = \angle x + 30°$이다.

$\triangle A_1B_1B_2$에서

$\angle A_1B_1B_2 = \angle A_1B_2B_1 = \dfrac{1}{2} \times (180° - \angle x) = 90° - \dfrac{1}{2}\angle x$

$\triangle A_2B_2B_3$에서

$\angle A_2B_2B_3 = \angle A_2B_3B_2 = \dfrac{1}{2} \times \{180° - (\angle x + 30°)\}$

$\qquad\qquad\qquad = 75° - \dfrac{1}{2}\angle x$ ·················· ❶

$\overline{A_1B_2} /\!/ \overline{A_2B_3}$이므로

$\angle A_1B_2A_2 = \angle B_2A_2B_3 = \angle x + 30°$ (엇각) ·················· ❷

점 B_2를 중심으로 모이는 각의 크기의 합은 $360°$이므로

$\angle B_1B_2B_3$
$= 360° - (\angle A_1B_2B_1 + \angle A_1B_2A_2 + \angle A_2B_2B_3)$
$= 360° - \left\{\left(90° - \dfrac{1}{2}\angle x\right) + (\angle x + 30°) + \left(75° - \dfrac{1}{2}\angle x\right)\right\} = 165°$

또한, $\overline{A_2B_2} /\!/ \overline{A_3B_3}$이므로

$\angle A_2B_3A_3 = \angle B_2A_2B_3 = \angle x + 30°$ (엇각)

점 B_3을 중심으로 모이는 각의 크기의 합은 $360°$이므로

$\angle B_2B_3B_4$
$= 360° - (\angle A_2B_3B_2 + \angle A_2B_3A_3 + \angle A_3B_3B_4)$
$= 360° - \left\{\left(75° - \dfrac{1}{2}\angle x\right) + (\angle x + 30°) + \left(90° - \dfrac{1}{2}\angle x\right)\right\} = 165°$

같은 방법으로 다각형 $B_1B_2 \cdots B_n$의 내각의 크기는 모두 $165°$이다. ·················· ❸

모든 이등변삼각형의 밑변의 길이가 같으므로 다각형 $B_1B_2 \cdots B_n$은 모든 변의 길이가 같다.

즉, 다각형 $B_1B_2 \cdots B_n$은 한 내각의 크기가 $165°$인 정n각형이다.

이때 $\dfrac{180° \times (n-2)}{n} = 165°$이므로 $180° \times n - 360° = 165° \times n$

$15° \times n = 360°$ $\qquad \therefore n = 24$ ·················· ❹

📘 24

05. 원과 부채꼴

LEVEL 1 시험에 꼭 내는 문제　→ 56쪽~58쪽

01 ③, ④	02 60	03 5π cm²	04 10 　05 2
06 ④, ⑤	07 8	08 ④	
09 둘레의 길이 : 6π cm, 넓이 : $(36-9\pi)$ cm²　10 ③			
11 둘레의 길이 : $\left(\dfrac{2}{3}\pi+8\right)$ cm, 넓이 : $\left(4-\dfrac{2}{3}\pi\right)$ cm²　12 ③			
13 150°	14 9π cm²	15 15 cm	
16 $(8\pi+24)$ cm	17 ②		

01

③ 한 원에서 현의 길이는 중심각의 크기에 정비례하지 않는다.
④ 반지름의 길이가 다른 두 원에서 중심각의 크기가 같아도 호의
　길이는 같지 않다.
따라서 옳지 않은 것은 ③, ④이다.　　　　답 ③, ④

02

$x : (x+30)=2 : 3$이므로
$3x=2(x+30)$　　∴ $x=60$　　　　답 60

03

한 원에서 부채꼴의 넓이는 중심각의 크기에 정비례하므로
15π : (부채꼴 AOB의 넓이)$=135 : 45=3 : 1$
∴ (부채꼴 AOB의 넓이)$=5\pi$ (cm²)　　답 5π cm²

04

△OAD에서 $\overline{OA}=\overline{OD}$이므로
∠ODA$=$∠OAD$=50°$
∴ ∠AOD$=180°-(50°+50°)=80°$
$\overline{AD}\,/\!/\,\overline{OC}$이므로 ∠COB$=$∠DAO$=50°$ (동위각)
$80 : 50=16 : x$이므로
$80x=800$　　∴ $x=10$　　　　답 10

05

오른쪽 그림과 같이 $\overline{OC}$를 그으면
△BOC에서 $\overline{OB}=\overline{OC}$이므로
∠OCB$=$∠OBC$=30°$
∠BOC$=180°-(30°+30°)=120°$
∴ ∠AOC$=180°-120°=60°$
$\widehat{BC} : \widehat{AC}=120° : 60°=2 : 1$　　∴ $\dfrac{\widehat{BC}}{\widehat{AC}}=2$　　답 2

06

① ∠AOB : ∠AOD$=1 : 6$이므로
　$\widehat{AB} : \widehat{AD}=1 : 6$　　∴ $6\widehat{AB}=\widehat{AD}$
② 현의 길이는 중심각의 크기에 정비례하지 않으므로
　$3\overline{AB}\neq\overline{CD}$
③ 삼각형의 넓이는 중심각의 크기에 정비례하지 않으므로
　$2\triangle AOB\neq\triangle BOC$
④ ∠AOC$=$∠COD이므로 △AOC≡△COD (SAS 합동)
　∴ △AOC$=$△COD
⑤ ∠BOC : ∠AOC$=2 : 3$이므로
　(부채꼴 BOC의 넓이) : (부채꼴 AOC의 넓이)$=2 : 3$
　∴ $3\times$(부채꼴 BOC의 넓이)$=2\times$(부채꼴 AOC의 넓이)
따라서 옳은 것은 ④, ⑤이다.　　　　답 ④, ⑤

07

(둘레의 길이)
$=\left(2\pi\times4\times\dfrac{1}{4}\right)\times2+\left(2\pi\times2\times\dfrac{1}{2}\right)\times2+4\times2$
$=4\pi+4\pi+8$
$=8\pi+8$ (cm)
(넓이)$=\left(\pi\times4^2\times\dfrac{1}{4}-\pi\times2^2\times\dfrac{1}{2}\right)\times2$
　　　$=2\pi\times2=4\pi$ (cm²)
∴ $a-2b=8\pi+8-2\times4\pi=8$　　　　답 8

다른 풀이
오른쪽 그림에서
(둘레의 길이)$=2\pi\times4\times\dfrac{1}{2}+4\times2+2\pi\times2$
　　　　　　$=8\pi+8$ (cm)
(넓이)$=\pi\times4^2\times\dfrac{1}{2}-\pi\times2^2$
　　　$=8\pi-4\pi=4\pi$ (cm²)
∴ $a-2b=(8\pi+8)-2\times4\pi=8$

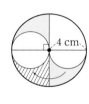

08

(둘레의 길이)
$=$(지름의 길이가 21 cm인 반원의 호의 길이)
　$+$(지름의 길이가 16 cm인 반원의 호의 길이)
　$+$(지름의 길이가 7 cm인 반원의 호의 길이)$+5+7$
$=2\pi\times\dfrac{21}{2}\times\dfrac{1}{2}+2\pi\times8\times\dfrac{1}{2}+2\pi\times\dfrac{7}{2}\times\dfrac{1}{2}+12$
$=22\pi+12$ (cm)　　　　답 ④

05. 원과 부채꼴　**31**

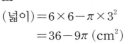

09

$$(둘레의 길이)=\left(2\pi\times3\times\frac{90}{360}\right)\times4=6\pi\ (cm)$$

오른쪽 그림에서 색칠한 부분의 넓이는 빗금친 부분의 넓이와 같으므로

$$(넓이)=6\times6-\pi\times3^2$$
$$=36-9\pi\ (cm^2)$$

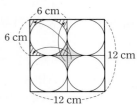

달 둘레의 길이 : 6π cm, 넓이 : $(36-9\pi)$ cm²

10

색칠한 부채꼴의 중심각의 크기는 정오각형의 한 내각의 크기와 같으므로

$$\frac{180°\times(5-2)}{5}=108°$$

$$\therefore (넓이)=\pi\times10^2\times\frac{108}{360}=30\pi\ (cm^2)$$

달 ③

11

오른쪽 그림에서 $\overline{PC}=\overline{DC}=2$ cm, $\overline{PB}=\overline{AB}=2$ cm, $\overline{BC}=2$ cm이므로 △PBC는 정삼각형이다.

즉, $\angle PBC=\angle PCB=60°$이므로 $\angle ABP=30°$, $\angle DCP=30°$

이때 $\angle ABP=\angle DCP$이므로 $\overset{\frown}{PA}=\overset{\frown}{PD}$

$\therefore$ (둘레의 길이)

$$=\overset{\frown}{PA}+\overset{\frown}{PD}+\overline{AD}+\overline{PB}+\overline{BC}+\overline{PC}$$

$$=\left(2\pi\times2\times\frac{30}{360}\right)\times2+2\times4$$

$$=\frac{2}{3}\pi+8\ (cm)$$

(넓이)

$$=(정사각형\ ABCD의\ 넓이)-(부채꼴\ ABP의\ 넓이)\times2$$

$$=2^2-\left(\pi\times2^2\times\frac{30}{360}\right)\times2$$

$$=4-\frac{2}{3}\pi\ (cm^2)$$

달 둘레의 길이 : $\left(\frac{2}{3}\pi+8\right)$ cm, 넓이 : $\left(4-\frac{2}{3}\pi\right)$ cm²

12

오른쪽 그림에서 △AOO'은 $\overline{OA}=\overline{AO'}=\overline{OO'}=6$ cm 인 정삼각형이다.

정삼각형의 한 내각의 크기는 60°이므로 색칠한 부분의 둘레의 길이는 중심각의 크기가 60°인 부채꼴의 호의 길이의 4배와 같다.

$$\therefore (둘레의 길이)=\left(2\pi\times6\times\frac{60}{360}\right)\times4=8\pi\ (cm)$$

달 ③

13

부채꼴의 반지름의 길이를 r cm라 하면

$$\frac{1}{2}\times r\times5\pi=15\pi \qquad \therefore r=6$$

부채꼴의 중심각의 크기를 $x°$라 하면

$$2\pi\times6\times\frac{x}{360}=5\pi, \frac{x}{30}\pi=5\pi$$

$$\therefore x=150$$

따라서 부채꼴의 중심각의 크기는 150°이다.

달 150°

14

오른쪽 그림과 같이 점 B에서 $\overline{AC}$에 내린 수선의 발을 H라 하면

$$\triangle AOB=\frac{1}{2}\times\overline{AO}\times\overline{BH}$$

$$=\frac{1}{2}\times\overline{CO}\times\overline{BH}$$

$$=\triangle BOC$$

따라서 색칠한 부분의 넓이는 부채꼴 BOC의 넓이와 같다.

이때 $\angle AOB : \angle BOC=7 : 2$이므로

$$\angle BOC=180°\times\frac{2}{7+2}=180°\times\frac{2}{9}=40°$$

$$\therefore (넓이)=\pi\times9^2\times\frac{40}{360}=9\pi\ (cm^2)$$

달 9π cm²

15

$\overline{OE}$를 긋고, $\angle DOA=\angle x$라 하면

△DOC에서 $\overline{DC}=\overline{DO}$이므로

$$\angle DCO=\angle DOC=\angle x$$

$$\angle ODE=\angle DCO+\angle DOC$$
$$=\angle x+\angle x=2\angle x$$

△ODE에서 $\overline{OD}=\overline{OE}$이므로

$$\angle OED=\angle ODE=2\angle x$$

△COE에서

$$\angle BOE=\angle ECO+\angle OEC$$
$$=\angle x+2\angle x=3\angle x$$

$\overset{\frown}{AD} : \overset{\frown}{BE}=\angle AOD : \angle BOE$이므로

$$5:\overset{\frown}{BE}=\angle x : 3\angle x=1 : 3$$

$$\therefore \overset{\frown}{BE}=15\ (cm)$$

달 15 cm

16

오른쪽 그림에서
(곡선 부분의 길이)

$$=\left(2\pi\times4\times\frac{120}{360}\right)\times3=8\pi\ (\text{cm})$$

(직선 부분의 길이)

$$=3\times8=24\ (\text{cm})$$

$$\therefore (\text{끈의 최소 길이})=8\pi+24\ (\text{cm})$$

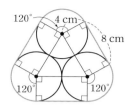

🔖 $(8\pi+24)$ cm

17

색칠한 부분의 넓이는 오른쪽 그림과 같이 반지름의 길이가 5 cm인 반원의 넓이와 같다.

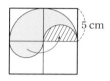

① 한 변의 길이가 10 cm인 정사각형의 넓이에서 반지름의 길이가 5 cm인 원의 넓이를 뺀 값과 같다.

② 반지름의 길이가 5 cm인 반원의 넓이와 같다.

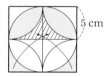

③ 두 변의 길이가 10 cm인 직각이등변삼각형의 넓이와 같다.

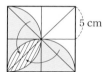

④ 가로의 길이가 10 cm, 세로의 길이가 5 cm인 직사각형의 넓이와 같다.

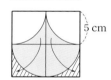

⑤ 한 변의 길이가 10 cm인 정사각형의 넓이에서 반지름의 길이가 5 cm인 원의 넓이를 뺀 값과 같다.

따라서 주어진 그림과 색칠한 부분의 넓이가 같은 것은 ②이다.

🔖 ②

LEVEL 2 필수 기출 문제

→ 59쪽~64쪽

01 1 cm	**02** ①	**03** $(36\pi-72)$ cm²	**04** 45π m²
05 $\left(\dfrac{21}{2}\pi+14\right)$ cm	**06** ⑤	**07** ①	**08** ③	**09** 2π cm²
10 $\dfrac{385}{6}\pi$ cm²	**11** $(12\pi-24)$ cm²	**12** ③	**13** 12π cm²
14 22π cm²	**15** ②	**16** ⑤	**17** $144-50\pi$
18 $(144\pi-288)$ cm²	**19** $(16\pi+140)$ cm²	**20** $\dfrac{26}{3}\pi$ cm
21 ④	**22** $(14\pi+252)$ cm	**23** 99π cm²	**24** $\dfrac{508}{3}\pi$ m²

01

[전략] $\overline{OD}$를 긋고 $\angle BOC$의 크기를 구한다.

오른쪽 그림과 같이 $\overline{OD}$를 긋고, $\overline{OC}$의 연장선이 원 O와 만나는 점을 E라 하자.

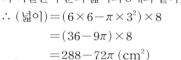

$\triangle COD$에서 $\overline{OC}=\overline{OD}$이므로

$\angle ODC=\angle OCD=15°$

$\overgroup{AC}:\overgroup{BD}=5:4$이므로

$\angle AOC:\angle BOD=5:4$

$\angle AOC=5\angle x$, $\angle BOD=4\angle x$라 하면

$\angle BOE=\angle AOC=5\angle x$ (맞꼭지각)

$\angle DOE=\angle BOE-\angle BOD=5\angle x-4\angle x=\angle x$

이때 $\triangle COD$에서 $\angle x=15°+15°=30°$

$\angle BOE=5\angle x=5\times30°=150°$이므로

$\angle BOC=180°-150°=30°$

$$\therefore \overgroup{BC}=12\times\frac{30}{360}=1\ (\text{cm})$$

🔖 1 cm

02

[전략] 반복되는 부분의 넓이를 먼저 구한다.

주어진 도형의 색칠한 부분의 넓이는 오른쪽 그림의 색칠한 부분의 넓이의 8배와 같다.

$$\therefore (\text{넓이})=(6\times6-\pi\times3^2)\times8$$
$$=(36-9\pi)\times8$$
$$=288-72\pi\ (\text{cm}^2)$$

🔖 ①

03

[전략] 보조선을 그어 넓이를 구할 수 있는 도형으로 나눈다.

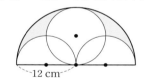 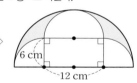

(넓이) $=$ (반지름의 길이가 12 cm인 반원의 넓이)
$\qquad-$ (반지름의 길이가 6 cm인 원의 넓이)
$\qquad-$ (직사각형의 넓이)

$$=\pi\times12^2\times\frac{1}{2}-\pi\times6^2-12\times6$$
$$=72\pi-36\pi-72=36\pi-72\ (\text{cm}^2)$$ 🔖 $(36\pi-72)$ cm²

04

[전략] x초 후에 두 원의 반지름의 길이를 구한다.

두 번째 돌멩이를 던진 후 x초 후에 두 물결이 처음 만난다고 하자.

오른쪽 그림과 같이 두 물결이 그리는 원의 반지름의 길이는 각각 $(x+3)$ m, x m이므로

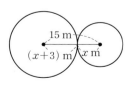

$(x+3)+x=15$, $2x=12$ $\quad\therefore x=6$

두 원의 반지름의 길이는 각각 $6+3=9$ (m), 6 m이므로 두 원의 넓이의 차는

$\pi \times 9^2 - \pi \times 6^2 = 81\pi - 36\pi = 45\pi$ (m²)　　　 **답** 45π m²

05

[전략] 반원과 부채꼴의 넓이의 관계를 이용한다.

색칠한 두 부분의 넓이가 같으므로 반원의 넓이와 부채꼴 AOB의 넓이가 같다.

(반원의 넓이)$= \pi \times 7^2 \times \dfrac{1}{2} = \dfrac{49}{2}\pi$ (cm²)

부채꼴 AOB의 중심각의 크기를 $x°$라 하면

(부채꼴 AOB의 넓이)$= \pi \times 14^2 \times \dfrac{x}{360} = \dfrac{49x}{90}\pi$ (cm²)

$\dfrac{49}{2}\pi = \dfrac{49x}{90}\pi$이므로 $x=45$

$\therefore$ (둘레의 길이)

$\quad =$ (반원의 호의 길이)$+$(부채꼴 AOB의 호의 길이)$+\overline{OA}$

$\quad = 2\pi \times 7 \times \dfrac{1}{2} + 2\pi \times 14 \times \dfrac{45}{360} + 14$

$\quad = \dfrac{21}{2}\pi + 14$ (cm)　　　 **답** $\left(\dfrac{21}{2}\pi + 14\right)$ cm

06

[전략] 비를 이용하여 반지름의 길이와 중심각의 크기를 미지수로 나타낸다.

두 부채꼴 A, B의 반지름의 길이를 각각 $2a$, $3a$ $(a>0)$라 하고, 중심각의 크기를 각각 $5\angle b$, $4\angle b$ $(b>0)$라 하면

(부채꼴 A의 넓이)$= \pi \times (2a)^2 \times \dfrac{5b}{360} = \dfrac{a^2 b}{18}\pi$

(부채꼴 B의 넓이)$= \pi \times (3a)^2 \times \dfrac{4b}{360} = \dfrac{a^2 b}{10}\pi$

따라서 두 부채꼴의 넓이의 비는

$\dfrac{a^2 b}{18}\pi : \dfrac{a^2 b}{10}\pi = 5 : 9$　　　 **답** ⑤

07

[전략] 보조선을 그어 색칠한 부분의 둘레의 길이를 구할 수 있는 부채꼴의 중심각의 크기를 구한다.

오른쪽 그림에서 △ABE와 △FBC는 모두 정삼각형이므로

$\angle ABE = \angle FBC = 60°$

$\angle ABF = \angle EBC = 90° - 60° = 30°$

$\therefore \angle EBF = 90° - 30° - 30° = 30°$

$\therefore \widehat{EF} = 2\pi \times 6 \times \dfrac{30}{360} = \pi$ (cm)

따라서 색칠한 부분의 둘레의 길이는 $\widehat{EF}$의 길이의 4배와 같으므로

(둘레의 길이)$= \pi \times 4 = 4\pi$ (cm)　　　 **답** ①

08

[전략] 도형의 일부분을 옮겨 간단한 도형이 되도록 만든다.

$\overline{OO'} = \overline{OC} = \overline{O'C} = 6$ cm이므로

△COO'은 정삼각형이다.

△AOC와 △BO'C에서

$\angle AOC = \angle BO'C$

$\qquad = 180° - 60° = 120°$

$\therefore$ △AOC $\equiv$ △BO'C (SAS 합동)

△AOC $=$ △BO'C이므로 색칠한 부분의 넓이는 부채꼴 AOC의 넓이와 같다.

$\therefore$ (넓이)$= \pi \times 6^2 \times \dfrac{120}{360} = 12\pi$ (cm²)　　 **답** ③

09

[전략] 부채꼴 AOB와 반원 O'의 넓이의 관계를 이용한다.

색칠한 두 부분의 넓이가 같으므로 부채꼴 AOB의 넓이와 반원 O'의 넓이가 같다.

$\therefore$ (부채꼴 AOB의 넓이)

$\quad =$ (반지름의 길이가 2 cm인 반원의 넓이)

$\quad = \dfrac{1}{2} \times \pi \times 2^2 = 2\pi$ (cm²)　　　 **답** 2π cm²

10

[전략] 부채꼴 AOB의 중심각의 크기를 먼저 구한다.

작은 원의 둘레의 길이는

$2\pi \times 5 = 10\pi$ (cm)

부채꼴 AOB의 중심각의 크기를 $x°$라 하면

$2\pi \times 12 \times \dfrac{x}{360} = 10\pi$, $\dfrac{x}{15}\pi = 10\pi$

$\therefore x = 150$

$\therefore$ (넓이)$= \pi \times 5^2 \times \dfrac{210}{360} + \pi \times 12^2 \times \dfrac{150}{360} - \pi \times 5^2 \times \dfrac{150}{360}$

$\qquad = \dfrac{175}{12}\pi + 60\pi - \dfrac{125}{12}\pi = \dfrac{385}{6}\pi$ (cm²)

답 $\dfrac{385}{6}\pi$ cm²

11

[전략] 색칠한 부분을 두 부분으로 나누어 구한다.

오른쪽 그림에서

(①의 넓이)

$\quad =$ (부채꼴 BCE의 넓이)

$\qquad -$ (삼각형 EBC의 넓이)

$\quad = \pi \times 4^2 \times \dfrac{90}{360} - \dfrac{1}{2} \times 4 \times 4 = 4\pi - 8$ (cm²)

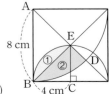

(②의 넓이)
$= ($부채꼴 BAD의 넓이$) - ($삼각형 ABE의 넓이$)$
$= \pi \times 8^2 \times \dfrac{45}{360} - \dfrac{1}{2} \times 8 \times 4 = 8\pi - 16 \ (\text{cm}^2)$
$\therefore \ ($넓이$) = ($①의 넓이$) + ($②의 넓이$)$
$\qquad\qquad = (4\pi - 8) + (8\pi - 16) = 12\pi - 24 \ (\text{cm}^2)$

답 $(12\pi - 24) \ \text{cm}^2$

12

[전략] 넓이가 같은 부분을 이용한다.

오른쪽 그림과 같이 이동하면 색칠한 부분의
넓이는 반지름의 길이가 8 cm이고 중심각
의 크기가 60°인 부채꼴 3개의 넓이와 같다.

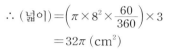

$\therefore \ ($넓이$) = \left(\pi \times 8^2 \times \dfrac{60}{360} \right) \times 3$
$\qquad\qquad = 32\pi \ (\text{cm}^2)$

답 ③

13

[전략] $\overline{OC}$, $\overline{OD}$를 그어 합동인 두 삼각형을 찾는다.

오른쪽 그림과 같이 $\overline{OC}$, $\overline{OD}$를 긋고,
$\overline{CE}$와 $\overline{OD}$의 교점을 G라 하자.
$\overparen{AC} = \overparen{CD} = \overparen{DB}$이므로
$\angle AOC = \angle COD = \angle DOB$
$\qquad = 90° \times \dfrac{1}{3} = 30°$

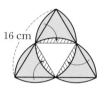

$\triangle COE$와 $\triangle ODF$에서
$\overline{OC} = \overline{OD} = 12 \ \text{cm}$
$\angle ODF = 180° - (90° + 30°) = 60° = \angle COE$
$\angle OCE = 180° - 60° - 90° = 30° = \angle DOF$
$\therefore \ \triangle COE \equiv \triangle ODF \ (\text{ASA 합동})$
$\triangle COE = \triangle ODF$이므로
$\triangle COE - \triangle GOE = \triangle ODF - \triangle GOE$에서
$\triangle COG$와 사각형 GEFD의 넓이는 같다.
$\therefore \ ($넓이$) = ($부채꼴 COD의 넓이$)$
$\qquad\qquad = \pi \times 12^2 \times \dfrac{30}{360} = 12\pi \ (\text{cm}^2)$

답 $12\pi \ \text{cm}^2$

14

[전략] 도형의 일부분을 옮겨 간단한 도형이 되도록 만든다.

$\triangle ABD$와 $\triangle ACE$에서
$\overline{AB} = \overline{AC}$, $\overline{AD} = \overline{AE}$
$\angle BAD = 60° - \angle CAD = \angle CAE$
$\therefore \ \triangle ABD \equiv \triangle ACE \ (\text{SAS 합동})$
$\triangle ABD = \triangle ACE$이므로
$($넓이$) = \pi \times 14^2 \times \dfrac{60}{360} - \pi \times 8^2 \times \dfrac{60}{360}$
$\qquad\quad = \dfrac{98}{3}\pi - \dfrac{32}{3}\pi = 22\pi \ (\text{cm}^2)$

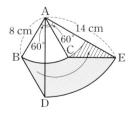

답 $22\pi \ \text{cm}^2$

15

[전략] 보조선을 그어 넓이가 같은 삼각형을 찾는다.

오른쪽 그림과 같이 $\overline{DB'}$을 그으면
$\triangle BDC$와 $\triangle B'DC'$에서
$\overline{BD} = \overline{B'D}$, $\overline{DC} = \overline{DC'}$,
$\angle BDC = \angle B'DC' = 45°$
$\therefore \ \triangle BDC \equiv \triangle B'DC' \ (\text{SAS 합동})$
$\triangle BDC = \triangle B'DC'$이고 $\angle BDA' = 45° - 15° = 30°$이므로
$\angle BDB' = \angle BDA' + \angle A'DB'$
$\qquad\qquad = 30° + 45° = 75°$
$\therefore \ ($넓이$) = \pi \times 12^2 \times \dfrac{75}{360} = 30\pi \ (\text{cm}^2)$

답 ②

16

[전략] 부채꼴의 넓이와 삼각형의 넓이의 합, 차를 이용한다.

오른쪽 그림과 같이 $\overline{A'C}$, $\overline{F'C}$, $\overline{FC}$를
그으면
$\triangle FAC$와 $\triangle F'A'C$에서
$\overline{FC} = \overline{F'C}$, $\overline{AF} = \overline{A'F'}$, $\overline{AC} = \overline{A'C}$
$\therefore \ \triangle FAC \equiv \triangle F'A'C \ (\text{SSS 합동})$
$\triangle FAC = \triangle F'A'C$이므로
$($넓이$)$
$= ($부채꼴 F'CF의 넓이$) + \triangle F'A'C$
$\quad - ($부채꼴 A'CA의 넓이$) - \triangle FAC$
$= ($부채꼴 F'CF의 넓이$) - ($부채꼴 A'CA의 넓이$)$
$= \pi \times 8^2 \times \dfrac{60}{360} - 48\pi \times \dfrac{60}{360}$
$= \dfrac{32}{3}\pi - 8\pi = \dfrac{8}{3}\pi \ (\text{cm}^2)$

답 ⑤

17

[전략] $S_1 + S_3$의 넓이를 구하는 방법을 이용한다.

$S_1 + S_3 = ($정사각형의 넓이$)$
$\qquad\qquad - ($반지름의 길이가 10 cm인 사분원의 넓이$) \times 2 + S_2$
이므로
$S_1 - S_2 + S_3$
$= ($정사각형의 넓이$)$
$\quad - ($반지름의 길이가 10 cm인 사분원의 넓이$) \times 2$
$= 12^2 - \left(\pi \times 10^2 \times \dfrac{90}{360} \right) \times 2$
$= 144 - 50\pi$

답 $144 - 50\pi$

쌤의 만점 특강

그림에서 쉽게 넓이를 구할 수 있는 도형은 한 변의 길이가 12 cm인 정사각형
과 반지름의 길이가 10 cm인 두 사분원이다.
색칠한 부분의 넓이를 각각 구하지 않고, $S_1 - S_2 + S_3$의 값을 위의 정사각형
과 사분원의 넓이 사이의 관계를 이용한 식으로 나타낸다.

18

[전략] 색칠한 부분의 일부를 이동하여 넓이를 구한다.

오른쪽 그림과 같이 선을 그으면 부채꼴의 넓이에서 삼각형의 넓이를 뺀 부분이 8개임을 알 수 있다.

이때 오른쪽 그림에서 색칠한 부분의 넓이는

$$\pi \times 12^2 \times \frac{45}{360} - \frac{1}{2} \times 12 \times 6$$
$$= 18\pi - 36 \, (\text{cm}^2)$$

따라서 구하는 넓이는

$$(18\pi - 36) \times 8 = 144\pi - 288 \, (\text{cm}^2)$$

🖪 $(144\pi - 288) \, \text{cm}^2$

19

[전략] 원이 지나간 자리를 그려 본다.

원이 지나간 자리는 오른쪽 그림의 색칠한 부분과 같다.

정오각형의 한 내각의 크기는

$$\frac{180° \times (5-2)}{5} = 108°$$이므로

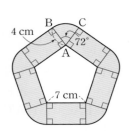

$$\angle BAC = 360° - (108° + 90° + 90°)$$
$$= 72°$$

(부채꼴 부분의 넓이) $= \left(\pi \times 4^2 \times \frac{72}{360}\right) \times 5 = 16\pi \, (\text{cm}^2)$

(직사각형 부분의 넓이) $= (7 \times 4) \times 5 = 140 \, (\text{cm}^2)$

∴ (넓이) $= 16\pi + 140 \, (\text{cm}^2)$

🖪 $(16\pi + 140) \, \text{cm}^2$

> **쌤의 특강**
>
> 원이 지나간 자리는 부채꼴인 부분과 직사각형인 부분으로 나눌 수 있다. 그 부채꼴들은 반지름의 길이가 같으며 중심각의 크기의 합이 360°가 됨을 확인한다.

20

[전략] 점 B가 움직인 거리를 두 부분으로 나누어 구한다.

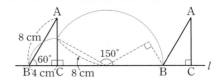

위의 그림에서

(점 B가 움직인 거리) $= 2\pi \times 4 \times \frac{90}{360} + 2\pi \times 8 \times \frac{150}{360}$

$$= 2\pi + \frac{20}{3}\pi = \frac{26}{3}\pi \, (\text{cm})$$

🖪 $\frac{26}{3}\pi \, \text{cm}$

21

[전략] 점 A가 움직인 거리를 부분으로 나누어 구한다.

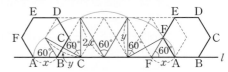

위의 그림에서

(점 A가 움직인 거리) $= 2\pi \times x \times \frac{60}{360} + 2\pi \times y \times \frac{60}{360}$

$$\qquad + 2\pi \times 2x \times \frac{60}{360} + 2\pi \times y \times \frac{60}{360}$$

$$\qquad + 2\pi \times x \times \frac{60}{360}$$

$$= \frac{x}{3}\pi + \frac{y}{3}\pi + \frac{2x}{3}\pi + \frac{y}{3}\pi + \frac{x}{3}\pi$$

$$= \frac{4x + 2y}{3}\pi$$

🖪 ④

> **쌤의 만점 특강**
>
> 점 A는 움직이면서 부채꼴의 호를 그리게 된다.
>
> 점 A가 그리는 서로 다른 호의 중심각의 크기는 항상 60°이다. 이때 부채꼴의 반지름의 길이는 움직이는 점과 회전의 중심이 되는 점 사이의 거리를 체크하여 구한다.

22

[전략] 끈의 모양을 곡선 부분과 직선 부분으로 나누어 생각한다.

원 모양의 통나무 18개의 중점을 연결하면 정십팔각형이 된다.

정십팔각형의 한 내각의 크기는

$$\frac{180° \times (18-2)}{18} = 160°$$이므로

$$\angle BAC$$
$$= 360° - (160° + 90° + 90°)$$
$$= 20°$$

(곡선 부분의 길이) $= \left(2\pi \times 7 \times \frac{20}{360}\right) \times 18 = 14\pi \, (\text{cm})$

(직선 부분의 길이) $= 14 \times 18 = 252 \, (\text{cm})$

∴ (끈의 최소 길이) $= 14\pi + 252 \, (\text{cm})$

🖪 $(14\pi + 252) \, \text{cm}$

23

[전략] 각 부채꼴의 중심각의 크기와 반지름의 길이를 알아본다.

정오각형의 한 외각의 크기는 $\frac{360°}{5} = 72°$이므로

$$\angle EAF = \angle FBG = \angle GCH = \angle HDI = \angle IEJ = 72°$$

또, $\overline{AF} = \overline{AE} = 3 \, \text{cm}$

$$\overline{BG} = \overline{BF} = 3 + 3 = 6 \, (\text{cm})$$
$$\overline{CH} = \overline{CG} = 3 + 6 = 9 \, (\text{cm})$$
$$\overline{DI} = \overline{DH} = 3 + 9 = 12 \, (\text{cm})$$
$$\overline{EJ} = \overline{EI} = 3 + 12 = 15 \, (\text{cm})$$

따라서 색칠한 부분의 넓이는

$$\pi \times 3^2 \times \frac{72}{360} + \pi \times 6^2 \times \frac{72}{360} + \pi \times 9^2 \times \frac{72}{360}$$

$$\qquad + \pi \times 12^2 \times \frac{72}{360} + \pi \times 15^2 \times \frac{72}{360}$$

$$= \frac{9}{5}\pi + \frac{36}{5}\pi + \frac{81}{5}\pi + \frac{144}{5}\pi + 45\pi$$

$$= 99\pi \, (\text{cm}^2)$$

🖪 $99\pi \, \text{cm}^2$

24

[**전략**] 소가 움직일 수 있는 영역을 그려 본다.

$10 \times \dfrac{3}{3+2} = 10 \times \dfrac{3}{5} = 6 \, (m)$,

$10 \times \dfrac{2}{3+2} = 10 \times \dfrac{2}{5} = 4 \, (m)$이고, 정육

각형의 한 외각의 크기는 $\dfrac{360°}{6} = 60°$이

므로 소가 움직일 수 있는 영역은 오른쪽

그림의 색칠한 부분과 같다.

따라서 소가 움직일 수 있는 영역의 최대 넓이는

$\pi \times 10^2 \times \dfrac{60}{360} + \pi \times 16^2 \times \dfrac{180}{360} + \pi \times 12^2 \times \dfrac{60}{360} + \pi \times 2^2 \times \dfrac{60}{360}$

$= \dfrac{50}{3}\pi + 128\pi + 24\pi + \dfrac{2}{3}\pi$

$= \dfrac{508}{3}\pi \, (m^2)$

답 $\dfrac{508}{3}\pi \, m^2$

LEVEL 3 최고난도 문제

→65쪽

01 10 cm	**02** $(96-24\pi)$ cm²	**03** 16π cm
04 24π cm		

01 solution 미리 보기

step ❶	삼각형의 내각의 크기의 합을 이용하여 ∠OAB, ∠OBC, ∠OCA의 크기의 합 구하기
step ❷	세 각의 크기의 비를 이용하여 ∠OAB, ∠OBC, ∠OCA의 크기 각각 구하기
step ❸	△OAB, △OAC가 이등변삼각형임을 이용하여 부채꼴 AOB, 부채꼴 AOC의 중심각의 크기 구하기
step ❹	$\widehat{AC}$의 길이 구하기

$\overline{OA} = \overline{OB} = \overline{OC}$이므로 △OAB, △OBC, △OCA는 이등변삼각형이다.

△ABC에서 삼각형의 내각의 크기의 합은 180°이므로

$2(\angle OAB + \angle OBC + \angle OCA) = 180°$

$\therefore \angle OAB + \angle OBC + \angle OCA = 90°$ ·········· ❶

이때 ∠OAB : ∠OBC : ∠OCA = 3 : 2 : 1이므로

$\angle OAB = 90° \times \dfrac{3}{3+2+1} = 90° \times \dfrac{3}{6} = 45°$

$\angle OBC = 90° \times \dfrac{2}{3+2+1} = 90° \times \dfrac{2}{6} = 30°$

$\angle OCA = 90° \times \dfrac{1}{3+2+1} = 90° \times \dfrac{1}{6} = 15°$ ·········· ❷

$\angle AOB = 180° - 2 \times 45° = 90°$,

$\angle AOC = 180° - 2 \times 15° = 150°$ ·········· ❸

$\widehat{AB} : \widehat{AC} = 90 : 150$이므로 6 : $\widehat{AC} = 3 : 5$

$3\widehat{AC} = 30$ $\therefore \widehat{AC} = 10 \, (cm)$ ·········· ❹

답 10 cm

02 solution 미리 보기

step ❶	①의 넓이 구하기
step ❷	②의 넓이 구하기
step ❸	색칠한 부분의 넓이 구하기

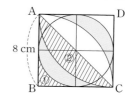

(①의 넓이)

$=$ (한 변의 길이가 4 cm인 정사각형의 넓이)

   $-$ (반지름의 길이가 4 cm인 사분원의 넓이)

$= 4^2 - \pi \times 4^2 \times \dfrac{1}{4}$

$= 16 - 4\pi \, (cm^2)$ ·········· ❶

(②의 넓이)

$=$ (부채꼴 ADC의 넓이) $- △ADC$

$= \pi \times 8^2 \times \dfrac{1}{4} - \dfrac{1}{2} \times 8 \times 8$

$= 16\pi - 32 \, (cm^2)$ ·········· ❷

∴ (색칠한 부분의 넓이)

$= \{△ABC - (①의 넓이) - (②의 넓이)\} \times 2$

$= \left\{ \dfrac{1}{2} \times 8 \times 8 - (16 - 4\pi) - (16\pi - 32) \right\} \times 2$

$= 96 - 24\pi \, (cm^2)$ ·········· ❸

답 $(96-24\pi)$ cm²

03 solution 미리 보기

step ❶	△ABC를 네 바퀴 굴려서 원래 위치로 돌아올 때 원에 내접하는 정십이각형이 만들어짐을 확인하기
step ❷	△ABC를 한 바퀴 굴릴 때 점 A가 움직인 거리 구하기
step ❸	△ABC를 네 바퀴 굴릴 때 점 A가 움직인 거리 구하기

△ABC를 원 O의 내부에서 한 바퀴 굴릴 때마다 원에 내접하는 변 3개를 만들므로 네 바퀴 굴리면 원에 내접하는 변 12개가 만들어진다.

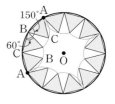

따라서 원에 내접하는 정십이각형이 만들어진다. ·········· ❶

정십이각형의 한 내각의 크기는 $\dfrac{180° \times (12-2)}{12} = 150°$이므로

△ABC를 한 바퀴 굴릴 때 점 A가 만드는 호 1개의 중심각의 크기는 $150° - 60° = 90°$

△ABC를 한 바퀴 굴릴 때 점 A가 움직인 거리는

$\left(2\pi \times 4 \times \dfrac{90}{360}\right) \times 2 = 4\pi$ (cm) ·············· ❷

따라서 점 A가 움직인 거리는

$4 \times 4\pi = 16\pi$ (cm) ·············· ❸

📋 16π cm

04 solution 미리 보기

step ❶	반원 O의 중심이 그리는 도형 나타내기
step ❷	반원 O의 중심이 움직인 거리 구하기

반원 O의 중심이 그리는 도형은 다음 그림과 같다.

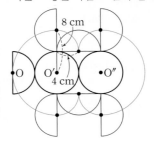

·············· ❶

∴ (움직인 거리)

$= \left(2\pi \times 8 \times \dfrac{1}{2}\right) \times 2 + \left(2\pi \times 4 \times \dfrac{1}{4}\right) \times 4$

$= 16\pi + 8\pi = 24\pi$ (cm) ·············· ❷

📋 24π cm

III. 입체도형

06. 다면체와 회전체

LEVEL 1 시험에 꼭 내는 문제
→ 70쪽~72쪽

01 오각기둥, 육각뿔, 오각뿔대		02 ③	03 칠각뿔대	04 ③
05 7	06 ㄷ, ㄹ	07 꼭짓점의 개수 : 20, 모서리의 개수 : 30		
08 ③	09 ②	10 ④	11 ③, ⑤	12 50 cm² 13 ④
14 ④	15 6	16 팔각뿔대	17 4π cm	

01

각 입체도형의 면의 개수를 구하면 다음과 같다.

사각기둥 : $4 + 2 = 6$

오각기둥 : $5 + 2 = 7$

육각기둥 : $6 + 2 = 8$

사각뿔 : $4 + 1 = 5$

오각뿔 : $5 + 1 = 6$

육각뿔 : $6 + 1 = 7$

원뿔 : 다면체가 아니다.

사각뿔대 : $4 + 2 = 6$

오각뿔대 : $5 + 2 = 7$

육각뿔대 : $6 + 2 = 8$

따라서 칠면체는 오각기둥, 육각뿔, 오각뿔대이다.

📋 오각기둥, 육각뿔, 오각뿔대

02

입체도형	밑면의 모양	옆면의 모양
① 삼각뿔대	삼각형	사다리꼴
② 사각뿔	사각형	삼각형
④ 육각뿔대	육각형	사다리꼴
⑤ 칠각기둥	칠각형	직사각형

📋 ③

03

조건 (나), (다)에서 구하는 입체도형은 각뿔대이다.

조건 (가)에서 면의 개수가 9이므로

구하는 입체도형을 n각뿔대라 하면

$n + 2 = 9$ ∴ $n = 7$

따라서 구하는 입체도형은 칠각뿔대이다.

📋 칠각뿔대

04

① $3 + 2 = 5$ ② $3 \times 4 = 12$

③ $5 + 1 = 6$ ④ $6 + 2 = 8$

⑤ $2 \times 7 = 14$

따라서 그 값이 두 번째로 작은 것은 ③이다.

📋 ③

05

주어진 각기둥을 n각기둥이라 하면

모서리의 개수는 $3n$이므로

$3n=27$ ∴ $n=9$

즉, 주어진 각기둥은 구각기둥이므로

꼭짓점의 개수는 $2\times9=18$ ∴ $a=18$

면의 개수는 $9+2=11$ ∴ $b=11$

∴ $a-b=18-11=7$ 답 7

06

ㄱ. 정다면체는 정사면체, 정육면체, 정팔면체, 정십이면체, 정이십면체의 5가지뿐이다.

ㄴ. 정사면체 두 개를 이어 붙인 다면체는 모든 면이 정삼각형이지만 정다면체가 아니다.

ㄹ. 정육면체의 꼭짓점의 개수는 8, 모서리의 개수는 12이므로 그 합은 $8+12=20$

ㅁ. 한 꼭짓점에 5개의 면이 모이는 정다면체는 정이십면체이다.

따라서 옳은 것은 ㄷ, ㄹ이다. 답 ㄷ, ㄹ

07

주어진 전개도로 만들어지는 정다면체는 정십이면체이므로 꼭짓점의 개수는 20, 모서리의 개수는 30이다.

답 꼭짓점의 개수 : 20, 모서리의 개수 : 30

08

③ 평면도형이 회전축에서 떨어져 있으므로 오른쪽 그림과 같이 가운데가 빈 회전체가 만들어진다.

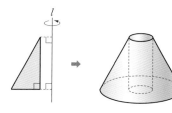

답 ③

09

② 반구 − 반원 답 ②

10

④ 주어진 평면도형을 직선 l을 축으로 하여 1회전 시키면 오른쪽 그림과 같은 회전체가 생긴다.

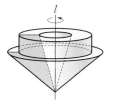

답 ④

11

① 회전체는 원기둥, 원뿔, 원뿔대, 구 이외에도 다음 그림과 같이 여러 가지가 있다.

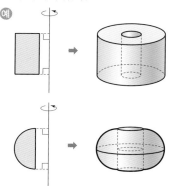

② 회전축에 수직인 평면으로 자른 단면은 모두 원이지만 항상 합동은 아니다.

④ 구를 회전축에 평행한 평면으로 자른 단면은 원이다. 답 ③, ⑤

12

회전체는 오른쪽 그림과 같으므로 회전체를 회전축을 포함하는 평면으로 자른 단면의 넓이는

$2\times\left\{\dfrac{1}{2}\times(3+7)\times5\right\}=50\,(\mathrm{cm}^2)$

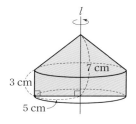

답 $50\,\mathrm{cm}^2$

13

색칠한 밑면의 둘레의 길이는 전개도에서 $\overset{\frown}{\mathrm{CD}}$의 길이와 같다. 답 ④

14

원기둥을 실로 팽팽하게 두 바퀴 감으므로 모선 AB의 중점을 M이라 하면 실의 경로는 점 A에서 점 M까지, 점 M에서 점 B까지 각각 직선으로 나타난다.

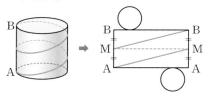

따라서 실의 경로를 전개도 위에 바르게 나타낸 것은 ④이다. 답 ④

15

$v=9$, $e=14$, $f=7$이므로

$3v-2e+f=3\times9-2\times14+7=6$ 답 6

16

구하는 각뿔대를 n각뿔대라 하면 n각뿔대의 면의 개수는 $n+2$, 꼭짓점의 개수는 $2n$, 모서리의 개수는 $3n$이다.

이때 각뿔대의 면의 개수, 꼭짓점의 개수, 모서리의 개수를 모두 합하면 50이므로

$(n+2)+2n+3n=50$

$6n=48$ $\therefore n=8$

따라서 구하는 각뿔대는 팔각뿔대이다. 📋 팔각뿔대

17

회전축에 수직인 평면으로 잘라서 생긴 단면은 반지름의 길이가 8 cm인 원이므로 그 넓이는

$\pi \times 8^2 = 64\pi \ (\text{cm}^2)$

회전축을 포함하는 평면으로 잘라서 생긴 단면은 가로의 길이가 16 cm인 직사각형이므로 원기둥의 높이를 h cm라 하면 그 넓이는

$16 \times h = 16h \ (\text{cm}^2)$

이때 두 단면의 넓이가 같으므로

$16h = 64\pi$

$\therefore h = 4\pi$

따라서 원기둥의 높이는 4π cm이다. 📋 4π cm

LEVEL 2 필수 기출 문제
→73쪽~78쪽

01 십면체	02 57	03 ㄱ, ㄷ	04 사각뿔대
05 ①, ④	06 면 A : 8, 면 B : 3		07 ①, ④
08 점 C, 점 J	09 4개	10 14	11 30	12 182	13 정팔면체
14 ②, ⑤	15 ⑤	16 ③	17 ④	18 120π cm²
19 15	20 135°	21 $(36\pi-72)$ cm²	22 $(22\pi+12)$ cm
23 15			

01

[전략] 먼저 밑면의 다각형을 구한다.

주어진 각기둥의 밑면을 n각형이라 하면

$180° \times (n-2) = 1080°$

$n-2=6$ $\therefore n=8$

즉, 팔각형을 밑면으로 하는 각기둥은 팔각기둥이고, 팔각기둥의 면은 $8+2=10$(개)이므로 십면체이다. 📋 십면체

쌤의 복합 개념 특강

다각형의 내각의 크기의 합

n각형의 한 꼭짓점에서 대각선을 모두 그으면 n각형이 $(n-2)$개의 삼각형으로 나누어지므로 n각형의 내각의 크기의 합은

$180° \times (n-2)$

02

[전략] 각 입체도형의 면, 꼭짓점, 모서리의 개수를 차례로 구한다.

$a=8+1=9$

$b=2 \times 9=18$

$c=3 \times 10=30$

$\therefore a+b+c=9+18+30=57$ 📋 57

03

[전략] 정삼각형의 꼭짓점의 개수와 변의 개수는 각각 3, 정사각형의 꼭짓점의 개수와 변의 개수는 각각 4임을 이용한다.

ㄱ. 각 꼭짓점에 모인 면은 정삼각형 2개, 정사각형 2개로 4개이다.

ㄴ. 정삼각형 8개의 꼭짓점의 개수는 $3 \times 8=24$

정사각형 6개의 꼭짓점의 개수는 $4 \times 6=24$

한 꼭짓점에 4개의 면이 모이므로 주어진 입체도형의 꼭짓점의 개수는 $\dfrac{24+24}{4}=12$

ㄷ. 정삼각형 8개의 변의 개수는 $3 \times 8=24$

정사각형 6개의 변의 개수는 $4 \times 6=24$

한 모서리에 2개의 면이 모이므로 주어진 입체도형의 모서리의 개수는 $\dfrac{24+24}{2}=24$

따라서 옳은 것은 ㄱ, ㄷ이다. 📋 ㄱ, ㄷ

04

[전략] 주어진 도형으로 입체도형을 만든다.

주어진 다각형으로 만든 다면체는 오른쪽 그림과 같이 삼각뿔과 삼각기둥이 붙어 있는 모양이다.

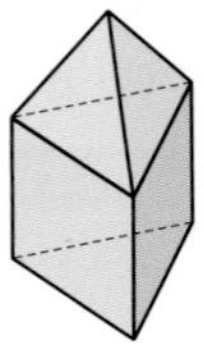

이 다면체의 면의 개수는 7, 꼭짓점의 개수는 7이므로 그 합은 $7+7=14$

구하는 각뿔대를 n각뿔대라 하면

면의 개수는 $n+2$, 꼭짓점의 개수는 $2n$이므로

$(n+2)+2n=14$

$3n=12$ $\therefore n=4$

따라서 구하는 각뿔대는 사각뿔대이다. 📋 사각뿔대

05

[전략] 정다면체를 평면으로 자른 입체도형을 생각해 본다.

① 정사면체는 삼각뿔이므로 밑면에 평행한 한 평면으로 자르면 삼각뿔대를 만들 수 있다.

④ 정십이면체의 한 면에 평행한 한 평면으로 잘라서 생기는 두 다

면체 중 부피가 같거나, 작은 쪽의 다면체는 오각뿔대이다.

🔑 ①, ④

06

[전략] 먼저 평행한 면에 적힌 수의 합을 구한다.

주어진 전개도로 정팔면체 모양의 주사위를 만들
면 오른쪽 그림과 같다.

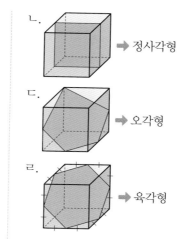

따라서 평행한 면에 적힌 수의 합은 $5+4=9$로
일정하므로

(면 A에 적힌 수)$+1=9$ ∴ (면 A에 적힌 수)$=8$

(면 B에 적힌 수)$+6=9$ ∴ (면 B에 적힌 수)$=3$

🔑 면 A : 8, 면 B : 3

07

[전략] 주어진 전개도로 만들어지는 입체도형을 그려 본다.

주어진 전개도로 만들어지는 정다면체
는 오른쪽 그림과 같은 정팔면체이다.
이때 $\overline{AB}$와 꼬인 위치에 있는 모서리
는 $\overline{CE}, \overline{CF}, \overline{EH}, \overline{FH}$이다.

🔑 ①, ④

┌─ **쌤의 복합 개념 특강** ─────────────
│ **꼬인 위치**
│ 공간에서 서로 만나지도 않고 평행하지도 않은 두 직선의 위치 관계를 꼬인 위
│ 치라 한다.
└──────────────────────────────

08

[전략] 주어진 전개도로 만들어지는 입체도형을 그려 본다.

주어진 전개도로 만들어지는 정다면체는 다음 그림과 같은 정이십
면체이다.

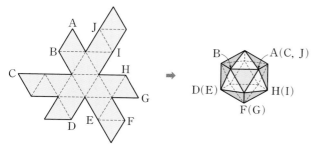

이때 꼭짓점 A와 만나는 점은 점 C, 점 J이다.   🔑 점 C, 점 J

09

[전략] 정육면체에서 나올 수 있는 단면을 모두 만들어 본다.

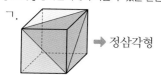

ㄱ. → 정삼각형

ㄴ. → 정사각형

ㄷ. → 오각형

ㄹ. → 육각형

따라서 단면의 모양이 될 수 있는 것은 ㄱ, ㄴ, ㄷ, ㄹ의 4개이다.

🔑 4개

참고 이 외에도 정육면체를 평면으로 자른 단면은 다음과 같다.

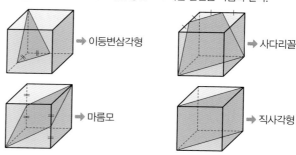

→ 이등변삼각형   → 사다리꼴

→ 마름모   → 직사각형

10

[전략] 전개도로 만들어지는 정육면체를 그려 본다.

주어진 전개도로 정육면체를 만들면 오른
쪽 그림과 같다.
네 개의 점 A, B, C, D를 지나는 평면으로
정육면체를 자를 때 생기는 두 입체도형은
각각 꼭짓점이 7개, 7개이므로 꼭짓점의 개
수의 합은 $7+7=14$

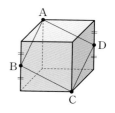

🔑 14

다른 풀이

정육면체의 꼭짓점의 개수는 8개이며 네 개의 점 A, B, C, D를 지
나는 평면으로 정육면체를 자르면 원래의 정육면체의 꼭짓점 8개
이외에 두 점 B, D가 각각 두 입체도형의 새로운 꼭짓점이 되고 두
점 A, C는 두 입체도형의 꼭짓점에 모두 포함되므로 두 입체도형
의 꼭짓점의 개수의 합은 $8+2\times2+2=14$

11

[전략] 처음 정다면체의 면의 개수와 새로 만든 정다면체의 꼭짓점의 개수가 같음
을 이용한다.

정십이면체의 면의 개수는 12이므로 각 면의 한가운데에 있는 점
을 연결하여 만든 정다면체는 꼭짓점의 개수가 12인 정다면체, 즉
정이십면체이다.

따라서 정이십면체의 모서리의 개수는 30이다.   🔑 30

정다면체의 쌍대

정다면체의 각 면의 한가운데 점을 연결하면 또 하나의 정다면체를 만들 수 있다. 이때 바깥쪽 정다면체의 각 면의 한가운데 점을 연결하였으므로

(바깥쪽 정다면체의 면의 개수)=(안쪽 정다면체의 꼭짓점의 개수)

이와 같이 정다면체가 쌍을 이루는 것을 정다면체의 쌍대라 한다.

 →

12

[전략] 정오각형의 꼭짓점의 개수와 변의 개수는 각각 5, 정육각형의 꼭짓점의 개수와 변의 개수는 각각 6임을 이용한다.

축구공 모양의 다면체는 정오각형 12개, 정육각형 20개로 이루어져 있다.

즉, 면의 개수는 12+20=32

정오각형 12개의 변의 개수는 5×12=60

정육각형 20개의 변의 개수는 6×20=120

한 모서리에 2개의 면이 모이므로 주어진 입체도형의 모서리의 개수는 $\dfrac{60+120}{2}=90$

정오각형 12개의 꼭짓점의 개수는 5×12=60

정육각형 20개의 꼭짓점의 개수는 6×20=120

한 꼭짓점에 3개의 면이 모이므로 주어진 입체도형의 꼭짓점의 개수는 $\dfrac{60+120}{3}=60$

따라서 축구공 모양의 다면체의 면의 개수, 모서리의 개수, 꼭짓점의 개수의 합은

32+90+60=182 　　　　　　　　　　　**답 182**

다른 풀이

축구공 모양의 다면체의 면의 개수는 정이십면체의 꼭짓점의 개수와 면의 개수의 합과 같으므로 12+20=32

축구공 모양의 다면체의 모서리의 개수는

(정이십면체의 모서리의 개수)+(꼭짓점의 개수)×5

=30+12×5=90

축구공 모양의 다면체의 꼭짓점의 개수는

$\dfrac{(축구공\ 모양의\ 다면체의\ 모서리의\ 개수)×2}{3}=\dfrac{90×2}{3}=60$

따라서 축구공 모양의 다면체의 면의 개수, 모서리의 개수, 꼭짓점의 개수의 합은

32+90+60=182

13

[전략] 다면체의 면과 꼭짓점, 모서리의 개수 사이의 관계를 이용한다.

$4v=3f$에서 $v=\dfrac{3}{4}f$

$2e=3f$에서 $e=\dfrac{3}{2}f$

$v-e+f=2$에 $v=\dfrac{3}{4}f$, $e=\dfrac{3}{2}f$를 대입하면

$\dfrac{3}{4}f-\dfrac{3}{2}f+f=2$

$\dfrac{1}{4}f=2$ 　　∴ $f=8$

따라서 면이 8개인 정다면체는 정팔면체이다. 　　**답 정팔면체**

14

[전략] 각 변을 회전축으로 하여 평면도형을 1회전 시킬 때 생기는 회전체를 그려 본다.

각 변을 회전축으로 하여 1회전 시킬 때 생기는 회전체는 다음과 같다.

(i) $\overline{AB}$를 회전축으로 할 때

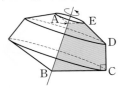

(ii) $\overline{BC}$를 회전축으로 할 때

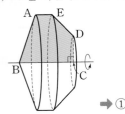

➡ ①

(iii) $\overline{DC}$를 회전축으로 할 때

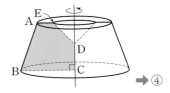

➡ ④

(iv) $\overline{ED}$를 회전축으로 할 때

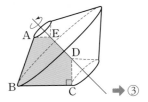

➡ ③

(v) $\overline{AE}$를 회전축으로 할 때

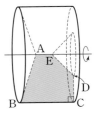

답 ②, ⑤

15

[전략] 주어진 도형을 직선 l을 축으로 하여 1회전 시킬 때 생기는 도형을 그려 본다.

주어진 도형을 직선 l을 축으로 하여 1회전 시키면 오른쪽 그림과 같은 회전체가 생긴다.
회전체의 아랫부분은 원기둥 모양이고, 윗부분은 원뿔대 모양이다.
일정한 속력으로 물을 채울 때, 폭이 일정한 부분에서는 물의 높이가 일정하게 증가하고, 폭이 좁아지는 부분에서는 물의 높이가 점점 빠르게 증가한다.
따라서 그래프로 알맞은 것은 ⑤이다.　　　　　답 ⑤

16

[전략] 주어진 도형을 직선 l을 회전축으로 하여 1회전 시킬 때 생기는 회전체를 그려 본다.

직사각형을 대각선을 지나는 직선 l을 축으로 하여 1회전 시킬 때 생기는 회전체는 오른쪽 그림과 같다.

답 ③

17

[전략] 회전체를 먼저 그려 본다.

주어진 평면도형을 직선 l을 회전축으로 하여 1회전 시킬 때 생기는 회전체는 원뿔대이다.

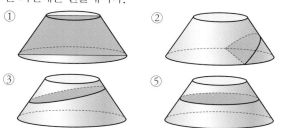

따라서 회전체를 한 평면으로 자를 때 생기는 단면의 모양이 아닌 것은 ④이다.　　　　　답 ④

18

[전략] 회전체의 모양을 생각해 보고 단면을 그려 본다.

정사각형의 대각선의 교점 O를 지나면서 회전축에 수직인 평면으로 자른 단면은 오른쪽 그림과 같다.
따라서 구하는 단면의 넓이는
$\pi \times 13^2 - \pi \times 7^2 = 169\pi - 49\pi$
$\qquad = 120\pi \, (\text{cm}^2)$

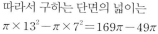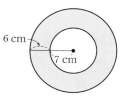

답 $120\pi \, \text{cm}^2$

19

[전략] 조건에 맞게 단면을 그려 본다.

회전축에 수직인 평면으로 자를 때 생기는 단면의 넓이가 가장 작은 경우는 오른쪽 그림과 같이 자를 때이다.
이때 단면인 원의 반지름의 길이는 1 cm이므로 구하는 단면의 넓이는
$\pi \times 1^2 = \pi \, (\text{cm}^2)$
$\therefore a = 1$

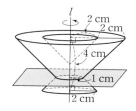

회전축을 포함하는 평면으로 자를 때 생기는 단면은 오른쪽 그림과 같으므로 단면의 넓이는
(평행사변형의 넓이)$\times 2$
$\quad$ $-$(마름모의 넓이)
$= 4 \times 2 \times 2 - 2 \times 2 \div 2$
$= 16 - 2 = 14 \, (\text{cm}^2)$
$\therefore b = 14$
$\therefore a + b = 1 + 14 = 15$

답 15

쌤의 만점 특강

마름모의 넓이

(넓이)
$=$ (직사각형의 넓이)$\div 2$
$=$ (가로의 길이)$\times$(세로의 길이)$\div 2$
$=$ (한 대각선의 길이)$\times$(다른 대각선의 길이)$\div 2$

20

[전략] 1회전 시킬 때 만들어지는 회전체와 그 전개도를 그려 본다.

주어진 직각삼각형을 직선 l을 축으로 하여 1회전 시킬 때 생기는 회전체는 원뿔이고, 그 전개도는 다음과 같다.

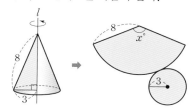

부채꼴의 중심각의 크기를 $x°$라 하면
$2\pi \times 8 \times \dfrac{x}{360} = 2\pi \times 3$
$\therefore x = 135$
따라서 부채꼴의 중심각의 크기는 $135°$이다.　　　　　답 $135°$

21

[**전략**] 원뿔의 전개도를 그려 본다.

주어진 원뿔의 색칠한 부분을 전개도에 나타내면 오른쪽 그림의 색칠한 부분과 같다.

부채꼴의 중심각의 크기를 $x°$라 하면

$$2\pi \times 12 \times \frac{x}{360} = 2\pi \times 3$$

$$\therefore x = 90$$

따라서 부채꼴의 중심각의 크기는 $90°$이므로

(색칠한 부분의 넓이)

$$= (부채꼴\ BAB'의\ 넓이) - \triangle ABB'$$

$$= \pi \times 12^2 \times \frac{90}{360} - \frac{1}{2} \times 12 \times 12$$

$$= 36\pi - 72 \text{ (cm}^2)$$

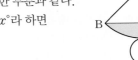

답 $(36\pi - 72) \text{ cm}^2$

22

[**전략**] 원뿔대의 전개도를 그려 본다.

주어진 원뿔대의 전개도는 오른쪽 그림과 같다.

작은 원의 둘레의 길이는

$$2\pi \times 4 = 8\pi \text{ (cm)}$$

큰 원의 둘레의 길이는

$$2\pi \times 7 = 14\pi \text{ (cm)}$$

따라서 옆면의 둘레의 길이는

$$8\pi + 14\pi + 2 \times 6 = 22\pi + 12 \text{ (cm)}$$

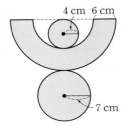

답 $(22\pi + 12) \text{ cm}$

23

[**전략**] 두 밑면의 반지름의 길이를 문자로 놓고 모선의 길이를 구한다.

원뿔대의 밑면의 반지름의 길이를 각각 R, r라 하면

$$R - r = 5이고$$

$$2\pi \times b \times \frac{120}{360} = 2\pi R에서$$

$$b = 3R$$

$$2\pi \times a \times \frac{120}{360} = 2\pi r에서$$

$$a = 3r$$

$$\therefore b - a = 3R - 3r = 3(R - r) = 3 \times 5 = 15$$

따라서 원뿔대의 모선의 길이는 15이다.

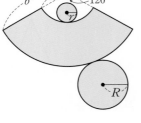

답 15

LEVEL **3** 최고난도 문제

→ 79쪽

01 최댓값 : 43, 최솟값 : 19 **02** 18 **03** 50 **04** 258

01 solution 미리 보기

step **①**	m각뿔의 꼭짓점의 개수와 n각뿔대의 모서리의 개수 구하기
step **②**	m각뿔의 꼭짓점의 개수와 n각뿔대의 모서리의 개수의 합이 50임을 이용하여 식 세우기
step **③**	**②**의 식을 만족시키는 (m, n) 구하기
step **④**	$m+n$의 최댓값과 최솟값 각각 구하기

m각뿔의 꼭짓점의 개수는 $m+1$, n각뿔대의 모서리의 개수는 $3n$ 이므로 ❶

$$(m+1) + 3n = 50, m + 3n = 49$$ ❷

이때 $m \geq 3$, $n \geq 3$이므로 $m + 3n = 49$를 만족시키는 자연수 m, n의 순서쌍 (m, n)은

$(40, 3), (37, 4), (34, 5), (31, 6), (28, 7), (25, 8), (22, 9),$
$(19, 10), (16, 11), (13, 12), (10, 13), (7, 14), (4, 15)$ ❸

따라서 $m+n$의 최댓값은 $m=40$, $n=3$일 때, $40+3=43$
$m+n$의 최솟값은 $m=4$, $n=15$일 때, $4+15=19$이다. ❹

답 최댓값 : 43, 최솟값 : 19

02 solution 미리 보기

step **①**	두 입체도형의 꼭짓점의 개수의 합이 최대가 될 조건 찾기
step **②**	단면의 꼭짓점의 개수가 최대가 되는 단면 그리기
step **③**	두 입체도형의 꼭짓점의 개수의 합의 최댓값 구하기

두 입체도형의 꼭짓점의 개수의 합이 최대가 되려면 단면의 꼭짓점의 개수가 최대가 되어야 한다. ❶

단면의 꼭짓점의 개수가 최대가 되는 경우는 다음과 같이 육각형 모양의 단면이 만들어지는 경우이다.

❷

따라서 두 입체도형의 꼭짓점의 개수의 합의 최댓값은

(정팔면체의 꼭짓점의 개수) + (단면의 꼭짓점의 개수) $\times 2$

$$= 6 + 6 \times 2 = 18$$ ❸

답 18

03 solution 미리 보기

step **①**	조건에 맞는 회전축의 위치 구하기
step **②**	$\overline{BC}$에 수직이면서 $\overline{AD}$의 중점을 지나는 직선을 회전축으로 하여 1회 전 시킨 회전체 구하기
step **③**	회전축을 포함하는 평면으로 자른 단면의 넓이 구하기

원뿔대의 밑면의 넓이가 최소가 되도록 원뿔대를 만들려면 회전축이 $\overline{AD}$의 중점을 지나야 한다. ....❶

$\overline{BC}$에 수직이면서 $\overline{AD}$의 중점을 지나는 직선을 회전축으로 하여 1회전 시킨 회전체는 다음 그림과 같다.

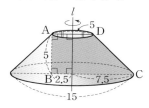

....❷

따라서 구하는 단면의 넓이는

$\dfrac{1}{2} \times (5+15) \times 5 = 50$ ....❸

답 50

---

04 solution 미리 보기

step ❶	입체도형의 규칙 이해하기
step ❷	4단계 모형의 꼭짓점, 모서리, 면의 개수 각각 구하기
step ❸	$v+e-f$의 값 구하기

한 단계가 늘어날 때마다 면의 개수는 4배씩 증가하고 모서리의 개수도 4배씩 증가한다.

또, 꼭짓점의 개수는 4배씩 증가하지만 큰 정사면체의 네 꼭짓점을 제외한 꼭짓점들은 2개씩 겹쳐진다. ....❶

따라서 단계별 입체도형의 정사면체의 개수, 면의 개수, 모서리의 개수, 꼭짓점의 개수를 구하면 다음과 같다.

	정사면체의 개수	면의 개수	모서리의 개수	꼭짓점의 개수
1단계	1	4	6	4
2단계	4	$4 \times 4 = 16$	$6 \times 4 = 24$	$4 \times 4 - (4 \times 4 - 4) \times \dfrac{1}{2}$ $= 10$
3단계	$4 \times 4 = 16$	$4 \times 16 = 64$	$6 \times 16 = 96$	$4 \times 16 - (4 \times 16 - 4) \times \dfrac{1}{2}$ $= 34$
4단계	$4 \times 16 = 64$	$4 \times 64 = 256$	$6 \times 64 = 384$	$4 \times 64 - (4 \times 64 - 4) \times \dfrac{1}{2}$ $= 130$

....❷

따라서 $v=130$, $e=384$, $f=256$이므로

$v+e-f = 130+384-256 = 258$ ....❸

답 258

LEVEL 1 시험에 꼭 내는 문제

→82쪽~84쪽

01 $188\,\text{cm}^2$	**02** $27\,\text{cm}$	**03** $49\,\text{cm}^3$	
04 $(10\pi+30)\,\text{cm}^2$	**05** $384\,\text{cm}^2$	**06** $555\pi\,\text{cm}^3$	**07** 10
08 $36\,\text{cm}^2$	**09** $200\,\text{cm}^3$	**10** $23\pi\,\text{cm}^2$	**11** $64\pi\,\text{cm}^3$
12 $72\pi\,\text{cm}^3$	**13** $100\pi\,\text{cm}^2$	**14** $79\pi\,\text{cm}^2$	**15** $16\pi\,\text{cm}^3$
16 원뿔 : $18\pi\,\text{cm}^3$, 구 : $36\pi\,\text{cm}^3$		**17** $99\pi\,\text{cm}^3$	**18** 4
19 $18\pi\,\text{cm}^2$			

01

(밑넓이)$= \dfrac{1}{2} \times 8 \times 3 + 8 \times 5 = 52\,(\text{cm}^2)$

(옆넓이)$= (8+5+5+5+5) \times 3 = 84\,(\text{cm}^2)$

$\therefore$ (겉넓이)$= 52 \times 2 + 84$

$= 104 + 84 = 188\,(\text{cm}^2)$

답 $188\,\text{cm}^2$

02

(원기둥 A의 겉넓이)$= (\pi \times 6^2) \times 2 + 2\pi \times 6 \times 9$

$= 72\pi + 108\pi = 180\pi\,(\text{cm}^2)$

원기둥 B의 높이를 $h\,\text{cm}$라 하면

(원기둥 B의 겉넓이)$= (\pi \times 3^2) \times 2 + 2\pi \times 3 \times h$

$= 18\pi + 6\pi h\,(\text{cm}^2)$

이때 두 원기둥의 겉넓이가 같으므로

$180\pi = 18\pi + 6\pi h$

$6\pi h = 162\pi$ $\therefore h = 27$

따라서 원기둥 B의 높이는 27 cm이다.

답 $27\,\text{cm}$

03

주어진 전개도로 만든 사각기둥은 오른쪽 그림과 같다.

(밑넓이)$= \dfrac{1}{2} \times (2+5) \times 2 = 7\,(\text{cm}^2)$

$\therefore$ (부피)$= 7 \times 7 = 49\,(\text{cm}^3)$

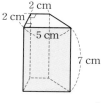

답 $49\,\text{cm}^3$

04

(겉넓이)$= \left(\pi \times 5^2 \times \dfrac{45}{360} \right) \times 2 + \left(2\pi \times 5 \times \dfrac{45}{360} + 5 + 5 \right) \times 3$

$= \dfrac{25}{4}\pi + \dfrac{15}{4}\pi + 30$

$= 10\pi + 30\,(\text{cm}^2)$

답 $(10\pi+30)\,\text{cm}^2$

05

주어진 입체도형의 겉넓이는 한 모서리의 길이가 8 cm인 정육면체의 겉넓이와 같으므로

$(8 \times 8) \times 6 = 384 \, (\text{cm}^2)$

답 $384 \, \text{cm}^2$

06

1회전 시킬 때 생기는 입체도형은 오른쪽 그림과 같으므로 구하는 부피는

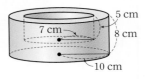

$(\pi \times 10^2) \times 8 - (\pi \times 7^2) \times 5$
$= 800\pi - 245\pi = 555\pi \, (\text{cm}^3)$

답 $555\pi \, \text{cm}^3$

07

사각뿔의 겉넓이가 $125 \, \text{cm}^2$이므로

$5 \times 5 + \left(\dfrac{1}{2} \times 5 \times x\right) \times 4 = 125$

$25 + 10x = 125, \ 10x = 100$　　∴ $x = 10$

답 10

08

원뿔의 밑면의 반지름의 길이를 r cm라 하면

$2\pi \times 9 \times \dfrac{120}{360} = 2\pi r, \ 6\pi = 2\pi r$　　∴ $r = 3$

따라서 원뿔의 겉넓이는

$\pi \times 3^2 + \pi \times 3 \times 9 = 9\pi + 27\pi = 36\pi \, (\text{cm}^2)$

답 $36\pi \, \text{cm}^2$

09

(부피) = (직육면체의 부피) − (잘라 낸 삼각뿔의 부피)

$= (5 \times 6) \times 8 - \dfrac{1}{3} \times \left(\dfrac{1}{2} \times 5 \times 6\right) \times 8$

$= 240 - 40 = 200 \, (\text{cm}^3)$

답 $200 \, \text{cm}^3$

10

(원뿔대의 겉넓이)

= (작은 밑면의 넓이) + (큰 밑면의 넓이) + (옆넓이)

$= \pi \times 2^2 + \pi \times 3^2 + (\pi \times 3 \times 6 - \pi \times 2 \times 4)$

$= 4\pi + 9\pi + 10\pi = 23\pi \, (\text{cm}^2)$

답 $23\pi \, \text{cm}^2$

▶ **쌤의 특강**

오른쪽 그림과 같은 원뿔대의 전개도에서 중심각의 크기를 $x°$라 하면

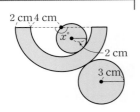

$2\pi \times 4 \times \dfrac{x}{360} = 2\pi \times 2$　　∴ $x = 180$

따라서 원뿔대의 옆넓이는

(큰 반원의 넓이) − (작은 반원의 넓이)

$= \dfrac{1}{2} \times \pi \times 6^2 - \dfrac{1}{2} \times \pi \times 4^2$

$= 18\pi - 8\pi = 10\pi \, (\text{cm}^2)$

11

1회전 시킬 때 생기는 입체도형은 다음 그림과 같으므로 구하는 부피는

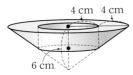

(큰 원뿔의 부피) − (작은 원뿔의 부피) − (원기둥의 부피)

$= \dfrac{1}{3} \times (\pi \times 8^2) \times 6 - \dfrac{1}{3} \times (\pi \times 4^2) \times 3 - (\pi \times 4^2) \times 3$

$= 128\pi - 16\pi - 48\pi$

$= 64\pi \, (\text{cm}^3)$

답 $64\pi \, \text{cm}^3$

12

(부피) = (반구의 부피) + (원기둥의 부피)

$= \dfrac{1}{2} \times \dfrac{4}{3}\pi \times 3^3 + (\pi \times 3^2) \times 6$

$= 18\pi + 54\pi$

$= 72\pi \, (\text{cm}^3)$

답 $72\pi \, \text{cm}^3$

13

정육면체의 한 모서리의 길이를 x cm라 하면

$(x \times x) \times 6 = 600, \ x^2 = 100$　　∴ $x = 10$

이때 구의 반지름의 길이는

$\dfrac{1}{2} \times$ (정육면체의 한 모서리의 길이) $= \dfrac{1}{2} \times 10 = 5 \, (\text{cm})$

따라서 구의 겉넓이는

$4\pi \times 5^2 = 100\pi \, (\text{cm}^2)$

답 $100\pi \, \text{cm}^2$

14

(겉넓이)

$= \dfrac{1}{2} \times$ (작은 구의 겉넓이) $+ \dfrac{1}{2} \times$ (큰 구의 겉넓이)

　　　$+ \{$(큰 원의 넓이) − (작은 원의 넓이)$\}$

$= \dfrac{1}{2} \times 4\pi \times 2^2 + \dfrac{1}{2} \times 4\pi \times 5^2 + (\pi \times 5^2 - \pi \times 2^2)$

$= 8\pi + 50\pi + 21\pi$

$= 79\pi \, (\text{cm}^2)$

답 $79\pi \, \text{cm}^2$

▶ **쌤의 오답 피하기 특강**

오른쪽 그림과 같이 반지름의 길이가 다른 2개의 반구를 붙여 만든 입체도형의 겉넓이를 구할 때 두 구의 겉넓이의 합의 $\dfrac{1}{2}$배에 큰 원의 넓이에서 작은 원의 넓이를 뺀 것을 더하는 것에 주의한다.

(입체도형의 겉넓이)

$= \dfrac{1}{2} \times$ (두 구의 겉넓이의 합) $+$ (두 원의 넓이의 차)

15

공의 반지름의 길이를 r cm라 하면

$4\pi r^2 = 16\pi$, $r^2 = 4$ $\therefore r = 2$

원기둥 모양의 투명 용기 밑면의 반지름의 길이는 2 cm, 높이는

$6r = 6 \times 2 = 12$ (cm)이므로

원기둥의 부피는 $\pi \times 2^2 \times 12 = 48\pi$ (cm³)

공 한 개의 부피는 $\dfrac{4}{3}\pi \times 2^3 = \dfrac{32}{3}\pi$ (cm³)

따라서 빈 공간의 부피는

$48\pi - \dfrac{32}{3}\pi \times 3 = 48\pi - 32\pi = 16\pi$ (cm³)

🖉 16π cm³

16

구의 반지름의 길이를 r cm라 하면 원기둥의 밑면의 반지름의 길이는 r cm, 높이는 $2r$ cm이므로 원기둥의 부피는

$\pi r^2 \times 2r = 54\pi$, $r^3 = 27$ $\therefore r = 3$

$\therefore$ (원뿔의 부피) $= \dfrac{1}{3} \times (\pi \times 3^2) \times 6 = 18\pi$ (cm³)

(구의 부피) $= \dfrac{4}{3}\pi \times 3^3 = 36\pi$ (cm³)

🖉 원뿔 : 18π cm³, 구 : 36π cm³

다른 풀이

(원뿔의 부피) : (구의 부피) : (원기둥의 부피) $= 1 : 2 : 3$

이므로

(원뿔의 부피) $= 54\pi \times \dfrac{1}{3} = 18\pi$ (cm³)

(구의 부피) $= 54\pi \times \dfrac{2}{3} = 36\pi$ (cm³)

17

(물병의 부피)

$=$ (물이 차 있는 부분의 부피) $+$ (물이 없는 부분의 부피)

$= \pi \times 3^2 \times 4 + \pi \times 3^2 \times 7$

$= 36\pi + 63\pi = 99\pi$ (cm³)

🖉 99π cm³

18

원뿔 모양의 그릇과 원기둥 모양의 그릇에 들어 있는 물의 양이 같으므로

$\dfrac{1}{3} \times (\pi \times 6^2) \times 3 = \pi \times 3^2 \times x$, $36\pi = 9\pi x$

$\therefore x = 4$

🖉 4

19

야구공의 겉넓이는 $4\pi \times 3^2 = 36\pi$ (cm²)

따라서 겉면을 이루는 조각 한 개의 넓이는

$36\pi \times \dfrac{1}{2} = 18\pi$ (cm²)

🖉 18π cm²

→85쪽~90쪽

LEVEL 2 필수 기출 문제

01 564 cm²	02 1800	03 5 cm	04 $(64\pi - 32)$ cm²
05 208 cm³	06 $\dfrac{20}{3}$	07 288 cm³	08 $\dfrac{64}{3}$ cm³
09 $\dfrac{136}{3}$ cm³	10 $\dfrac{7}{3}$	11 36π cm²	12 4090π cm³
13 1 : 1	14 ④	15 160π cm³	16 $\dfrac{20}{3}$
17 π	18 $(12 - 2\pi)$ cm		19 252π cm³
20 40 mL	21 144π cm²	22 ②, ⑤	

01

[전략] 처음 직육면체의 겉넓이와 잘려서 생긴 단면의 넓이를 합한다.

한 번 자를 때마다 직사각형 모양의 단면이 2개씩 더 생기므로 7번 잘랐을 때 새로 생기는 직사각형 모양의 단면의 개수는

$2 \times 7 = 14$

새로 생기는 직사각형 모양의 단면의 넓이는

$6 \times 4 = 24$ (cm²)

따라서 직육면체들의 겉넓이의 합은

$(9 \times 6 + 6 \times 4 + 9 \times 4) \times 2 + 24 \times 14 = 228 + 336 = 564$ (cm²)

🖉 564 cm²

02

[전략] 잘리기 전의 원기둥을 만들어 본다.

잘리기 전의 원기둥은 다음 그림과 같다.

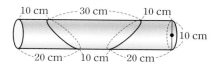

(입체도형의 겉넓이)

$=$ (원기둥의 겉넓이)

$= (\pi \times 5^2) \times 2 + 2\pi \times 5 \times (20 + 10 + 20)$

$= 50\pi + 500\pi = 550\pi$ (cm²)

(입체도형의 부피) $=$ (원기둥의 부피)

$= (\pi \times 5^2) \times (20 + 10 + 20)$

$= 1250\pi$ (cm³)

$\therefore a = 550$, $b = 1250$

$\therefore a + b = 550 + 1250 = 1800$

🖉 1800

03

[전략] 용기의 위치에 관계없이 물의 양은 일정함을 이용한다.

용기를 세우기 전의 밑면에서 물이 있는 부분은 오른쪽 그림의 색칠한 부분과 같으므로 처음 물의 양은

$\left(\pi \times 10^2 \times \dfrac{90}{360} - \dfrac{1}{2} \times 10 \times 10\right) \times 20$

$= (25\pi - 50) \times 20 = 500\pi - 1000$ (cm³)

물을 1000 cm³만큼 더 부은 후의 물의 양은

$(500\pi - 1000) + 1000 = 500\pi \ (\text{cm}^3)$

용기를 세운 후의 물의 높이를 h cm라 하면

$\pi \times 10^2 \times h = 500\pi$

$\therefore h = 5$

따라서 물의 높이는 5 cm이다.

답 5 cm

04

[전략] 색칠한 입체도형의 밑넓이와 옆넓이를 각각 구한다.

두 원기둥이 겹쳐진 입체도형의 밑면은 오른쪽 그림의 색칠한 부분과 같다.

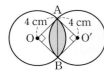

(밑넓이)

$= \{(\text{부채꼴 AOB의 넓이}) - \triangle\text{AOB}\} \times 2$

$= \left(\pi \times 4^2 \times \dfrac{90}{360} - \dfrac{1}{2} \times 4 \times 4\right) \times 2$

$= (4\pi - 8) \times 2$

$= 8\pi - 16 \ (\text{cm}^2)$

$\therefore$ (구하는 입체도형의 겉넓이)

$= (8\pi - 16) \times 2 + \left\{\left(2\pi \times 4 \times \dfrac{90}{360}\right) \times 2\right\} \times 12$

$= 16\pi - 32 + 48\pi$

$= 64\pi - 32 \ (\text{cm}^2)$

답 $(64\pi - 32)$ cm²

05

[전략] 정육면체에서 사각기둥 모양의 구멍 세 개의 부피를 뺀 후 세 사각기둥이 겹치는 부분인 정육면체 부분의 부피를 다시 두 번 더해준다.

(처음 정육면체의 부피) $= 7^3 = 343 \ (\text{cm}^3)$

(사각기둥 모양의 구멍 한 개의 부피) $= (3 \times 3) \times 7 = 63 \ (\text{cm}^3)$

(처음 정육면체의 한가운데에 있는 정육면체의 부피) $= 3^3$

$\qquad\qquad\qquad\qquad\qquad\qquad\qquad = 27 \ (\text{cm}^3)$

따라서 구하는 입체도형의 부피는

(처음 정육면체의 부피)

$\quad -$ (사각기둥 모양의 구멍 한 개의 부피) $\times 3$

$\quad +$ (처음 정육면체의 한가운데에 있는 정육면체의 부피) $\times 2$

$= 343 - 63 \times 3 + 27 \times 2$

$= 343 - 189 + 54$

$= 208 \ (\text{cm}^3)$

답 208 cm³

06

[전략] 우유의 양을 [그림 2]를 이용하여 구한다.

[그림 2]에서

(우유의 양) $=$ (우유팩의 부피) $-$ (빈 공간의 부피)

$\qquad\qquad = 810 - (9 \times 6) \times 5$

$\qquad\qquad = 810 - 270 = 540 \ (\text{cm}^3)$

우유팩을 옆으로 놓았을 때 밑면의 모양은 다음 그림과 같으므로

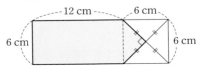

[그림 3]의 우유의 양은

$\left(12 \times 6 + 6 \times 6 \times \dfrac{1}{4}\right) \times x = 81x \ (\text{cm}^3)$

[그림 2]와 [그림 3]의 우유의 양은 같으므로

$81x = 540 \qquad \therefore x = \dfrac{20}{3}$

답 $\dfrac{20}{3}$

쌤의 만점 특강

용기의 빈 공간의 부피 구하기

용기의 빈 공간의 부피를 구할 때 용기의 모양이 일반적인 입체도형이 아닌 경우 용기를 뒤집어도 빈 공간의 부피는 같으므로 용기를 뒤집은 그림을 이용하여 부피를 구한다.

07

[전략] 정다면체를 두 개의 사각뿔로 분리하여 부피를 구한다.

정육면체의 각 면의 한가운데 점을 연결하여 만든 정다면체는 정팔면체이다.

정팔면체의 부피는 밑면인 정사각형의 대각선의 길이가 12 cm이고 높이가 6 cm인 정사각뿔의 부피의 2배와 같다.

$\therefore$ (정다면체의 부피) $=$ (정사각뿔의 부피) $\times 2$

$\qquad\qquad\qquad\qquad = \left\{\dfrac{1}{3} \times \left(\dfrac{1}{2} \times 12 \times 12\right) \times 6\right\} \times 2$

$\qquad\qquad\qquad\qquad = 288 \ (\text{cm}^3)$

답 288 cm³

쌤의 복합 개념 특강

정다면체의 각 면의 한가운데 점을 연결하여 만든 입체도형

정다면체의 각 면의 한가운데 점을 연결하면 다음과 같은 정다면체를 만들 수 있다.

① 정사면체 ➡ 정사면체

② 정육면체 ➡ 정팔면체

③ 정팔면체 ➡ 정육면체

④ 정십이면체 ➡ 정이십면체

⑤ 정이십면체 ➡ 정십이면체

08

[전략] 접어서 만들어지는 입체도형이 무엇인지 파악한다.

주어진 정사각형 ABCD를 접어서 만든 입체도형은 오른쪽 그림과 같이 밑면이 $\triangle$EBF이고 높이가 $\overline{\text{DB}}$인 삼각뿔이다.

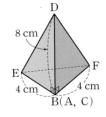

$\therefore$ (부피) $= \dfrac{1}{3} \times \left(\dfrac{1}{2} \times 4 \times 4\right) \times 8$

$\qquad\qquad = \dfrac{64}{3} \ (\text{cm}^3)$

답 $\dfrac{64}{3}$ cm³

09

[전략] 정육면체에서 삼각뿔대의 부피를 뺀다.

삼각뿔 $O-EFG$에서

$\overline{EF}=\overline{FG}=4$ cm, $\overline{OF}=2\times4=8$ (cm)이므로

(삼각뿔 $O-EFG$의 부피) $=\dfrac{1}{3}\times\left(\dfrac{1}{2}\times4\times4\right)\times8$

$\qquad\qquad\qquad\qquad\qquad =\dfrac{64}{3}$ (cm³)

삼각뿔 $O-PBQ$에서

$\overline{BP}=\overline{BQ}=\dfrac{1}{2}\times4=2$ (cm), $\overline{OB}=\overline{BF}=4$ cm이므로

(삼각뿔 $O-PBQ$의 부피) $=\dfrac{1}{3}\times\left(\dfrac{1}{2}\times2\times2\right)\times4$

$\qquad\qquad\qquad\qquad\qquad =\dfrac{8}{3}$ (cm³)

$\therefore$ (잘라 낸 삼각뿔대의 부피) $=\dfrac{64}{3}-\dfrac{8}{3}=\dfrac{56}{3}$ (cm³)

$\therefore$ (잘라 내고 남은 입체도형의 부피)

$\quad=$ (정육면체의 부피) $-$ (잘라 낸 삼각뿔대의 부피)

$\quad=4\times4\times4-\dfrac{56}{3}=64-\dfrac{56}{3}$

$\quad=\dfrac{136}{3}$ (cm³)

답 $\dfrac{136}{3}$ cm³

10

[전략] 먼저 각각의 물의 양을 구한다.

그릇 A에 들어 있는 물의 양은

$\dfrac{1}{3}\times\left(\dfrac{1}{2}\times7\times5\right)\times3=\dfrac{35}{2}$ (cm³)

그릇 B에 들어 있는 물의 양은

$\left(\dfrac{1}{2}\times5\times h\right)\times3=\dfrac{15}{2}h$ (cm³)

이때 두 그릇에 같은 양의 물이 들어 있으므로

$\dfrac{35}{2}=\dfrac{15}{2}h$, $3h=7$ $\qquad\therefore h=\dfrac{7}{3}$

답 $\dfrac{7}{3}$

11

[전략] 원 O의 둘레의 길이는 원뿔의 밑면의 둘레의 길이의 3배이다.

원뿔의 밑면의 둘레의 길이는

$2\pi\times3=6\pi$ (cm)

원 O의 둘레의 길이는 원뿔의 밑면의 둘레의 길이의 3배이므로

원뿔의 모선의 길이를 l cm라 하면

$2\pi l=6\pi\times3$ $\qquad\therefore l=9$

$\therefore$ (원뿔의 겉넓이) $=\pi\times3^2+\pi\times3\times9$

$\qquad\qquad\qquad\qquad =9\pi+27\pi=36\pi$ (cm²)

답 36π cm²

쌤의 특강

입체도형의 한 옆면이 평면에 닿도록 놓고 한 바퀴 굴릴 때, 입체도형이 평면 위를 지난 부분의 넓이는 입체도형의 옆넓이와 같다.

12

[전략] 먼저 회전체의 모양을 생각한다.

1회전 시킬 때 생기는 입체도형은 오른쪽 그림과 같다.

(위쪽 원뿔대의 부피)

$=\dfrac{1}{3}\times(\pi\times20^2)\times30-\dfrac{1}{3}\times(\pi\times4^2)\times6$

$=4000\pi-32\pi$

$=3968\pi$ (cm³)

(아래쪽 원뿔대의 부피)

$=\dfrac{1}{3}\times(\pi\times5^2)\times30-\dfrac{1}{3}\times(\pi\times4^2)\times24$

$=250\pi-128\pi$

$=122\pi$ (cm³)

$\therefore$ (부피) $=3968\pi+122\pi=4090\pi$ (cm³)

답 4090π cm³

13

[전략] x축, y축을 회전축으로 하였을 때 생기는 회전체의 모양을 각각 생각한다.

$x=-2$일 때, $y=2\times(-2)=-4$

$x=3$일 때, $y=2\times3=6$

x축을 회전축으로 하여 1회전 시킬 때 생기는 입체도형은 오른쪽 그림과 같다.

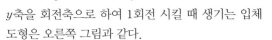

$\therefore V_1=$ (위쪽 원뿔의 부피)

$\qquad\quad +$ (아래쪽 원뿔의 부피)

$\qquad =\dfrac{1}{3}\times(\pi\times4^2)\times2$

$\qquad\quad +\dfrac{1}{3}\times(\pi\times6^2)\times3$

$\qquad =\dfrac{32}{3}\pi+36\pi=\dfrac{140}{3}\pi$

y축을 회전축으로 하여 1회전 시킬 때 생기는 입체도형은 오른쪽 그림과 같다.

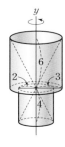

$\therefore V_2=\{$ (위쪽 원기둥의 부피)

$\qquad\quad -$ (위쪽 원뿔의 부피)$\}$

$\qquad\quad +\{$ (아래쪽 원기둥의 부피)

$\qquad\quad -$ (아래쪽 원뿔의 부피)$\}$

$\qquad =\left\{(\pi\times3^2)\times6-\dfrac{1}{3}\times(\pi\times3^2)\times6\right\}$

$\qquad\quad +\left\{(\pi\times2^2)\times4-\dfrac{1}{3}\times(\pi\times2^2)\times4\right\}$

$\qquad =(54\pi-18\pi)+\left(16\pi-\dfrac{16}{3}\pi\right)$

$\qquad =36\pi+\dfrac{32}{3}\pi=\dfrac{140}{3}\pi$

$\therefore V_1:V_2=\dfrac{140}{3}\pi:\dfrac{140}{3}\pi=1:1$

답 $1:1$

14

[전략] 먼저 $\overline{AB}, \overline{BC}, \overline{CA}$를 회전축으로 하여 1회전 시킨 입체도형을 그려 본다.

$\overline{AB}$를 회전축으로 하여 1회전 시킬 때
생기는 입체도형은 오른쪽 그림과 같다.

$\therefore V_1 = \frac{1}{3} \times (\pi \times 4^2) \times 3 = 16\pi$

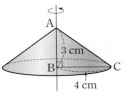

$\overline{BC}$를 회전축으로 하여 1회전 시킬 때 생기
는 입체도형은 오른쪽 그림과 같다.

$\therefore V_2 = \frac{1}{3} \times (\pi \times 3^2) \times 4 = 12\pi$

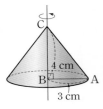

$\overline{CA}$를 회전축으로 하여 1회전 시킬 때 생기는
입체도형은 오른쪽 그림과 같다.

(입체도형의 부피)
= (위쪽 원뿔의 부피) + (아래쪽 원뿔의 부피)

이고, 두 원뿔의 공통인 밑면의 반지름의 길이
를 x cm라 하면

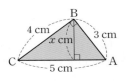

오른쪽 그림에서

$\triangle ABC = \frac{1}{2} \times 5 \times x$

$\qquad = \frac{1}{2} \times 4 \times 3$

$\therefore x = \frac{12}{5}$

한편, 위쪽 원뿔의 높이를 h_1 cm, 아래쪽 원뿔의 높이를 h_2 cm라
하면

$h_1 + h_2 = 5$

$\therefore V_3 = \frac{1}{3} \times \left\{ \pi \times \left(\frac{12}{5}\right)^2 \right\} \times h_1 + \frac{1}{3} \times \left\{ \pi \times \left(\frac{12}{5}\right)^2 \right\} \times h_2$

$\qquad = \frac{48}{25}\pi h_1 + \frac{48}{25}\pi h_2$

$\qquad = \frac{48}{25}\pi (h_1 + h_2)$

$\qquad = \frac{48}{25}\pi \times 5 = \frac{48}{5}\pi$

$\therefore V_1 : V_2 : V_3 = 16\pi : 12\pi : \frac{48}{5}\pi = 20 : 15 : 12$ 　　**답 ④**

15

[전략] 먼저 회전체의 모양을 생각한다.

변 CD를 회전축으로 하여 1회전 시킬 때 생기는 입체도형은 다음
그림과 같으므로 구하는 부피는 원기둥의 부피에서 모양과 크기가
같은 두 원뿔대의 부피를 뺀 것과 같다.

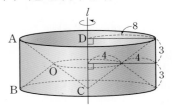

원뿔대의 부피는

$\frac{1}{3} \times (\pi \times 8^2) \times 6 - \frac{1}{3} \times (\pi \times 4^2) \times 3$

$= 128\pi - 16\pi = 112\pi \ (cm^3)$

$\therefore$ (부피) = (원기둥의 부피) - (원뿔대의 부피) $\times 2$

$\qquad = (\pi \times 8^2) \times 6 - 112\pi \times 2$

$\qquad = 384\pi - 224\pi$

$\qquad = 160\pi \ (cm^3)$ 　　**답 160π cm³**

쌤의 만점 특강

회전체의 부피 구하기
회전체의 부피를 바로 구하기 힘든 경우에는 부피를 구하기 쉬운 입체도형을
이용할 수 있는지 파악한다.

16

[전략] 구의 겉넓이와 부피에서 더해지는 부분과 빼지는 부분을 고려한다.

(겉넓이) $= 4\pi \times 4^2 \times \frac{7}{8} + \left(\pi \times 4^2 \times \frac{1}{4} \right) \times 3$

$\qquad = 56\pi + 12\pi = 68\pi \ (cm^2)$

$\therefore S = 68$

(부피) $= \frac{4}{3}\pi \times 4^3 \times \frac{7}{8}$

$\qquad = \frac{224}{3}\pi \ (cm^3)$

$\therefore V = \frac{224}{3}$

$\therefore V - S = \frac{224}{3} - 68 = \frac{20}{3}$ 　　**답 $\frac{20}{3}$**

17

[전략] 정팔면체의 부피는 두 정사각뿔의 부피의 합으로 구한다.

$V_1 = \frac{4}{3}\pi \times 5^3 = \frac{500}{3}\pi$

정팔면체의 부피는 밑면인 정사각형의 대각선의 길이가 10 cm이
고, 높이가 5 cm인 정사각뿔의 부피의 2배와 같으므로

$V_2 = \left\{ \frac{1}{3} \times \left(\frac{1}{2} \times 10 \times 10 \right) \times 5 \right\} \times 2 = \frac{500}{3}$

$\therefore \frac{V_1}{V_2} = V_1 \div V_2 = \frac{500}{3}\pi \div \frac{500}{3} = \frac{500}{3}\pi \times \frac{3}{500} = \pi$ 　　**답 π**

18

[전략] 공의 부피와 상자의 부피를 구한다.

공의 반지름의 길이를 r cm라 하면

$4\pi \times r^2 = 36\pi, \ r^2 = 9$

$\therefore r = 3$

직육면체 모양의 상자의

밑면의 가로의 길이는 $6r = 6 \times 3 = 18 \ (cm)$

밑면의 세로의 길이는 $4r = 4 \times 3 = 12 \ (cm)$

높이는 $4r = 4 \times 3 = 12 \ (cm)$

즉, 상자에 남은 물의 부피는
$$18 \times 12 \times 12 - \left(\frac{4}{3}\pi \times 3^3 \right) \times 12 = 2592 - 432\pi \ (\text{cm}^3)$$
상자에 남은 물의 높이를 $h \, \text{cm}$라 하면
$$18 \times 12 \times h = 2592 - 432\pi$$
$$\therefore h = \frac{2592 - 432\pi}{216} = 12 - 2\pi$$
따라서 상자에 남은 물의 높이는 $(12 - 2\pi) \, \text{cm}$이다.

🔲 $(12 - 2\pi) \, \text{cm}$

19

[전략] 먼저 공이 움직일 수 있는 공간의 모양을 생각한다.

공이 움직일 수 있는 공간의 최대 부피는 오
른쪽 그림과 같이 반지름의 길이가 $6 \, \text{cm}$인
구의 $\frac{1}{8}$을 잘라 내고 남은 부분의 부피와 같다.

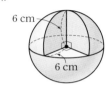

따라서 구하는 부피는
$$\frac{4}{3}\pi \times 6^3 \times \frac{7}{8} = 252\pi \ (\text{cm}^3)$$

🔲 $252\pi \, \text{cm}^3$

20

[전략] 쇠구슬의 부피의 비를 이용하여 만들 수 있는 쇠구슬의 최대 개수를 구한다.

반지름의 길이가 $8 \, \text{cm}$인 쇠구슬 1개의 부피는
$$\frac{4}{3}\pi \times 8^3 = \frac{2048}{3}\pi \ (\text{cm}^3)$$
반지름의 길이가 $2 \, \text{cm}$인 쇠구슬 1개의 부피는
$$\frac{4}{3}\pi \times 2^3 = \frac{32}{3}\pi \ (\text{cm}^3)$$
따라서 만들 수 있는 반지름의 길이가 $2 \, \text{cm}$인 쇠구슬의 최대 개수는
$$\frac{2048}{3}\pi \div \frac{32}{3}\pi = \frac{2048}{3}\pi \times \frac{3}{32\pi} = 64$$
반지름의 길이가 $8 \, \text{cm}$인 쇠구슬의 겉넓이는
$$4\pi \times 8^2 = 256\pi \ (\text{cm}^2)$$
반지름의 길이가 $2 \, \text{cm}$인 쇠구슬 64개의 겉넓이는
$$(4\pi \times 2^2) \times 64 = 1024\pi \ (\text{cm}^2)$$
따라서 필요한 페인트의 양은
$$\frac{1024\pi}{256\pi} \times 10 = 4 \times 10 = 40 \ (\text{mL})$$

🔲 $40 \, \text{mL}$

(참고) 필요한 페인트의 양을 $x \, \text{mL}$라 하면
$256\pi : 1024\pi = 10 : x$, $1 : 4 = 10 : x$ $\therefore x = 40$

21

[전략] 위쪽 회전체와 아래쪽 회전체로 나누어 생각한다.

색칠한 부분을 1회전 시킬 때 만들어지는
입체도형은 오른쪽 그림과 같다.

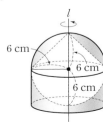

$\therefore$ (부피) $= \{ (\text{반구의 부피}) - (\text{원뿔의 부피}) \}$
$\qquad\qquad + \{ (\text{원기둥의 부피}) - (\text{반구의 부피}) \}$
$\qquad = (\text{원기둥의 부피}) - (\text{원뿔의 부피})$
$\qquad = (\pi \times 6^2) \times 6 - \frac{1}{3} \times (\pi \times 6^2) \times 6$
$\qquad = 216\pi - 72\pi = 144\pi \ (\text{cm}^3)$

🔲 $144\pi \, \text{cm}^3$

22

[전략] 원뿔, 구, 원기둥의 부피 사이의 관계를 이용한다.

$(\text{원뿔의 부피}) = \frac{1}{3} \times \left\{ \pi \times \left(\frac{3}{2} \right)^2 \right\} \times 3 = \frac{9}{4}\pi \ (\text{cm}^3)$

$(\text{구의 부피}) = \frac{4}{3}\pi \times \left(\frac{3}{2} \right)^3 = \frac{9}{2}\pi \ (\text{cm}^3)$

$(\text{원기둥의 부피}) = \left\{ \pi \times \left(\frac{3}{2} \right)^2 \right\} \times 3 = \frac{27}{4}\pi \ (\text{cm}^3)$

$(\text{구의 겉넓이}) = 4\pi \times \left(\frac{3}{2} \right)^2 = 9\pi \ (\text{cm}^2)$

$(\text{원기둥의 겉넓이}) = \left\{ \pi \times \left(\frac{3}{2} \right)^2 \right\} \times 2 + 2\pi \times \frac{3}{2} \times 3$
$\qquad\qquad\qquad = \frac{9}{2}\pi + 9\pi = \frac{27}{2}\pi \ (\text{cm}^2)$

① $\frac{9}{4}\pi \div \frac{9}{2}\pi = \frac{9}{4}\pi \times \frac{2}{9\pi} = \frac{1}{2}$

② $\frac{9}{2}\pi : \frac{27}{4}\pi = 2 : 3$

③ $9\pi \div \frac{27}{2}\pi = 9\pi \times \frac{2}{27\pi} = \frac{2}{3}$

④ 구와 원기둥의 부피의 비가 $2 : 3$이므로 원기둥 모양의 통 안에
물을 가득 채워서 구 모양을 넣으면 전체의 $\frac{2}{3}$만큼의 물이 흘러
나온다.

⑤ 남은 물의 양은
$$\frac{27}{4}\pi - \frac{9}{4}\pi = \frac{9}{2}\pi \ (\text{cm}^3)$$
따라서 옳은 것은 ②, ⑤이다.

🔲 ②, ⑤

LEVEL 3 최고난도 문제 → 91쪽

01 $300 \, \text{cm}^2$ **02** $1872\pi \, \text{cm}^3$ **03** $4r^3 - \frac{2}{3}\pi r^3$ **04** $4 : 1 : 4 : 2$

01 (solution 미리 보기)

step ❶	[그림 2]의 물의 양 구하기
step ❷	[그림 2]에서 막대의 밑면의 넓이를 구하는 식 세우기
step ❸	막대의 밑면의 넓이 구하기

([그림 1]의 물의 양) $=$ ([그림 2]의 물의 양) $+ 8000$이므로
$(20 \times 20) \times 30 =$ ([그림 2]의 물의 양) $+ 8000$
$\therefore$ ([그림 2]의 물의 양) $= 12000 - 8000 = 4000 \ (\text{cm}^3)$ ·········· ❶

이때 [그림 2]에서 막대의 밑면의 넓이를 $x \text{ cm}^2$라 하면

$(20 \times 20 - x) \times 40 = 4000$ .... ❷

$400 - x = 100$ $\therefore x = 300$

따라서 막대의 밑면의 넓이는 300 cm^2이다. .... ❸

📋 300 cm^2

---

02 solution 미리 보기

step ❶	회전하여 생기는 입체도형을 그리고, 부피를 구하는 방법 설명하기
step ❷	원뿔대와 원뿔의 부피 각각 구하기
step ❸	입체도형의 부피 구하기

1회전 시킬 때 생기는 입체도형은 오른쪽 그림과 같으므로 입체도형의 부피는 원뿔대 4개의 부피의 합에서 원뿔 2개의 부피의 합을 뺀 것과 같다.

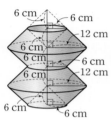

.... ❶

(원뿔대 1개의 부피)

$= \dfrac{1}{3} \times (\pi \times 12^2) \times 12 - \dfrac{1}{3} \times (\pi \times 6^2) \times 6$

$= 576\pi - 72\pi = 504\pi \ (\text{cm}^3)$

$(\text{원뿔 1개의 부피}) = \dfrac{1}{3} \times (\pi \times 6^2) \times 6 = 72\pi \ (\text{cm}^3)$ .... ❷

$\therefore (\text{부피}) = 504\pi \times 4 - 72\pi \times 2$

$= 2016\pi - 144\pi = 1872\pi \ (\text{cm}^3)$ .... ❸

📋 $1872\pi \text{ cm}^3$

---

03 solution 미리 보기

step ❶	세 가지 모양의 탱크의 겉넓이 각각 구하기
step ❷	세 가지 모양의 탱크의 겉넓이가 같음을 이용하여 원기둥 모양의 탱크와 사각기둥 모양의 탱크의 높이 각각 구하기
step ❸	세 가지 모양의 탱크의 부피 각각 구하기
step ❹	가장 많은 양의 원유가 들어가는 탱크의 부피와 가장 적은 양의 원유가 들어가는 탱크의 부피의 차 구하기

㈎에서 구 모양의 탱크의 겉넓이는 $4\pi r^2$

㈏에서 원기둥 모양의 탱크의 높이를 h_1이라 하면 원기둥 모양의 탱크의 겉넓이는

$2\pi r^2 + 2\pi r h_1$

㈐에서 사각기둥 모양의 탱크의 높이를 h_2라 하면 사각기둥 모양의 탱크의 겉넓이는

$(2r \times 2r) \times 2 + (2r + 2r + 2r + 2r) \times h_2 = 8r^2 + 8r h_2$ .... ❶

구 모양의 탱크와 원기둥 모양의 탱크의 겉넓이가 같으므로

$4\pi r^2 = 2\pi r^2 + 2\pi r h_1$에서 $2\pi r h_1 = 2\pi r^2$

$\therefore h_1 = r$

구 모양의 탱크와 사각기둥 모양의 탱크의 겉넓이가 같으므로

$4\pi r^2 = 8r^2 + 8r h_2$에서 $8r h_2 = 4\pi r^2 - 8r^2$

$\therefore h_2 = \dfrac{1}{2}\pi r - r$ .... ❷

㈎에서 구 모양의 탱크의 부피는 $\dfrac{4}{3}\pi r^3$

㈏에서 원기둥 모양의 탱크의 부피는 $\pi r^2 \times h_1 = \pi r^2 \times r = \pi r^3$

㈐에서 사각기둥 모양의 탱크의 부피는

$(2r \times 2r) \times h_2 = 4r^2 \times \left(\dfrac{1}{2}\pi r - r\right) = 2\pi r^3 - 4r^3$ .... ❸

이때 $\pi r^3 - (2\pi r^3 - 4r^3) = 4r^3 - \pi r^3 > 0$이므로

$\pi r^3 > 2\pi r^3 - 4r^3$

$\therefore 2\pi r^3 - 4r^3 < \pi r^3 < \dfrac{4}{3}\pi r^3$

따라서 가장 많은 양의 원유가 들어가는 탱크는 ㈎, 가장 적은 양의 원유가 들어가는 탱크는 ㈐이므로

$\dfrac{4}{3}\pi r^3 - (2\pi r^3 - 4r^3) = 4r^3 - \dfrac{2}{3}\pi r^3$ .... ❹

📋 $4r^3 - \dfrac{2}{3}\pi r^3$

---

04 solution 미리 보기

step ❶	정육면체의 한 모서리의 길이를 a로 놓기
step ❷	[그림 1]~[그림 4]의 색칠된 입체도형의 부피 각각 구하기
step ❸	[그림 1]~[그림 4]의 색칠된 입체도형의 부피의 비를 가장 간단한 자연수의 비로 나타내기

정육면체의 한 모서리의 길이를 a라 하자. .... ❶

[그림 1]의 색칠된 입체도형은 한 변의 길이가 a인 정사각형을 밑면으로 하고 높이가 a인 사각뿔이다.

$\therefore (\text{부피}) = \dfrac{1}{3} \times a^2 \times a = \dfrac{1}{3}a^3$

[그림 2]의 색칠된 입체도형은 밑변의 길이와 높이가 a인 직각이등변삼각형을 밑면으로 하고 높이가 $\dfrac{1}{2}a$인 삼각뿔이다.

$\therefore (\text{부피}) = \dfrac{1}{3} \times \left(\dfrac{1}{2} \times a \times a\right) \times \dfrac{1}{2}a = \dfrac{1}{12}a^3$

[그림 3]의 색칠된 입체도형은 정육면체에서 밑변의 길이와 높이가 a인 직각이등변삼각형을 밑면으로 하고 높이가 a인 삼각뿔 4개를 제외한 나머지 부분이다.

$\therefore (\text{부피}) = a^3 - \left\{\dfrac{1}{3} \times \left(\dfrac{1}{2} \times a \times a\right) \times a\right\} \times 4$

$= a^3 - \dfrac{2}{3}a^3 = \dfrac{1}{3}a^3$

[그림 4]의 색칠된 입체도형은 대각선의 길이가 a인 정사각형을 밑면으로 하고 높이가 a인 사각뿔이다.

$\therefore (\text{부피}) = \dfrac{1}{3} \times \left(\dfrac{1}{2} \times a \times a\right) \times a = \dfrac{1}{6}a^3$ .... ❷

따라서 [그림 1]~[그림 4]의 색칠된 입체도형의 부피의 비는

$\dfrac{1}{3}a^3 : \dfrac{1}{12}a^3 : \dfrac{1}{3}a^3 : \dfrac{1}{6}a^3 = 4 : 1 : 4 : 2$ .... ❸

📋 $4 : 1 : 4 : 2$

Ⅳ. 통계

08. 도수분포표와 그래프

→ 96쪽~97쪽

LEVEL 1 시험에 꼭 내는 문제

01 ④	**02** 4	**03** ②	**04** 12	**05** 80점	**06** ④
07 20 %		**08** 주현	**09** $A=4$, $B=12$, $C=6$	**10** ④	

01

① 전체 학생 수는 $4+2+5+3+6=20$

② 수행 평가 점수가 20점 미만인 학생 수는 $4+2=6$이므로

$$\frac{6}{20} \times 100 = 30 \, (\%)$$

③ 수행 평가 점수가 31점보다 높은 학생 수는 37점, 39점, 41점, 42점, 44점, 45점, 48점, 49점의 8이다.

④ 전체 20명 중 수행 평가 점수가 25점인 학생은 점수가 낮은 쪽에서 10번째이므로 성적이 낮은 편에 속한다.

⑤ 수행 평가 점수가 가장 높은 학생의 점수는 49점이고, 가장 낮은 학생의 점수는 3점이므로 그 차는 $49-3=46$(점)

따라서 옳지 않은 것은 ④이다.　　　　　　　　답 ④

02

전체 학생 수는 $2A+4A+3A+4+2=9A+6$

이용 시간이 2시간 이상 3시간 미만인 학생 수는 $3A$이고, 전체의 25 %이므로

$$(9A+6) \times \frac{25}{100} = 3A, \ 9A+6=12A$$

$$\therefore A=2$$

따라서 이용 시간이 0시간 이상 1시간 미만인 학생 수는

$2A=2 \times 2=4$　　　　　　　　　　　　답 4

03

① 수면 시간이 5시간 이상 6시간 미만인 학생 수는

$$40 \times \frac{20}{100} = 8$$

즉, $A=8$이므로

$B=40-(5+8+7+8+2)=10$

② 수면 시간이 7시간 이상인 학생 수는 $10+8+2=20$이므로

$$\frac{20}{40} \times 100 = 50 \, (\%)$$

③ 수면 시간이 5시간 미만인 학생 수는 5, 6시간 미만인 학생 수는 $5+8=13$이므로 수면 시간이 10번째로 적은 학생이 속하는 계급은 5시간 이상 6시간 미만이다.

④ 도수가 가장 작은 계급은 9시간 이상 10시간 미만이고 그 계급값은 $\dfrac{9+10}{2}=9.5$(시간)

⑤ 수면 시간이 7시간인 학생이 속하는 계급은 7시간 이상 8시간 미만이고, 그 계급의 도수는 10명이다.

따라서 옳은 것은 ②이다.　　　　　　　　답 ②

04

통학 시간이 10분 이상 15분 미만인 학생 수를 x라 하면

통학 시간이 15분 이상 20분 미만인 학생 수는

$35-(5+x+7+3)=20-x$

$x:(20-x)=3:2$이므로

$2x=3(20-x), \ 2x=60-3x$

$5x=60$　　$\therefore x=12$

따라서 통학 시간이 10분 이상 15분 미만인 학생 수는 12이다.

답 12

05

전체 학생 수는 $4+3+7+8+6+2=30$이므로

상위 20 % 이내에 속하는 학생 수는

$$30 \times \frac{20}{100} = 6$$

성적이 90점 이상인 학생 수는 2, 80점 이상인 학생 수는 $2+6=8$이므로 수학 성적이 6번째로 높은 학생이 속하는 계급은 80점 이상 90점 미만이다.

따라서 수학 성적이 상위 20 % 이내에 속하려면 적어도 80점 이상이어야 한다.　　　　　　　　답 80점

쌤의 오답 피하기 특강

30명의 20 %는 6명이므로 상위 20 % 이내에 속하는 학생들은 6명이다. 즉, 6번째로 점수가 높은 학생의 최소한의 점수를 구해야 한다. 히스토그램에서 90점 이상 100점 미만인 학생이 2명이고 80점 이상 90점 미만인 학생이 6명이므로 6번째로 점수가 높은 학생은 80점 이상 90점 미만의 점수를 받았을 것이다. 히스토그램에서는 정확한 변량의 값을 알 수 없으므로 이 학생이 정확히 몇 점을 받았는지는 알 수 없지만 80점 이상 90점 미만인 계급에 속하므로 최소 80점 이상이어야 한다. 문제에서 정확한 값을 요구하는 것이 아니므로 당황하지 말고 최소한의 점수를 찾으면 된다.

06

① 전체 학생 수는 $3+4+7+5+1=20$

② 키가 160 cm 미만인 학생 수는 $3+4=7$이므로 전체 학생 중 키가 160 cm 미만인 학생의 비율은 $\dfrac{7}{20} \times 100 = 35 \, (\%)$

③ 도수분포다각형은 자료의 분포 상태를 한눈에 알아보기 쉽다.

④ 도수분포다각형에서 변량이 가지는 정확한 값은 알 수 없다.

⑤ 키가 168 cm인 학생이 속하는 계급은 160 cm 이상 170 cm 미만이므로 그 계급의 도수는 7명이다.

따라서 도수분포다각형을 보고 알 수 없는 것은 ④이다.　　답 ④

07

국어 점수가 80점 이상 85점 미만인 학생 수를 x라 하면 85점 이상 90점 미만인 학생 수는 $x+3$

전체 학생 수가 30이므로

$1+4+x+(x+3)+7+3=30$

$2x=12$ ∴ $x=6$

따라서 국어 점수가 80점 이상 85점 미만인 학생 수는 6이므로

$\dfrac{6}{30}\times100=20\,(\%)$ 📋 20 %

08

슬기 : 같은 자료를 이용한다면 히스토그램의 각 직사각형의 넓이 의 합과 도수분포다각형과 가로축으로 둘러싸인 부분의 넓 이는 같다.

수영 : 히스토그램과 도수분포다각형은 각 계급의 도수는 알 수 있 지만 변량의 정확한 값은 알 수 없다.

예림 : 두 자료의 도수를 동시에 비교하는 데에는 히스토그램보다 도수분포다각형이 더 적절하다.

따라서 바르게 말한 학생은 주현이다. 📋 주현

09

전체 학생 수가 40이므로

$12+13+7+A+3+1=40$

$36+A=40$ ∴ $A=4$

두 도수분포표에서 윗몸일으키기 횟수가 0회 이상 30회 미만인 학 생 수를 각각 구하면 $12+13+7=32$, $20+B$이므로

$20+B=32$ ∴ $B=12$

이때 $20+12+C+2=40$이므로

$C+34=40$ ∴ $C=6$ 📋 $A=4$, $B=12$, $C=6$

10

① A반의 전체 학생 수는

$2+6+13+9+6=36$

B반의 전체 학생 수는

$1+6+8+12+6+2=35$

따라서 A반과 B반의 학생 수는 다르다.

② A반에서 달리기 기록이 가장 느린 학생이 속하는 계급은 20초 이상 22초 미만이고, B반에서 달리기 기록이 가장 느린 학생이 속하는 계급은 22초 이상 24초 미만이다.

따라서 달리기 기록이 가장 느린 학생은 B반에 있다.

③ 달리기 기록이 18초 미만인 학생 수는

A반이 $2+6+13=21$

B반이 $1+6+8=15$

따라서 달리기 기록이 18초 미만인 학생은 A반이 더 많다.

④ A반에서 달리기 기록이 14초 미만인 학생 수는 2, 16초 미만인 학생 수는 $2+6=8$, 18초 미만인 학생 수는 $8+13=21$이므로

A반에서 16등을 한 학생이 속하는 계급은 16초 이상 18초 미 만이다.

B반에서 달리기 기록이 14초 미만인 학생 수는 1, 16초 미만인 학생 수는 $1+6=7$, 18초 미만인 학생 수는 $7+8=15$, 20초 미만인 학생 수는 $15+12=27$이므로 B반에서 16등을 한 학생 이 속하는 계급은 18초 이상 20초 미만이다.

따라서 A반에서 16등을 한 학생의 기록이 B반에서 16등을 한 학생의 기록보다 빠르다.

⑤ A반에서 달리기 기록이 20초 이상 22초 미만인 학생 수가 6이 므로 A반 전체에 대한 비율은 $\dfrac{6}{36}\times100=16.\times\times\times\,(\%)$이고,

B반에서 달리기 기록이 20초 이상 22초 미만인 학생 수가 6이 므로 B반 전체에 대한 비율은 $\dfrac{6}{35}\times100=17.\times\times\times\,(\%)$이다.

따라서 그 비율이 서로 다르다.

그러므로 옳은 것은 ④이다. 📋 ④

> **참고** 달리기 기록이 20초 이상 22초 미만인 학생 수는 두 반 모두 6이다. 그러나 A반과 B반의 전체 학생 수가 다르므로 각 반 전체에 대한 비율은 다르다.

LEVEL 2 필수 기출 문제 → 98쪽~102쪽

01 ③	**02** 17분	**03** $A=4$, $B=8$	**04** 75	**05** 2
06 46	**07** 19	**08** $A=71$, $B=59$	**09** 15	**10** 50 %
11 10	**12** 335 km²	**13** ⑤	**14** 6	**15** 45회 **16** ④
17 60 %	**18** $S_1=S_2$			

01

[전략] $(평균)=\dfrac{(자료의 총합)}{(자료의 개수)}$ 임을 이용한다.

① 남자 선수는 $1+2+4+3+2=12$(명)

여자 선수는 $2+4+3+2+2=13$(명)

따라서 여자 선수가 남자 선수보다 더 많다.

② 남자, 여자 모두 28세인 선수가 한 명씩 있다.

③ 줄기와 잎 그림에서 7번째로 나이가 많은 사람의 나이는 43세이 므로 남녀 합쳐 7번째로 나이가 많은 사람은 여자이다.

④ 남자의 평균 나이는

$\dfrac{13+23+28+31+34+37+38+41+45+47+51+56}{12}$

$=\dfrac{444}{12}=37$(세)

여자의 평균 나이는

$\dfrac{17+19+22+25+27+28+30+33+36+42+43+52+55}{13}$

$=\dfrac{429}{13}=33$(세)

따라서 평균 나이는 남자가 더 많다.

⑤ 45세 이상인 선수는 6명이다.

그러므로 옳은 것은 ③이다. 📋 ③

02

[전략] 전체 학생 수를 파악하여 휴대폰 중독 여부를 검사해야 하는 학생이 몇 명인지 계산한다.

전체 학생 수는 $4+4+7+5+5+3=28$

따라서 검사 대상이 되는 학생 수는

$28 \times \dfrac{1}{4} = 7$

7명 중 휴대폰을 가장 오래 사용한 학생은 69분을 사용하였고, 7번째로 오래 사용한 학생은 52분을 사용하였으므로 이용 시간의 차는

$69-52=17$(분)   답 17분

03

[전략] $(평균) = \dfrac{(자료의 총합)}{(자료의 개수)}$ 이고, $B=2A$임을 이용한다.

전체 입장객 수는 $2+4+4+3+2=15$

입장객의 나이의 총합은

$3+7+11+12+15+15+20+21+(20+A)+28+32+33$
$+36+40+(40+B)=333+A+B$

이때 $B=2A$이고 입장객의 평균 나이가 23세이므로

$\dfrac{333+A+2A}{15}=23$

$333+3A=345, \ 3A=12$

$\therefore A=4$

$\therefore B=2A=2 \times 4=8$ 답 $A=4, \ B=8$

04

[전략] $(계급값) = \dfrac{(계급의 양 끝 값의 합)}{2}$ 임을 이용한다.

$20.5 - \dfrac{7}{2} = 17, \ 20.5 + \dfrac{7}{2} = 24$

이므로 주어진 계급은 17 이상 24 미만이다.

따라서 $a=17, \ b=24$이므로

$3a+b=3 \times 17+24=75$ 답 75

다른 풀이

계급의 크기가 7이므로 $b=a+7$

이때 a 이상 $a+7$ 미만인 계급의 계급값은 $\dfrac{a+(a+7)}{2}=20.5$에서

$2a+7=41, \ 2a=34$

$\therefore a=17, \ b=17+7=24$

$\therefore 3a+b=3 \times 17+24=75$

05

[전략] 가능한 모든 경우를 구한 후, 문제에서 요구하는 조건을 만족시키는 것을 찾는다.

한 달 동안 본 영화의 수가 2편 이상 4편 미만인 계급의 도수를 a명, 8편 이상 10편 미만인 계급의 도수를 b명이라 하자.

전체 학생 수가 35이므로

$1+a+10+7+b+3=35$

$\therefore a+b=14$

$a<b$이므로 가능한 $a, \ b$의 순서쌍 $(a, \ b)$는

$(1, 13), (2, 12), (3, 11), (4, 10), (5, 9), (6, 8)$

이 중 $a, \ b$의 최소공배수가 12인 경우는 $(2, 12)$이므로 영화를 2편 이상 4편 미만 본 학생 수는 2이다.   답 2

06

[전략] 계급값이 A, 계급의 크기가 a인 계급은 $A-\dfrac{a}{2}$ 이상 $A+\dfrac{a}{2}$ 미만임을 이용한다.

계급값의 간격이 6 kg이므로 계급의 크기는 6 kg이다. 따라서 주어진 표를 도수분포표로 나타내면 다음과 같다.

몸무게(kg)	도수(명)
40^{이상} ~ 46^{미만}	2
46 ~ 52	8
52 ~ 58	A
58 ~ 64	16
64 ~ 70	B
70 ~ 76	4
합계	50

몸무게가 58 kg 미만인 학생 수는 $50 \times \dfrac{38}{100}=19$이므로

$2+8+A=19$ $\therefore A=9$

$\therefore B=50-(2+8+9+16+4)=11$

몸무게가 58 kg 이상 64 kg 미만인 계급에 속하는 16명의 학생의 몸무게가 모두 61 kg 이상이면 몸무게가 61 kg 이상인 학생 수가 최대가 되고, 16명의 학생의 몸무게가 모두 61 kg 미만이면 몸무게가 61 kg 이상인 학생 수가 최소가 된다.

따라서 $x=16+11+4=31, \ y=11+4=15$이므로

$x+y=31+15=46$ 답 46

07

[전략] 30점을 받을 수 있는 경우를 2가지로 나눠서 생각한다.

문제를 맞힌 경우는 ○, 맞히지 못한 경우는 ×로 나타내면 다음과 같다.

점수(점)	1번 문제	2번 문제	3번 문제	도수(명)
0	×	×	×	4
10	○	×	×	3
20	×	○	×	8
30	○	○	×	
	×	×	○	
40	○	×	○	4
50	×	○	○	7
60	○	○	○	5
합계				40

1번 문제와 2번 문제를 맞혀 30점을 받은 학생을 제외하고 현재까지 1번 문제를 맞힌 학생 수는 $3+4+5=12$

1번 문제의 정답자가 20명이므로 1번 문제와 2번 문제를 맞혀 30점을 받은 학생 수는 $20-12=8$

따라서 현재까지 세 문제 중 두 문제만 맞힌 학생 수는

$8+4+7=19$ 　　　　　　　　　　　　　　　　　　　답 19

쌤의 만점 특강

30점을 제외한 나머지 점수들은 1번, 2번, 3번 문제 중 맞혀야 하는 문제가 1가지로 정해지지만 30점은 맞혀야 하는 문제가 1번과 2번 또는 3번인 2가지 경우로 나뉘어진다.

08

[전략] A, B를 제외한 나머지 자료를 도수분포표로 나타낸다.

주어진 자료에서 A, B를 제외한 나머지 14개의 변량으로 도수분포표를 만들면 다음과 같다.

농도($\mu g/m^3$)	도수(개)
$40^{이상} \sim 50^{미만}$	1
$50 \sim 60$	3
$60 \sim 70$	6
$70 \sim 80$	2
$80 \sim 90$	2
합계	14

이를 주어진 도수분포표와 비교하면

A, B는 50 $\mu g/m^3$ 이상 60 $\mu g/m^3$ 미만, 70 $\mu g/m^3$ 이상 80 $\mu g/m^3$ 미만인 계급에 각각 하나씩 속함을 알 수 있다.

이때 $A-B=12$에서 $A>B$이므로

$70 \leq A < 80$, $50 \leq B < 60$

이를 만족시키는 두 자연수 A, B의 값 중 $A-B=12$인 경우는

$A=70$, $B=58$ 또는 $A=71$, $B=59$

이때 모든 변량의 값은 다르므로 $A=71$, $B=59$

답 $A=71$, $B=59$

쌤의 만점 특강

$A-B=12$에서 $A=B+12$

B는 50부터 59까지의 자연수이므로 A는 62부터 71까지 가능하다.

이 중 $70 \leq A < 80$을 만족시키는 자연수 A는 70과 71뿐이다.

09

[전략] 250타 이상인 학생이 전체의 30 %임을 식으로 나타낸다.

$b=2a$이므로 전체 학생 수는

$2+a+10+11+2a+2=25+3a$

250타 이상인 학생이 전체의 30 %이므로

$(25+3a) \times \dfrac{30}{100} = 2a+2$

$\dfrac{15}{2} + \dfrac{9}{10}a = 2a+2$, $75+9a = 20a+20$

$11a = 55$　　$\therefore a=5$

$\therefore b=2a=2 \times 5=10$

$\therefore a+b=5+10=15$ 　　　　　　　　　　　　　　답 15

10

[전략] 보이지 않는 세 계급의 학생 수의 비를 구한다.

줄넘기 횟수가 60회 이상 65회 미만인 학생 수와 65회 이상 70회 미만인 학생 수의 비가 2 : 3이고, 65회 이상 70회 미만인 학생 수와 70회 이상 75회 미만인 학생 수의 비가 2 : 1이므로 줄넘기 횟수가 60회 이상 65회 미만, 65회 이상 70회 미만, 70회 이상 75회 미만인 학생 수의 비는 4 : 6 : 3이다.

각 계급의 학생 수를 $4k$, $6k$, $3k$ (k는 자연수)라 하면

전체 학생 수가 40이므로

$3+4+4k+6k+3k+5+2=40$

$13k=26$　　$\therefore k=2$

따라서 줄넘기 횟수가 60회 이상 70회 미만인 학생 수는

$4k+6k=10k=10 \times 2=20$

$\therefore \dfrac{20}{40} \times 100 = 50 (\%)$ 　　　　　　　　　답 50 %

다른 풀이

보이지 않는 세 계급에 속하는 학생 수는

$40-(3+4+5+2)=26$

보이지 않는 세 계급에 속하는 학생 수의 비는 4 : 6 : 3이므로 줄넘기 횟수가 60회 이상 70회 미만인 학생 수는

$26 \times \dfrac{4+6}{4+6+3} = 26 \times \dfrac{10}{13} = 20$

$\therefore \dfrac{20}{40} \times 100 = 50 (\%)$

11

[**전략**] 3시간 30분 이상 4시간 미만 공부한 학생 수를 미지수로 놓고 식을 세운다.

3시간 30분 이상 4시간 미만 공부한 학생 수를 x라 하면

3시간 이상 4시간 미만 공부한 학생 수는 $6+x$이고,

2시간 미만 공부한 학생 수는 $2+2+4=8$이므로

$6+x=2\times 8=16$

$\therefore\ x=10$

따라서 3시간 30분 이상 4시간 미만 공부한 학생 수는 10이다.

📋 10

12

[**전략**] 히스토그램에서 모든 직사각형의 넓이의 합은 (계급의 크기)×(전체 도수) 이다.

계급의 크기를 $x\,\text{km}^2$라 하면

도수의 총합은 $14+8+10+6+2=40$(개)이므로

$40x=2800$

$\therefore\ x=70$

즉, 계급의 크기는 $70\,\text{km}^2$이다.

따라서 도수가 가장 작은 계급은 $300\,\text{km}^2$ 이상 $370\,\text{km}^2$ 미만이

므로 그 계급값은 $\dfrac{300+370}{2}=335\,(\text{km}^2)$

📋 $335\,\text{km}^2$

13

[**전략**] 히스토그램의 각 직사각형의 넓이는 각 계급의 도수에 정비례한다.

① 하루 수면 시간이 8시간 이상 10시간 미만인 학생 수를 x라 하면

히스토그램의 각 직사각형의 넓이는 각 계급의 도수에 정비례하

므로

$x:9=4:3,\ 3x=36$

$\therefore\ x=12$

따라서 도수가 가장 큰 계급은 8시간 이상 10시간 미만이므로

그 계급값은 $\dfrac{8+10}{2}=9$(시간)이다.

② 전체 학생 수는 $4+5+6+12+9=36$

하루 수면 시간이 6시간 미만인 학생 수는 $4+5=9$

$\therefore\ \dfrac{9}{36}\times 100=25\,(\%)$

③ 계급값이 9시간인 계급은 8시간 이상 10시간 미만이고, 그 계급 의 도수는 12명이다. 계급값이 7시간인 계급은 6시간 이상 8시 간 미만이고, 그 계급의 도수는 6명이다.

따라서 계급값이 9시간인 계급의 도수는 계급값이 7시간인 계 급의 도수의 2배이다.

④ $(A$의 넓이$):(C$의 넓이$)=4:6=2:3,$

$(C$의 넓이$):(E$의 넓이$)=6:9=2:3$

$\therefore\ (A$의 넓이$):(C$의 넓이$)=(C$의 넓이$):(E$의 넓이$)$

⑤ 하루 수면 시간이 10시간 이상인 학생 수는 9이고, 8시간 이상인 학생 수는 $9+12=21$이므로 수면 시간이 많은 쪽에서 20번째 인 학생이 속하는 계급은 8시간 이상 10시간 미만이다.

따라서 그 계급값은 $\dfrac{8+10}{2}=9$(시간)이다.

그러므로 옳지 않은 것은 ⑤이다.

📋 ⑤

14

[**전략**] 색칠한 삼각형의 밑변의 길이는 계급의 크기의 반이다.

색칠한 세 삼각형의 밑변의 길이는 모두

$\dfrac{(\text{계급의 크기})}{2}=\dfrac{10}{2}=5$

모눈 한 칸의 세로의 길이를 x라 하면

$S_1=\dfrac{1}{2}\times 5\times 2x=5x$

$S_2=\dfrac{1}{2}\times 5\times \dfrac{3}{2}x=\dfrac{15}{4}x$

$S_3=\dfrac{1}{2}\times 5\times \dfrac{5}{2}x=\dfrac{25}{4}x$

$S_1+S_2+S_3=5x+\dfrac{15}{4}x+\dfrac{25}{4}x=30$

$15x=30$ $\therefore\ x=2$

따라서 수학 성적이 50점 미만인 학생 수는

$3x=3\times 2=6$

📋 6

15

[**전략**] 도수분포다각형과 가로축으로 둘러싸인 부분의 넓이는 (계급의 크기)×(도수의 총합)이다.

도수분포다각형과 가로축으로 둘러싸인 부분의 넓이는

(계급의 크기)×(도수의 총합)이므로

$10\times(\text{도수의 총합})=640$

$\therefore\ (\text{도수의 총합})=64$(명)

이때 모눈 한 칸의 세로의 길이를 x라 하면

$3x+4x+6x+2x+x=64$

$16x=64$ $\therefore\ x=4$

따라서 팔굽혀펴기 기록이 50회 이상인 학생 수는 $x=4$이고, 40회 이상인 학생 수는 $x+2x=3x=12$이다.

따라서 기록이 10번째로 좋은 학생이 속하는 계급은 40회 이상 50 회 미만이고, 그 계급값은 $\dfrac{40+50}{2}=45$(회)

📋 45회

16

[**전략**] 도수분포다각형은 두 개 이상의 자료를 동시에 나타낼 수 있으므로 비교하기에 편리하다.

① 훈련 전의 전체 학생 수는

$2+7+6+4+1=20$

훈련 1주 차의 전체 학생 수는

$3+8+5+3+1=20$

훈련 2주 차의 전체 학생 수는

$5+8+4+2=19$

따라서 훈련 중간에 그만 둔 학생이 있다.

② 훈련 전, 훈련 1주 차, 훈련 2주 차 모두 가장 많은 학생이 속한 계급은 11초 이상 12초 미만이다.

③ 훈련을 진행할수록 기록이 느린 계급의 학생 수가 줄어들고, 기록이 빠른 계급의 학생 수가 늘어나고 있으므로 대체적으로 기록이 빨라졌다고 할 수 있다.

④ 도수분포다각형에서는 정확한 변량의 값을 알 수 없으므로 모든 학생들의 기록이 향상되었는지는 알 수 없다.

⑤ 세 도수분포다각형을 동시에 나타내면 오른쪽 그림과 같다. 즉, 훈련이 진행될수록 학생들의 기록의 변화 상태를 한눈에 확인할 수 있다.

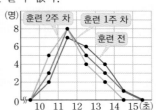

따라서 옳지 않은 것은 ④이다.

답 ④

17

[**전략**] 여학생 중에서 키가 상위 30 % 이내에 드는 학생 수를 구한다.

전체 여학생 수는 $1+5+6+9+6+3=30$이므로

여학생 중에서 키가 상위 30 % 이내에 드는 학생 수는

$30 \times \dfrac{30}{100}=9$

여학생 중에서 키가 165 cm 이상인 학생 수가 3이고, 160 cm 이상인 학생 수가 $3+6=9$이므로 상위 30 % 이내에 드는 학생의 키는 160 cm 이상이다.

한편, 전체 남학생 수는 $2+4+6+7+8+3=30$이고 남학생 중에서 키가 160 cm 이상인 학생 수는 $7+8+3=18$이므로

$\dfrac{18}{30} \times 100=60\,(\%)$

따라서 여학생 중에서 키가 상위 30 % 이내에 드는 학생은 만약 남학생이라면 적어도 상위 60 % 이내에 든다.

답 60 %

18

[**전략**] 도수분포다각형과 가로축으로 둘러싸인 부분의 넓이는 전체 도수에 정비례함을 이용한다.

1반의 전체 학생 수는 $4+7+9+4+1=25$

2반의 전체 학생 수는 $2+4+7+10+2=25$

즉, 1반과 2반의 학생 수가 같으므로 각 반의 도수분포다각형과 가로축으로 둘러싸인 부분의 넓이는 서로 같다.

오른쪽 그림의 빗금친 부분의 넓이를 A라 하면

(1반의 도수분포다각형과 가로축으로 둘러싸인 부분의 넓이)

$=S_1+A$

(2반의 도수분포다각형과 가로축으로 둘러싸인 부분의 넓이)

$=S_2+A$

따라서 $S_1+A=S_2+A$이므로

$S_1=S_2$

답 $S_1=S_2$

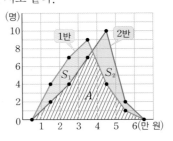

LEVEL 3 최고난도 문제 →103쪽

01 16 **02** 최대 15일, 최소 8일 **03** 9시간 **04** 9 : 11

01 solution 미리 보기

step ❶	줄기가 0, 1인 학생 수를 문자로 나타내고 전체 학생 수 구하기
step ❷	각 줄기별 학생들이 읽은 책의 권수의 총합 구하기
step ❸	❷에서 구한 총합을 이용하여 전체 평균에 대한 식 세우기
step ❹	전체 학생 수 구하기

줄기가 0인 학생 수를 x라 하면

줄기가 1인 학생 수는 $2x$이므로

전체 학생 수는 $x+2x+4+6=3x+10$ ·········· ❶

줄기가 0인 학생들이 읽은 책의 권수의 평균이 5권이므로

$\dfrac{(줄기가\ 0인\ 학생들이\ 읽은\ 책의\ 권수의\ 총합)}{x}=5\,(권)$

$\therefore$ (줄기가 0인 학생들이 읽은 책의 권수의 총합)$=5x\,(권)$

줄기가 1인 학생들이 읽은 책의 권수의 평균이 16권이므로

$\dfrac{(줄기가\ 1인\ 학생들이\ 읽은\ 책의\ 권수의\ 총합)}{2x}=16\,(권)$

$\therefore$ (줄기가 1인 학생들이 읽은 책의 권수의 총합)$=32x\,(권)$

줄기가 2인 학생들이 읽은 책의 권수의 총합은

$20+23+25+28=96\,(권)$

줄기가 3인 학생들이 읽은 책의 권수의 총합은

$32+34+35+37+38+38=214\,(권)$ ·········· ❷

이때 반 전체 학생들이 읽은 책의 권수의 평균은 24권이므로

$\dfrac{5x+32x+96+214}{3x+10}=24$ ·········· ❸

$37x+310=24(3x+10)$

$35x=70$ $\therefore x=2$

따라서 승혁이네 반 전체 학생 수는

$3x+10=3\times2+10=16$ ·········· ❹

답 16

02 solution (미리 보기)

step ❶	자료의 분포 범위 파악하기
step ❷	두 자료의 계급이 겹치는 부분을 찾아 계급의 크기를 줄여서 하나의 도수분포표로 나타내기
step ❸	반올림하였을 때 30 ℃가 되는 구간 찾기
step ❹	반올림하였을 때 30 ℃가 되는 날은 최대 며칠, 최소 며칠인지 구하기

같은 자료를 가지고 진수는 자료의 범위를 16 ℃ 이상 32 ℃ 미만으로 하여 도수분포표를 만들었고, 정훈이는 18 ℃ 이상 34 ℃ 미만으로 하여 히스토그램을 만들었다.

두 범위의 공통인 부분은 18 ℃ 이상 32 ℃ 미만이므로 자료는 18 ℃ 이상 32 ℃ 미만의 범위에 존재한다. ········· ❶

두 자료를 바탕으로 계급의 크기를 2 ℃로 하여 도수분포표로 나타내면 다음과 같다.

기온(℃)	진수	정훈	실제
		일수(일)	
16^{이상}~18^{미만}	5	0	0
18 ~20	5	10	5
20 ~22	11	10	5
22 ~24	11	13	6
24 ~26	11	13	7
26 ~28	11	6	4
28 ~30	4	6	2
30 ~32	4	2	2
32 ~34	0	2	0

········· ❷

반올림하여 30 ℃가 되려면 25 ℃ 이상 35 ℃ 미만이어야 한다. ········· ❸

24 ℃ 이상 26 ℃ 미만인 계급에 속하는 7일의 기온이 모두 25 ℃ 이상이면 반올림하여 30 ℃가 되는 날이 $7+4+2+2=15$(일)로 최대이고, 7일의 기온이 모두 24 ℃ 이상 25 ℃ 미만이면 반올림하여 30 ℃가 되는 날이 $4+2+2=8$(일)로 최소이다.

따라서 조사한 '최고 기온' 중 반올림했을 때 30 ℃가 되는 날은 최대 15일, 최소 8일이다. ········· ❹

📘 최대 15일, 최소 8일

03 solution (미리 보기)

step ❶	히스토그램에서 비어 있는 계급의 도수의 합 구하기
step ❷	계급값이 7시간과 11시간인 계급의 도수의 비가 2 : 1임을 이용하여 비어 있는 계급의 도수로 가능한 경우 나열하기
step ❸	비어 있는 계급의 도수 구하기
step ❹	15번째로 봉사 활동을 많이 한 학생이 속한 계급의 계급값 구하기

봉사 활동 시간이 6시간 이상 8시간 미만인 학생 수를 a, 8시간 이상 10시간 미만인 학생 수를 b, 10시간 이상 12시간 미만인 학생 수를 c라 하면
$a+b+c=40-(4+8+3)=25$ ······ ㉠ ········· ❶

계급값이 7시간인 계급의 도수는 a명, 계급값이 11시간인 계급의 도수는 c명이므로
$a:c=2:1$
즉, $a=2c$ ······ ㉡
㉠, ㉡을 만족시키는 a, b, c의 값을 표로 나타내면 다음과 같다.

a	b	c
2	22	1
4	19	2
6	16	3
8	13	4
10	10	5
12	7	6
14	4	7
16	1	8

········· ❷

이때 모든 계급의 도수는 20명을 넘지 않고, 모든 계급의 도수가 다 다르므로 $a=12$, $b=7$, $c=6$이다. ········· ❸

봉사 활동 시간이 12시간 이상인 학생 수는 3이고, 10시간 이상인 학생 수는 $3+6=9$, 8시간 이상인 학생 수는 $9+7=16$이다.

따라서 15번째로 봉사 활동을 많이 한 학생이 속한 계급은 8시간 이상 10시간 미만이고, 그 계급값은 $\dfrac{8+10}{2}=9$(시간) ········· ❹

📘 9시간

04 solution (미리 보기)

step ❶	전체 여학생 수와 남학생 수 각각 구하기
step ❷	남학생의 그래프에서 가려져 있는 계급의 도수 구하기
step ❸	A, B의 값 각각 구하기
step ❹	$A:B$를 가장 간단한 자연수의 비로 나타내기

여학생 중 기록이 16초 이상인 학생은 여학생 전체의 35 %이므로 16초 미만인 학생은 여학생 전체의 65 %이다.

기록이 16초 미만인 여학생 수가 $2+3+8=13$이므로 전체 여학생 수를 x라 하면

$x\times\dfrac{65}{100}=13$ ∴ $x=20$

따라서 전체 여학생 수는 20이고, 전체 남학생 수도 20이다. ········· ❶

달리기 기록이 13초 이상 14초 미만인 계급에 속하는 남학생 수는
$20-(1+6+4+3+1)=5$ ········· ❷

오른쪽 그림과 같이 도수분포다각형과 가로축으로 둘러싸인 부분의 넓이는 히스토그램의 각 직사각형의 넓이의 합과 같으므로

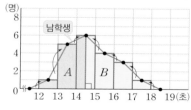

$A=1\times1+1\times5+0.5\times6=9$
$B=0.5\times6+1\times4+1\times3+1\times1=11$ ········· ❸
∴ $A:B=9:11$ ········· ❹

📘 9 : 11

09. 상대도수

LEVEL 1 시험에 꼭 내는 문제   →105쪽~106쪽

01 105   **02** 10   **03** $\frac{10}{23}$ **04** 60   **05** ③   **06** ⑤   **07** ②   **08** ③

09 (1) 30세 이상 40세 미만   (2) 57

01

초콜릿 맛 아이스크림을 좋아하는 학생의 상대도수를 a, 바닐라 맛 아이스크림을 좋아하는 학생의 상대도수를 b라 하면

$a : b = 5 : 3$에서

$3a = 5b$ ∴ $b = \frac{3}{5}a$

상대도수의 총합은 항상 1이므로

$a + 0.27 + b + 0.17 = 1$

즉, $a + 0.27 + \frac{3}{5}a + 0.17 = 1$

$\frac{8}{5}a = 0.56$

∴ $a = 0.35$

따라서 초콜릿 맛 아이스크림을 좋아하는 학생 수는

$300 \times 0.35 = 105$ **답** 105

02

전체 학생 수는 $\frac{4}{0.1} = 40$

몸무게가 65 kg 이상인 학생이 전체의 65 %이므로

60 kg 이상 65 kg 미만인 계급의 상대도수는

$1 - (0.1 + 0.65) = 0.25$

따라서 몸무게가 60 kg 이상 65 kg 미만인 학생 수는

$40 \times 0.25 = 10$ **답** 10

03

1학년 1, 2, 3반 전체 학생 중 혈액형이 AB형인 학생 수는

$5 + 10 + 3 = 18$이므로 1학년 전체 학생 수는

$\frac{18}{0.25} = 72$

1반의 전체 학생 수는 $\frac{5}{0.2} = 25$,

3반의 전체 학생 수는 $\frac{3}{0.125} = 24$이므로

2반의 전체 학생 수는

$72 - (25 + 24) = 23$

따라서 2반에서 혈액형이 AB형인 학생 수는 10이므로

$a = \frac{10}{23}$ **답** $\frac{10}{23}$

04

신발 크기가 260 mm 미만인 학생의 상대도수는

$0.05 + 0.15 = 0.2$이므로 전체 학생 수는

$\frac{40}{0.2} = 200$

한편, 상대도수가 가장 큰 계급은 280 mm 이상 290 mm 미만이고, 그 계급의 상대도수는 0.3이다.

따라서 상대도수가 가장 큰 계급의 학생 수는 $200 \times 0.3 = 60$

      답 60

05

② 50점 미만인 계급의 상대도수의 합은

$0.075 + 0.175 = 0.25$이므로 50점 미만의 학생은 전체의

$0.25 \times 100 = 25 \, (\%)$

③ 50점 이상 60점 미만인 학생 수는

$80 \times 0.225 = 18$

④ 상대도수가 가장 큰 계급과 가장 작은 계급의 상대도수의 차는

$0.325 - 0.05 = 0.275$이므로 학생 수의 차는

$80 \times 0.275 = 22$

⑤ 80점 이상인 학생 수는 $80 \times 0.05 = 4$이고, 70점 이상인 학생 수는 $80 \times (0.05 + 0.15) = 16$이고, 60점 이상인 학생 수는

$80 \times (0.2 + 0.325) = 42$이므로 상위 20명 중 성적이 가장 낮은 학생은 60점 이상 70점 미만인 계급에 속하고, 그 계급의 상대도수는 0.325이다.

따라서 옳지 않은 것은 ③이다.   **답** ③

06

14초 이상 16초 미만인 남학생의 상대도수는

$1 - (0.12 + 0.36 + 0.2 + 0.04) = 0.28$

16초 이상 18초 미만인 여학생의 상대도수는

$1 - (0.1 + 0.35 + 0.25 + 0.1) = 0.2$

① A와 B 모두 상대도수의 총합이므로 그 값은 1로 같다.

② 계급값이 15초인 계급은 14초 이상 16초 미만이므로 이 계급의 남학생 수는 $25 \times 0.28 = 7$

③ 여학생의 기록 중 도수가 가장 큰 계급은 12초 이상 14초 미만이므로 그 계급값은 $\frac{12 + 14}{2} = 13$(초)

④ 13.9초를 기록한 학생은 12초 이상 14초 미만인 계급에 속하고, 14초 미만을 기록한 남학생의 상대도수는 $0.12 + 0.36 = 0.48$, 여학생의 상대도수는 $0.1 + 0.35 = 0.45$이므로 13.9초를 기록한 남학생과 여학생은 모두 기록이 느린 절반에 속하지 않는다. 따라서 모두 체력 훈련 대상자가 아니다.

⑤ 16초 이상 18초 미만인 계급의 상대도수는 남학생, 여학생 모두 0.2로 같지만 전체 학생 수가 다르면 이 계급에 속하는 남학생 수와 여학생 수도 다르다.

따라서 옳지 않은 것은 ⑤이다.   **답** ⑤

두 자료의 어느 계급의 상대도수가 같다고 해서 그 계급의 도수도 같은 것은 아니다. 상대도수는 도수의 총합에 대한 해당 계급의 도수의 비율이기 때문에 도수의 총합이 다르다면 해당 계급의 도수도 다를 수 밖에 없다. 상대도수가 같다고 무조건 도수가 같다고 생각하지 말고 도수의 총합이 같은지 반드시 확인한다.

(1) 두 지역의 관광객 수가 같은 계급은 30세 이상 40세 미만인 계급이다.

(2) A, B 두 지역의 관광객 수의 차이가 가장 많이 나는 계급은 40대 이상 50대 미만이고, 그 차는 $176-119=57$

답 (1) 30세 이상 40세 미만 (2) 57

07

$A=24-(4+6+3+4+5)=2$
$B=3+5+6+5+3+4=26$
각 반의 90점 이상인 학생의 상대도수를 각각 구하면
1반은 $\dfrac{3}{25}=0.12$, 2반은 $\dfrac{4}{26}=0.15\times\times\times$, 3반은 $\dfrac{2}{24}=0.08\times\times\times$
따라서 수학 성적이 90점 이상인 학생은 2반이 상대적으로 많다고 할 수 있다.

답 ②

08

① 1학년 학생들의 그래프가 2학년 학생들의 그래프보다 왼쪽에 치우쳐 있으므로 1학년 학생들이 2학년 학생들보다 몸무게가 덜 나가는 편이다.

② 1학년 학생들 중 몸무게가 65 kg 이상인 계급의 상대도수의 합은
$0.08+0.06=0.14$
따라서 1학년 학생들 중 몸무게가 65 kg 이상인 학생 수는
$300\times0.14=42$

③ 2학년 학생들 중 몸무게가 55 kg 이상 65 kg 미만인 계급의 상대도수의 합은 $0.24+0.28=0.52$이므로 2학년 전체 학생들 중 절반이 넘는다.

④ 몸무게가 70 kg 이상 75 kg 미만인 학생들의 상대도수는 1학년과 2학년 모두 0.06으로 같지만 전체 학생 수가 다르면 이 계급에 속하는 학생 수도 다르다.

⑤ 두 그래프의 계급의 크기가 5 kg, 상대도수의 총합이 1로 같으므로 각각의 그래프와 가로축으로 둘러싸인 부분의 넓이는 같다.
따라서 옳은 것은 ③이다.

답 ③

09

A, B 두 지역의 관광객이 각각 700명, 800명이므로 주어진 그래프를 상대도수의 분포표로 나타내면 다음과 같다.

나이(세)	A 지역 상대도수	A 지역 도수(명)	B 지역 상대도수	B 지역 도수(명)
10이상~20미만	0.13	91	0.11	88
20 ~30	0.27	189	0.24	192
30 ~40	0.32	224	0.28	224
40 ~50	0.17	119	0.22	176
50 ~60	0.11	77	0.15	120
합계	1	700	1	800

LEVEL 2 필수 기출 문제

→107쪽~110쪽

| 01 ⑤ | 02 96 | 03 13 | 04 0.35 | 05 20 % | 06 105 |
| 07 4 : 5 | 08 200번째 | 09 ① | 10 450 | 11 62.5회 | 12 12 |

01

[전략] (계급의 상대도수)$=\dfrac{(\text{계급의 도수})}{(\text{도수의 총합})}$를 이용한다.

ㄱ. 도수의 총합이 40이므로 $y=\dfrac{x}{40}$

ㄴ. 정비례 관계 $y=\dfrac{x}{40}$의 그래프는 원점을 지나는 직선이다.

ㄷ. $b=\dfrac{a}{40}$, $d=\dfrac{c}{40}$이므로
$\dfrac{a+c}{40}=\dfrac{a}{40}+\dfrac{c}{40}=b+d$

따라서 ㄱ, ㄴ, ㄷ 모두 옳다.

답 ⑤

정비례 관계의 그래프
x와 y가 정비례할 때 x와 y 사이의 관계를 나타내는 식은 $y=ax(a\neq0)$이며, 정비례 관계 $y=ax$의 그래프는 원점을 지나는 직선이다.

02

[전략] 8회 이상 12회 미만인 계급의 상대도수를 먼저 구한다.

8회 이상 12회 미만인 계급의 상대도수는
$1-\left(\dfrac{1}{6}+\dfrac{1}{8}+\dfrac{3}{8}+\dfrac{1}{4}\right)=1-\dfrac{11}{12}=\dfrac{1}{12}$
따라서 전체 학생 수의 최댓값은 상대도수의 분모 4, 6, 8, 12의 최소공배수 24의 배수이면서 100 이하이어야 하므로 96이다.

답 96

03

[전략] 찢어져 보이지 않는 부분의 상대도수의 합을 이용하여 학생 수를 구한다.

방학 동안 책을 8권 이상 10권 미만 읽은 학생 수를 x라 하면 4권 이상 6권 미만 읽은 학생 수는 $x-2$, 6권 이상 8권 미만 읽은 학생 수는 x이다.
따라서 4권 이상 10권 미만 읽은 학생 수는
$(x-2)+x+x=3x-2$

이고, 그 상대도수는 $1-(0.08+0.18)=0.74$이므로

$\dfrac{3x-2}{50}=0.74$, $3x-2=37$

$\therefore x=13$

따라서 방학 동안 책을 8권 이상 10권 미만 읽은 학생 수는 13이다.

国 13

> **쌤의 특강**
>
> 각 계급에 속하는 학생 수를 이용하여 풀 수도 있다. 2권 이상 4권 미만인 계급의 상대도수는 0.08이므로 학생 수는 $50 \times 0.08 = 4$이고, 10권 이상 12권 미만인 계급의 상대도수는 0.18이므로 학생 수는 $50 \times 0.18 = 9$이다.
> 전체 학생 수가 50이므로 $4+(x-2)+x+x+9=50$, $3x+11=50$
> $\therefore x=13$

04

[**전략**] 찢어져 보이지 않는 부분의 가능한 모든 경기 수를 표로 나타내 본다.

80점 이상을 득점한 경기 수는

$60-(8+13)=39$

이때 80점 이상 90점 미만을 득점한 경기 수와 90점 이상 100점 미만을 득점한 경기 수의 비가 3 : 2이므로 가능한 모든 경우의 경기 수를 표로 나타내면 다음과 같다.

80점 이상 90점 미만(경기 수)	3	6	9	12	15	18	21
90점 이상 100점 미만(경기 수)	2	4	6	8	10	12	14
100점 이상 110점 미만(경기 수)	34	29	24	19	14	9	4

전체 계급 중 100점 이상 110점 미만인 계급의 도수가 가장 작으므로 100점 이상 110점 미만인 계급의 경기 수는 4이어야 한다.

따라서 100점 이상 110점 미만인 계급의 경기 수가 4일 때, 80점 이상 90점 미만인 계급의 상대도수는

$\dfrac{21}{60}=0.35$

国 0.35

05

[**전략**] 상대도수의 총합은 항상 1임을 이용하여 $a+b$의 값을 먼저 구한다.

상대도수의 총합은 항상 1이므로

$0.08+0.24+a+b+0.16+0.04=1$

$\therefore a+b=0.48$

위 식의 양변에 25를 곱하면 $25a+25b=12$

이때 $a>b$이므로 $25a>25b$이고, $25a$와 $25b$는 소수이면서 합이 12인 두 수이므로 $25a=7$, $25b=5$

따라서 가족과 함께하는 시간이 80분 이상 100분 미만인 계급의 상대도수는 $b=\dfrac{5}{25}=0.2$이므로 전체의 20 %이다.

国 20 %

> **쌤의 만점 특강**
>
> **소수**
> 자연수 2, 3, 5, 7과 같이 약수가 2개인 수, 즉 1보다 큰 자연수 중에서 1과 그 수 자신만을 약수로 가지는 수

06

[**전략**] 상대도수의 분포를 나타낸 그래프와 가로축으로 둘러싸인 부분의 넓이는 계급의 크기이다.

전체 학생 수는 $\dfrac{2}{0.1}=20$이므로 $A=5 \times 20=100$

$B=5 \times 1=5$

$\therefore A+B=100+5=105$

国 105

> **쌤의 특강**
>
> 상대도수의 분포를 히스토그램, 도수분포다각형의 모양의 그래프로 나타낸 것은 동일한 자료를 히스토그램, 도수분포다각형으로 나타낸 것과 세로축만 도수, 상대도수로 다르다.

07

[**전략**] (도수의 총합)$=\dfrac{(\text{계급의 도수})}{(\text{계급의 상대도수})}$임을 이용한다.

1학년 전체 학생 수는 $\dfrac{24}{0.08}=300$

2학년 전체 학생 수는 $\dfrac{24}{0.12}=200$

$\therefore a=200b$, $c=300d$

한편, $b:d=6:5$에서 $5b=6d$ $\therefore b=\dfrac{6}{5}d$

$\therefore a:c=200b:300d=\left(200 \times \dfrac{6}{5}d\right):300d$

$\qquad =240d:300d=4:5$

国 4 : 5

08

[**전략**] 1반과 1학년의 전체 학생 수를 각각 구한 후 상대도수를 이용하여 도수를 구한다.

1학년 1반의 전체 학생 수는 $\dfrac{10}{0.25}=40$

1반에서 키가 175 cm 이상인 학생 수는 $40 \times 0.05=2$,

170 cm 이상인 학생 수는 $40 \times (0.05+0.2)=10$이므로 1반에서 10번째로 키가 큰 학생의 키는 170 cm 이상이다.

한편, 1학년 전체 학생 수는 $\dfrac{100}{0.2}=500$

이때 1학년 전체에서 키가 170 cm 이상인 학생 수는

$500 \times 0.4=200$

따라서 1반에서 10번째로 키가 큰 학생은 1학년 전체에서 적어도 200번째로 키가 크다고 할 수 있다.

国 200번째

09

[**전략**] 남학생 수를 x라 하면 여학생 수는 $400-x$이다.

배구를 좋아하는 학생 수는 $400 \times 0.14=56$

전체 학생 중 남학생 수를 x라 하면 여학생 수는 $400-x$이므로

$0.08 \times x+0.32 \times (400-x)=56$

$128-0.24x=56$, $0.24x=72$ $\therefore x=300$

즉, 남학생은 300명, 여학생은 100명이다.

따라서 주어진 상대도수의 분포표를 도수분포표로 나타내면 다음과 같다.

스포츠	남학생 수	여학생 수	전체 학생 수
축구	132	24	156
야구	90	26	116
농구	54	18	72
배구	24	32	56
합계	300	100	400

① 축구를 좋아하는 여학생 수는 24, 배구를 좋아하는 남학생 수는 24이므로 같다.

② 야구를 좋아하는 전체 학생 수는 116이므로 축구를 좋아하는 남학생 수 132보다 작다.

③ 농구를 좋아하는 남학생 수는 54, 여학생 수는 18로 다르다.

④ 배구를 좋아하는 남학생 수는 24, 야구를 좋아하는 여학생 수는 26이므로 그 차는 $26-24=2$이다.

⑤ 남학생 수와 여학생 수의 비는 $300 : 100 = 3 : 1$이다.

따라서 옳은 것은 ①이다.　　　　　　　　　　　　　　📑 ①

10

[전략] 남학생 수를 x, 여학생 수를 $700-x$라 하고 각 계급의 학생 수를 구한다.

전체 남학생 수를 x라 하면 전체 여학생 수는 $700-x$

남학생 중 1주일 용돈이 4만 원 이상 6만 원 미만인 계급의 상대도수의 합은 $0.24+0.16=0.4$

따라서 1주일 용돈이 4만 원 이상 6만 원 미만인 남학생 수는

$x \times 0.4 = 0.4x$

여학생 중 1주일 용돈이 4만 원 이상 6만 원 미만인 계급의 상대도수의 합은 $0.32+0.28=0.6$

따라서 1주일 용돈이 4만 원 이상 6만 원 미만인 여학생 수는

$(700-x) \times 0.6 = 420 - 0.6x$

$0.4x : (420-0.6x) = 6 : 5$에서 $2x=6(420-0.6x)$

$5.6x=2520$　　∴ $x=450$

따라서 전체 남학생 수는 450이다.　　　　　　　　📑 450

11

[전략] 1, 2학년의 전체 남학생 수를 각각 구한 후 주어진 그래프를 도수분포표로 나타낸다.

1학년 중 2단 뛰기 기록이 65회 이상 70회 미만인 계급의 상대도수가 70회 이상 75회 미만인 계급의 상대도수보다 $0.25-0.15=0.1$

만큼 크므로 1학년 전체 남학생 수는 $\dfrac{16}{0.1}=160$

이때 기록이 65회 이상 70회 미만인 1학년 남학생 수는

$160 \times 0.25 = 40$

이므로 기록이 60회 이상 65회 미만인 2학년 남학생 수는

$40+16=56$

따라서 2학년 전체 남학생 수는 $\dfrac{56}{0.2}=280$

그러므로 주어진 그래프를 도수분포표로 나타내면 다음과 같다.

횟수(회)	남학생 수	
	1학년	2학년
$50^{이상} \sim 55^{미만}$	8	56
$55 \ \sim 60$	32	84
$60 \ \sim 65$	56	56
$65 \ \sim 70$	40	42
$70 \ \sim 75$	24	42
합계	160	280

따라서 1학년, 2학년 남학생 수가 같은 계급은 60회 이상 65회 미만이고, 그 계급값은 $\dfrac{60+65}{2}=62.5$(회)　　📑 62.5회

12

[전략] 그래프의 세로축의 눈금 한 칸이 나타내는 상대도수를 x라 한다.

그래프의 세로축의 눈금 한 칸이 나타내는 상대도수를 x라 하면

A 동호회의 그래프에서 상대도수의 총합은 항상 1이므로

$x+5x+2x+8x+4x=1$

$20x=1$　　∴ $x=0.05$

이때 B 동호회의 그래프에서 20세 이상 30세 미만인 계급의 상대도수는

$1-(x+7x+6x+3x)=1-17x=1-17 \times 0.05 = 0.15$

따라서 B 동호회의 20대 회원 수는

$80 \times 0.15 = 12$　　　　　　　　　　　　　　📑 12

LEVEL 3 최고난도 문제　　　　　　　　　→ 111쪽

01 168	**02** 1	**03** 0.45	**04** 49

01 solution 미리 보기

step ❶	a, b를 최대공약수 7을 이용하여 나타내기
step ❷	각 계급에서 (도수의 총합) $= \dfrac{(계급의 도수)}{(계급의 상대도수)}$를 이용하여 전체 학생 수를 식으로 나타내기
step ❸	조사에 참여한 전체 학생 수 구하기

$a=7m$, $b=7n$ (m, n은 서로소)이라 하면 ··········❶

6시간 이상 8시간 미만인 계급에서 전체 학생 수는

$7m \div \dfrac{1}{8} = 7m \times 8 = 56m$

8시간 이상 10시간 미만인 계급에서 전체 학생 수는

$7n \div \dfrac{1}{3} = 7n \times 3 = 21n$ ··········❷

이때 $56m=21n$에서 $8m=3n$이고, m과 n은 서로소이므로

$m=3$, $n=8$이다.

따라서 조사에 참여한 전체 학생 수는

$21n=21 \times 8 = 168$ ··········❸

📑 168

02 solution 미리 보기

step ❶	기말고사의 각 계급의 도수 구하기
step ❷	x의 값 구하기
step ❸	y의 값 구하기
step ❹	$x-y$의 값 구하기

수진이네 반 학생 수의 변화가 없으므로 기말고사의 각 계급의 도수를 구하면 다음 표와 같다.

수학 성적(점)	중간고사 도수(명)	기말고사 도수(명)
$40^{이상} \sim 50^{미만}$	2	$25 \times 0.04 = 1$
$50 \sim 60$	x	$25 \times 0.2 = 5$
$60 \sim 70$	7	$25 \times 0.28 = 7$
$70 \sim 80$	y	$25 \times 0.16 = 4$
$80 \sim 90$	4	$25 \times 0.2 = 5$
$90 \sim 100$	3	$25 \times 0.12 = 3$
합계	25	25	❶

이때 중간고사와 기말고사 성적이 모두 90점 이상인 학생이 3명 미만이므로 중간고사 성적이 90점 이상이었던 학생 중에 한 계급이 내려간 학생이 반드시 있다.
기말고사 성적이 40점 이상 50점 미만인 학생은 1명이므로 $a=1$, $b=1$, $c=4$임을 순서대로 알 수 있다.
중간고사 성적이 90점 이상인 학생 중 한 계급이 내려간 학생은 1명이므로 $k=2$, $j=1$, $i=3$, $h=1$임을 순서대로 알 수 있다.
이때 $x=c+d=4+d$이므로 $d=x-4$
$d+e=(x-4)+e=7$이므로 $e=11-x$
$7=e+f=(11-x)+f$이므로 $f=x-4$이다.
성적이 향상되어 한 계급이 올라간 학생이 5명이므로
$b+d+f+h+j=5$
$1+(x-4)+(x-4)+1+1=5$, $2x-5=5$
$\therefore x=5$ ❷
전체 학생이 25명이므로
$2+x+7+y+4+3=25$
$2+5+7+y+4+3=25$
$21+y=25$ $\therefore y=4$ ❸
$\therefore x-y=5-4=1$ ❹

目 1

03 solution 미리 보기

step ❶	1학년 전체 학생 수 구하기
step ❷	1학년, 2학년 남학생 수 각각 구하기
step ❸	3학년 남학생 수와 여학생 수 각각 구하기
step ❹	3학년 전체 학생에 대한 3학년 여학생의 상대도수 구하기

1학년 전체 학생에 대한 1학년 남학생의 상대도수가 0.56이므로
1학년 전체 학생에 대한 1학년 여학생의 상대도수는 0.44이다.
1학년 남학생의 상대도수가 여학생의 상대도수보다
$0.56-0.44=0.12$만큼 크고, 1학년 남학생이 1학년 여학생보다 36명 많으므로
1학년 전체 학생 수는 $\dfrac{36}{0.12}=300$ ❶
따라서 1학년 남학생 수는 $300 \times 0.56=168$
2학년 남학생 수는 $260 \times 0.6=156$ ❷
이 중학교의 전체 남학생 수는 $800 \times 0.57=456$이므로
3학년 남학생 수는 $456-(168+156)=132$
3학년 전체 학생 수는 $800-(300+260)=240$이므로
3학년 여학생 수는 $240-132=108$ ❸
따라서 3학년 전체 학생에 대한 3학년 여학생의 상대도수는
$\dfrac{108}{240}=0.45$ ❹

目 0.45

참고 다음과 같이 각 학년 및 전체 여학생 수를 구할 수도 있다. 1, 2학년 전체 학생에 대한 1, 2학년 여학생의 상대도수는 각각 0.44, 0.4이므로 1, 2학년 여학생 수는 각각 $300 \times 0.44=132$, $260 \times 0.4=104$이다. 또한, 전교생에 대한 전체 여학생의 상대도수는 0.43이므로 전체 여학생 수는 $800 \times 0.43=344$이다. 즉, 3학년 여학생 수는 $344-(132+104)=108$이다.

04 solution 미리 보기

step ❶	B 회사의 전체 직원 수를 x라 하고, A 회사의 전체 직원 수 구하기
step ❷	B 회사의 전체 직원 수 구하기
step ❸	8시 40분에서 8시 50분 사이에 출근하는 B 회사의 직원 수 구하기

B 회사의 전체 직원 수를 x라 하면 8시 10분에서 8시 20분 사이에 출근하는 A, B 두 회사의 직원의 수가 같으므로 A 회사의 전체 직원 수는 $\dfrac{0.2}{0.14}x=\dfrac{10}{7}x$ ❶
A 회사에서 출근 시간이 8시 50분에서 9시 사이인 계급의 상대도수는
$1-(0.06+0.14+0.3+0.24+0.18)=0.08$
따라서 같은 계급의 B 회사의 상대도수도 0.08이다.
이 계급에 속하는 직원 수는 A 회사가 B 회사보다 12명 더 많으므로
$\dfrac{10}{7}x \times 0.08=x \times 0.08+12$
$\dfrac{6}{175}x=12$ $\therefore x=350$
따라서 B 회사의 전체 직원 수는 350이다. ❷
B 회사에서 출근 시간이 8시 40분에서 8시 50분 사이인 계급의 상대도수는
$1-(0.04+0.2+0.32+0.22+0.08)=0.14$
따라서 8시 40분에서 8시 50분 사이에 출근하는 B 회사의 직원 수는 $350 \times 0.14=49$ ❸

目 49

대한민국 대표 영단어 뜯어먹는 시리즈

날짜별 음원
QR 제공

개정판 **중학 영단어 시리즈** ▶ 새 교육과정 중학 영어 교과서 완벽 분석

60일 완성 **뜯어먹는 중학 기본 영단어 1200**

예비중 ~ 중학 1학년
중학 기초 영단어 1200개
+ 기능어 100개

60일 완성 **뜯어먹는 중학 영단어 1800 +300**

중학 1~3학년
중학 필수 영단어 1200개
+ 고등 기초 영단어 600개
+ Upgrading 300개

50일 완성 **뜯어먹는 중학 영숙어 1000**

중학 1~3학년
중학 필수 영숙어 1000개
+ 서술형이 쉬워지는 숙어 50개

날짜별 음원
QR 제공

개정판 **수능 영단어 시리즈** ▶ 새 교육과정 고등 영어 교과서 및 수능 기출문제 완벽 분석

뜯어먹는 수능 1등급 1800 +600 기본 영단어 60일 완성

예비고 ~ 고등 3학년
수능 필수 영단어 1800개
+ 수능 1등급 영단어 600개

뜯어먹는 수능 1등급 1800 +240 주제별 영단어 60일 완성

고등 2~3학년
수능 주제별 영단어 1800개
+ 수능필수 어원 90개
+ 수능 적중 어휘 150개

뜯어먹는 수능 1등급 1200 영숙어 60일 완성

예비고 ~ 고등 3학년
수능 빈도순 영숙어 1200개
+ 수능 필수 구문 50개

최상위의 절대 기준

절대등급

정답과 풀이
중학 수학 1-2

최상위의 절대 기준

절대등급